How-nual　Shuwasystem Industry Trend Guide Book

図解入門
業界研究

最新 コンテンツ業界の動向とカラクリがよくわかる本

業界人、就職、転職に役立つ情報満載

［第4版］

中野 明 著

秀和システム

はじめに

いま、コンテンツ業界が注目を集めています。

その理由は本文で詳しく述べますが、以下、かいつまんで説明しておきます。

日本は国外から資源を輸入してそれを加工し、輸出して外貨を得てきました。ところが新興国の台頭により、日本を支えてきた「ものづくり」を中心とする従来型産業に、かつてほどの勢いがなくなってきました。こうして、国としても「ものづくり」とは異なる新たなリーディング産業の育成が不可欠になってきました。

そのような中、物ではなく情報を生み出す産業が、次のリーディング産業として注目されるようになってきました。ここでいう情報とは無形財産、いわゆる知的財産のことです。そして、その知的財産の一角を占めるのがコンテンツです。

コンテンツとは、人間の創造的活動により生み出されるもののうち、教養または娯楽の範囲に属するもので、具体的には映画、音楽、演劇、文芸、写真、マンガ、アニメーション、コンピュータゲームなどを指します。これらを含む国内コンテンツ業界の市場規模は一二兆八四七六億円（二〇一九年）で、名目GDPと比較するとその約二・三％に相当します。この比率は国際平均を下回っていることから、コンテンツ業界は潜在的な成長余力を残しているといえます。

加えて、かつての韓流ブームに見られるように、コンテンツの力はその国の存在感を高めることにも役立ちます。これをソフト・パワーとも呼びます。こうした事情から、国としても法律の整備をはじめとして、国を挙げた知的財産立国、クール・ジャパン戦略に沿ったコンテンツ産業の促進施策を推進しています。

このように、コンテンツ業界には明るい未来が開けているといってもよいと思います。そして本書は、その現状と将来について、一テーマ見開き二ページを基本に、ふんだんな図解により明快に解説しました。

本書が、次の日本を切り拓《ひら》くコンテンツ業界に対する、皆様の理解に資することを願ってやみません。

二〇二一年三月　筆者識す

How-nual
図解入門
業界研究

最新コンテンツ業界の動向とカラクリがよくわかる本［第4版］

第8章 コンテンツと著作権

第 **1** 章

コンテンツ業界の全貌

コンテンツ業界は、映画や音楽、アニメーション、ゲームなど、多様な産業の複合体です。本章では、市場規模が12兆8476億円(2019年)といわれ、名目GDP 559兆円の約2.3%に相当する、日本のコンテンツ市場の全貌について解説します。

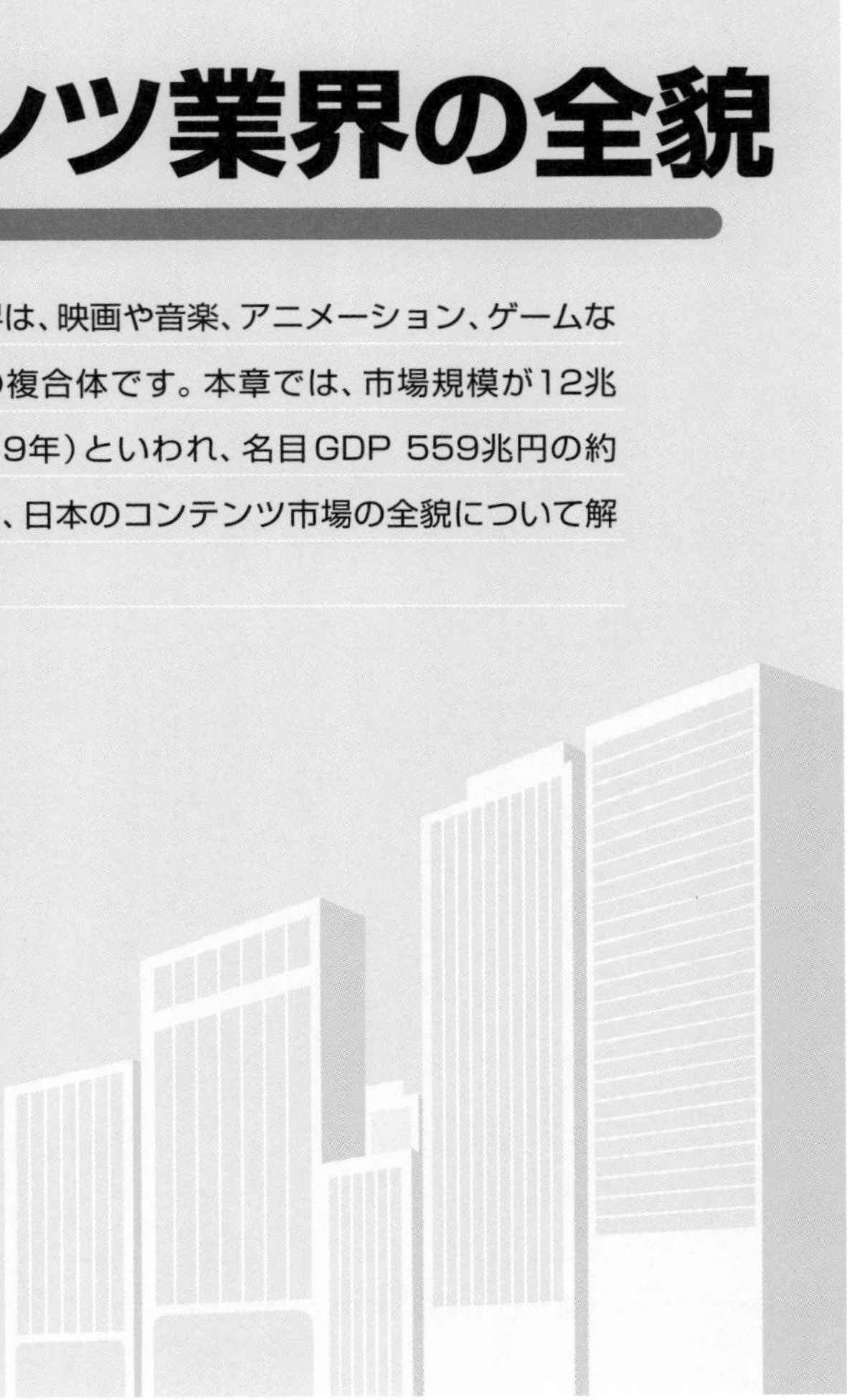

How-nual
図解入門
業界研究

1 コンテンツとは何か

コンテンツとは、情報の内容や中身のことです。具体的には、人間の創造活動によって生み出された、教養や娯楽に属する文字、音声、映像や、これらを組み合わせたものを指します。

コンテンツの一般的な意味

コンテンツとはもともと「(考えや本の)内容、中身」のことです。転じて「情報の内容」「情報の中身」を意味するのが一般的です。

ちなみに英語ではcontentsではなくcontentと表記します。「(考えや本の)内容、中身」は数えることができません。よって不可算名詞のcontentを用いるわけです。一方、contentsになると本の中身でも、特に「目次」を意味*します。

コンテンツの法的定義

〇四年六月に公布された「**コンテンツの創造、保護及び活用の促進に関する法律(コンテンツ促進法)**」では、コンテンツを次のように定義しています。

「コンテンツ」とは、映画、音楽、演劇、文芸、写真、漫画、アニメーション、コンピュータゲームその他の文字、図形、色彩、音声、動作若しくは映像若しくはこれらを組み合わせたもの又はこれらに係る情報を電子計算機を介して提供するためのプログラム(電子計算機に対する指令であって、一の結果を得ることができるように組み合わせたものをいう。)であって、人間の創造的活動により生み出されるもののうち、教養又は娯楽の範囲に属するものをいう。

この定義からも、コンテンツ産業に含まれる業界の範囲は非常に広いことがわかると思います。

用語解説

＊…**「目次」を意味**　このようなことから、かつてはコンテンツをあえてコンテントと呼ぶケースもあった。しかし、昨今はコンテンツと呼ぶのが一般的だ。

コンテンツの定義（図 1.1.1）

人間の創造的活動により生み出されるもの

教養または娯楽

コンテンツ

- 映画
- 写真
- 音楽
- アニメーション
- 演劇
- コンピュータゲーム
- 文芸

…etc.

文字、図形、色彩、音声、動作若しくは映像若しくはこれらを組み合わせたもの、又はこれらに係る情報を電子計算機を介して提供するためのプログラム。

▼

「コンテンツ促進法」によるコンテンツの定義

2 コンテンツの種類

コンテンツの分類には、①テキスト系、②音声系、③映像系のように三分類とする方法、①動画、②音楽・音声、③ゲーム、④静止画・テキスト、⑤複合のように五分類とする方法などがあります。

コンテンツの三分類と五分類

前節で見たように、コンテンツ産業が対象とする範囲は広大です。よって、コンテンツ業界の中身を明快にするには、まず、コンテンツを適切に分類することが欠かせません。

一般的にコンテンツはその特性に着目して分類します。代表的なのは、**①テキスト系コンテンツ**、**②音声系コンテンツ**、**③映像系コンテンツ**の三分類*とするものです。また、映像コンテンツからゲームを独立させ、複合型を加えた、**①動画**、**②音楽・音声**、**③ゲーム**、**④静止画・テキスト**、**⑤複合型***の五分類*とする考え方も見られます。

こうした分類手法から、コンテンツ業界が出版産業、映像産業、音声産業などを総合的に含む業界だということがわかるでしょう。

トリの目からムシの目へ

三分類や五分類にしたコンテンツ業界は、もちろんさらに細分化できます。例えば、三分類による①テキスト系コンテンツには、新聞記事やコミック、雑誌、書籍、データベースなどが含まれます。また、五分類の①動画には、DVDやブルーレイ・ディスクなどのパッケージ型メディアのほか、動画配信、映画、地上波テレビ放送などが含まれています。

コンテンツ産業を把握するには、まず、ここで示した三分類や五分類でざっくりと業界の全体像を押さえるべきです。その上で細部に切り込むのが、業界のスムーズな理解に役立つといえるでしょう。

用語解説

＊**三分類**　この方式をとるのが総務省だ。総務省情報通信研究所の報告書「メディア・ソフトの制作及び流通の実態」などでは、この三分類をベースにして日本のコンテンツを分析している。

コンテンツの分類手法（図 1.2.1）

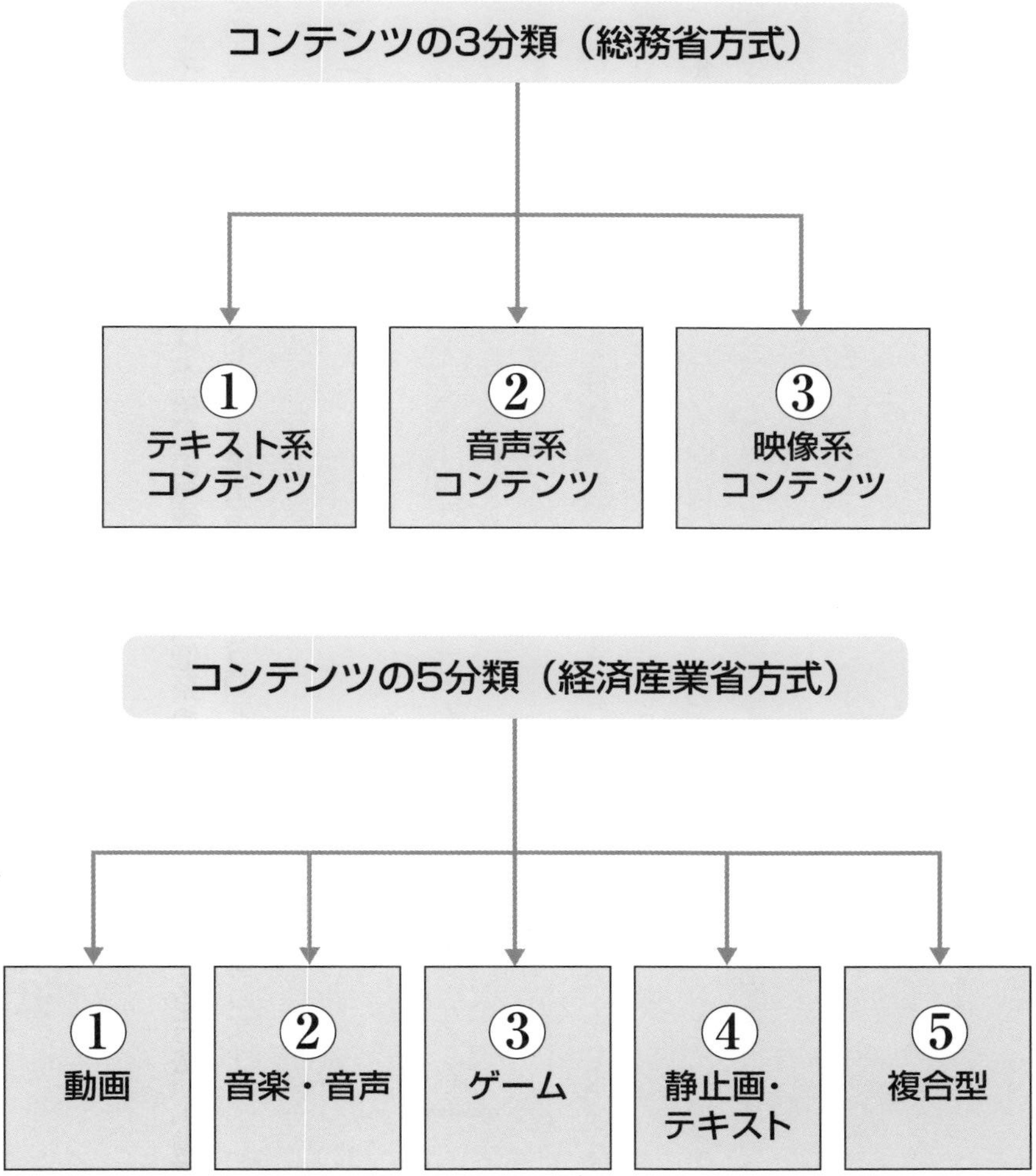

※本書では5分類方式をベースにしている

用語解説

＊**複合型**　インターネット広告およびモバイル広告が該当する。

＊**五分類**　この方式をとるのが経済産業省だ。同省が監修する『デジタルコンテンツ白書』などは、この考え方をベースにしている。

3　コンテンツとメディアの分離

従来、コンテンツとメディアとは不可分の存在でした。ところが昨今、デジタル化（ビット化）の進展により、特定のコンテンツが特定のメディアに依存しなくなってきています。

メディアとは何か

コンテンツとセットで用いられたり、あるいはよく混同されたりするものに**メディア**があります。コンテンツを誰かに伝えようと思うと、情報の伝達を仲介する何らかの手段が必要です。この手段のことを**媒体**、英語でメディア*と呼んでいます。

かつて、テレビ番組は電波による放送、双方向の通話は電話というように、コンテンツとメディアには特定の組み合せがありました。

しかし、あらゆる情報が**デジタル化**、より厳密にいうと「0」と「1」に**ビット化***されつつある今日、映像や音声といった区分けで、特定のメディアを選ぶのは無意味になってきました。

というのも、映像であれ音声であれ、その正体は「0」と「1」の**ビット情報**に変わりはないからです。

ビット化するコンテンツ

さらに、このビット情報を効率的に送信する通信基盤が急激に力をつけてきました。それは**インターネット**にほかなりません。

このような流れの中で、コンテンツとメディアの不可分な組み合わせは崩れ、あらゆるデジタル・コンテンツをインターネットでやりとりできる時代が到来しました。

この現象は従来、インターネットがあらゆるメディアを飲み込む、とも表現されてきました。

これは、コンテンツがビット化することで、起こるべくして起きた現象だともいえるでしょう。

用語解説

＊**メディア**　**メディア・コンテンツ**という表現をたまに見かけることがある。これは、メディアで送り届けられるコンテンツを意味しているようだが、いわんとすることは1-1節で述べたコンテンツの定義と同じだと考えてよい。

超メディアとしてのインターネット（図 1.3.1）

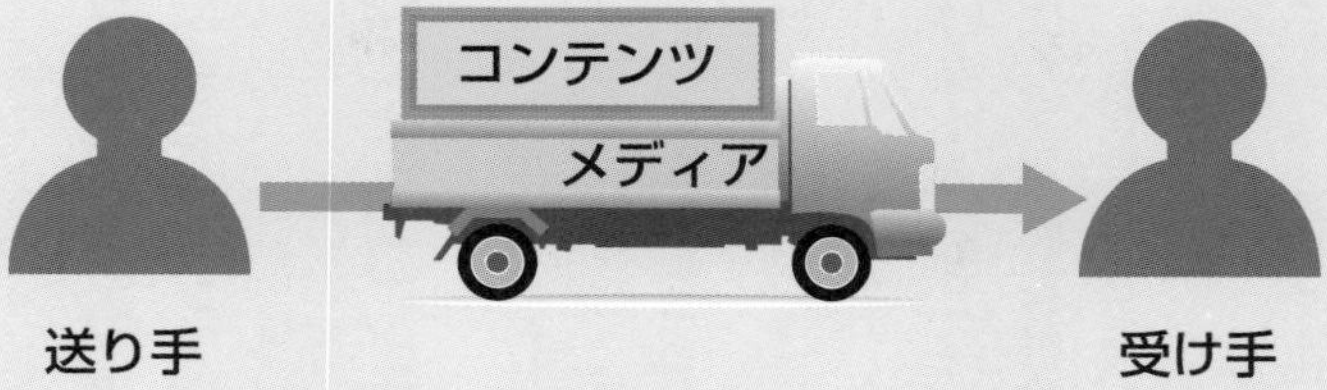
コンテンツ
メディア
送り手
受け手

かつて、コンテンツとメディアには
特定の組み合わせがあった

▼

コンテンツ（情報）のデジタル化（ビット化）

×

ビット情報を効率的に送信する通信基盤（インターネット）の登場

↓

- コンテンツとメディアの組み合わせが無意味に
- あらゆるコンテンツをインターネットで

▼

インターネットがメディアを飲み込む

用語解説

＊**ビット化**　ビット化の意義については、ニコラス・ネグロポンテ著『ビーイング・デジタル』（アスキー）を読んでおきたい。

4 メディア別で見たコンテンツの分類

コンテンツはメディアの上に乗って流通し、利用者のもとに届きます。よって、流通経路やコンテンツの利用次元によって、コンテンツを分類することもできます。

流通経路によるコンテンツの分類

1-2節ではコンテンツの特性からコンテンツを分類しました。一方、コンテンツはメディアの上に乗り、それが流通経路を通って利用者に届きます*。よって、コンテンツが流通する経路別に、コンテンツを分類することもできます。これにもいくつかの分類方法があります。

まず、流通経路を五分類とする方法があります。これは、①**パッケージ**、②**固定系ネットワーク**、③**移動系ネットワーク**、④**劇場・専用スペース**、⑤**放送**、の五種類に分けるやり方*です。

①**パッケージ**とは、新聞や書籍、CDなど、コンテンツが何らかのフィジカルな物体に閉じ込められ、それが利用者に送り届けられるものを指します。また、②**固定系ネットワーク**は固定電話回線など、③**移動系ネットワーク**はモバイルネットワークなどを通して届けられるコンテンツです。それから、④**劇場・専用スペース**は特定の場所で消費されるコンテンツを指します。ライブの音楽コンサートはその一例です。最後の⑤**放送**はテレビやラジオの放送番組を指します。

一次流通市場とマルチユース市場

また、コンテンツを**一次流通市場**と**マルチユース市場**で分類する考え方もあります。一次流通市場とは、そのコンテンツが最初に提供された市場を指します。二度目以降はマルチユース市場です。例えば映画は、劇場が一次流通市場、DVD化やCS放送、地上テレビ放送がマルチユース市場になります。

用語解説

* …**利用者に届きます** 放送のように、メディアと流通経路が同一の場合もある。

* **五種類に分けるやり方** 前出（1-2節）の『デジタルコンテンツ白書』などは、この分類手法を用いている。

流通経路によるコンテンツの分類（図 1.4.1）

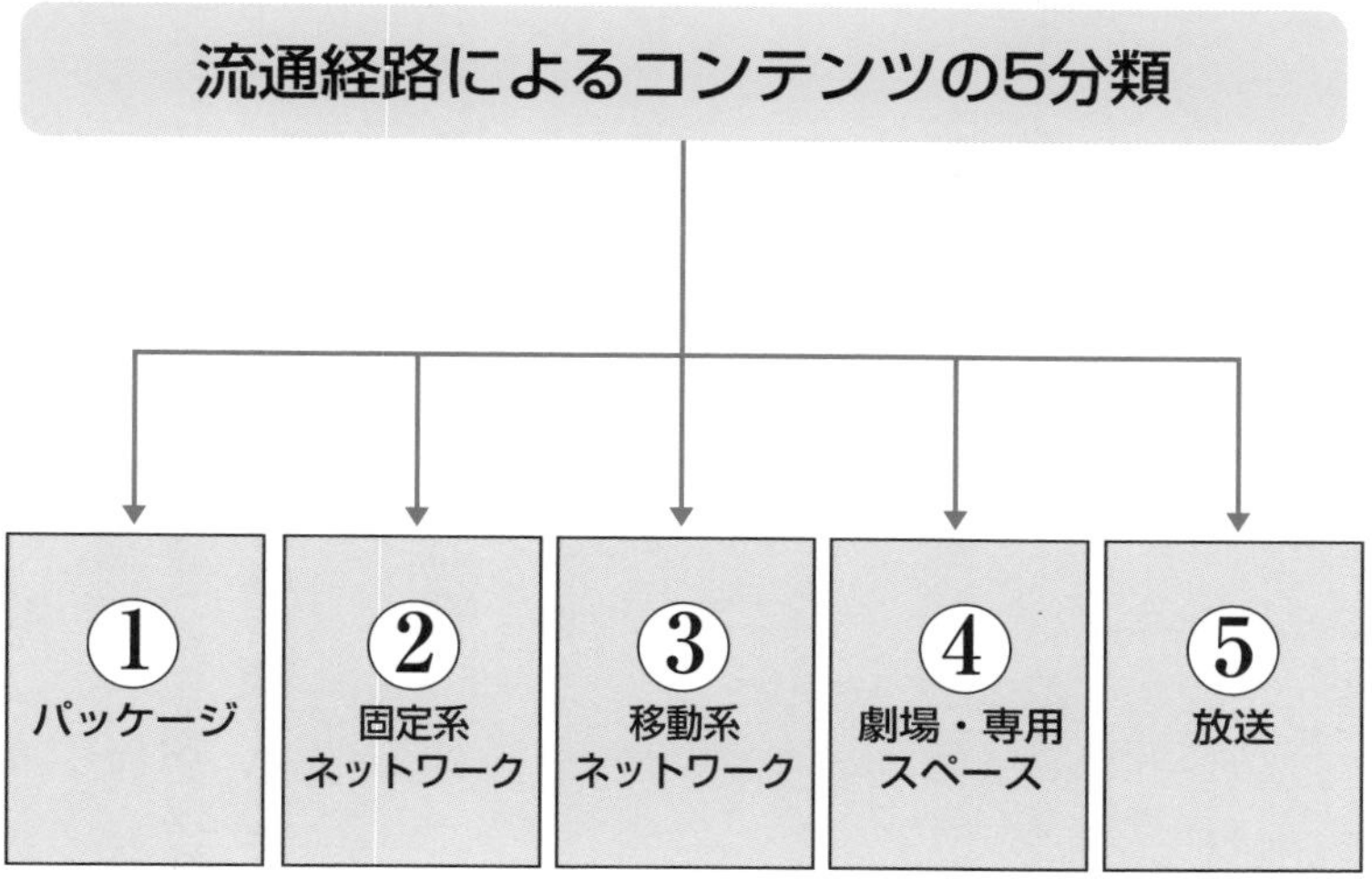
流通経路によるコンテンツの5分類
①
パッケージ
②
固定系
ネットワーク
③
移動系
ネットワーク
④
劇場・専用
スペース
⑤
放送

一次流通市場とマルチユース市場（図 1.4.2）

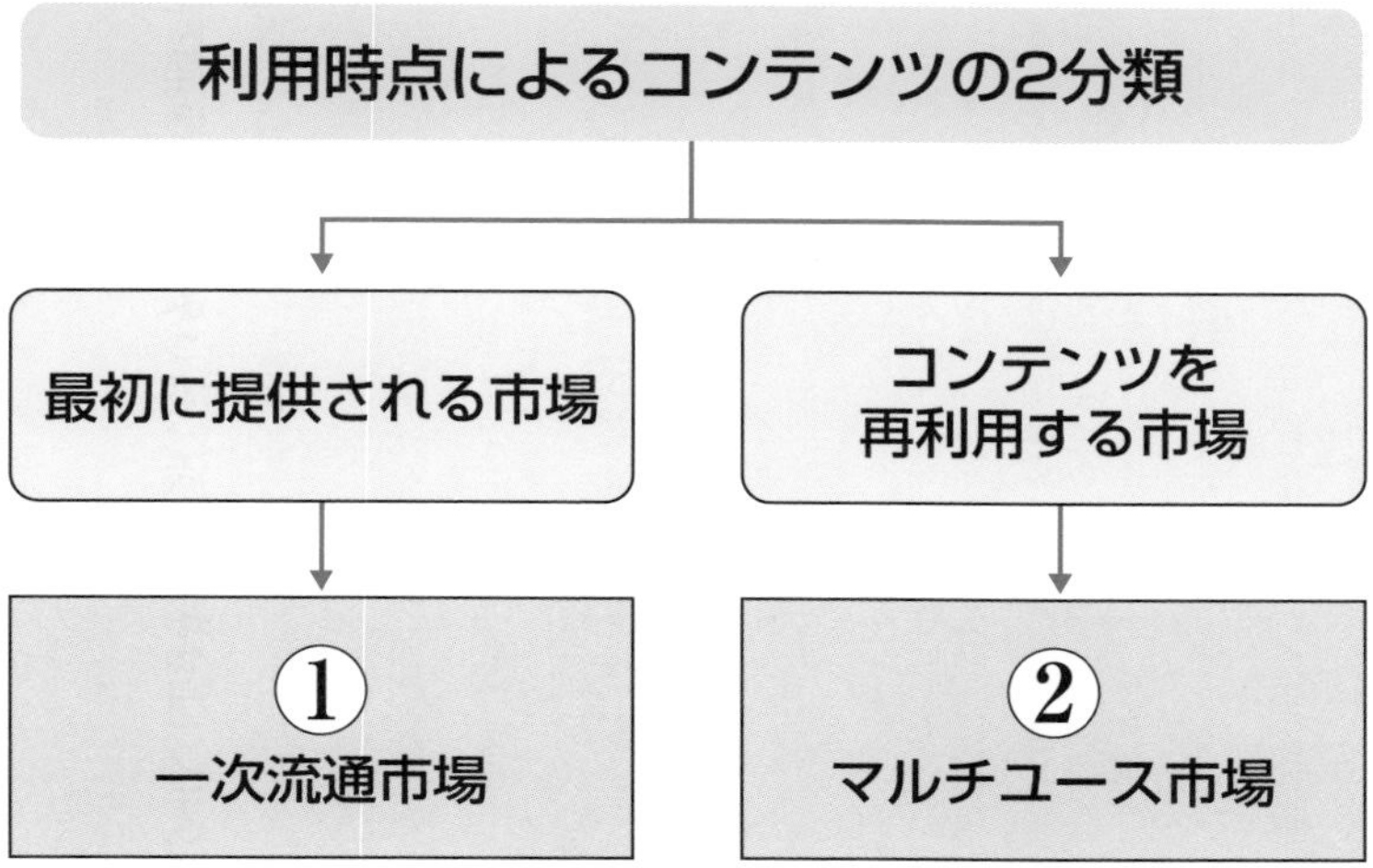
利用時点によるコンテンツの2分類
最初に提供される市場
コンテンツを
再利用する市場
①
一次流通市場
②
マルチユース市場

5 コンテンツ業界の市場構造

コンテンツ業界の市場構造は、コンテンツの制作と流通に二分して考えるのがわかりやすいでしょう。また、コンテンツを利用するための装置も、コンテンツ業界と不可分の関係にあります。

コンテンツの種類と流通経路

前節まで、コンテンツをその内容と流通経路で分類する方法について見てきました。

これは言い換えると、**コンテンツ制作**と**コンテンツ流通**に分けてコンテンツ業界を眺めたことにほかなりません。

コンテンツ制作とは、文字どおりコンテンツそのものを制作することを指します。例えばテレビ放送だと、番組制作がこのコンテンツ制作に相当します。一方、コンテンツ流通とは、制作されたコンテンツを利用者に届ける流通経路を指します。テレビ番組の場合だと、放送局から電波を介して視聴者に届けられます。これがコンテンツ流通に相当します。

つまり、コンテンツ業界は、コンテンツ制作とコンテンツ流通に二分して考えることもできる*わけです。

コンテンツを再生するための装置

利用者に届いたコンテンツは、文字どおり利用者によって利用されます。

コンテンツのデジタル化が進んでいるとはいえ、コンテンツの形態や用途によっては、利用するのに特定の装置を用いるのが一般的です。テレビ番組を視聴するにはテレビ受像機が、外出先でインターネットを利用するならばスマートフォンが必要になるようにです。

このように考えると、こうしたコンテンツを利用するための装置産業も、コンテンツ業界とは不可分の関係にあるといえます。

用語解説

*　**二分して考えることもできる**　なお、例に掲げた放送のような、1つの事業者がコンテンツの制作と流通の両方を兼業しているケースはまれである。そして、第3章で見るように、この放送業界の枠組みも崩れつつある。

コンテンツ業界の市場構造（図 1.5.1）

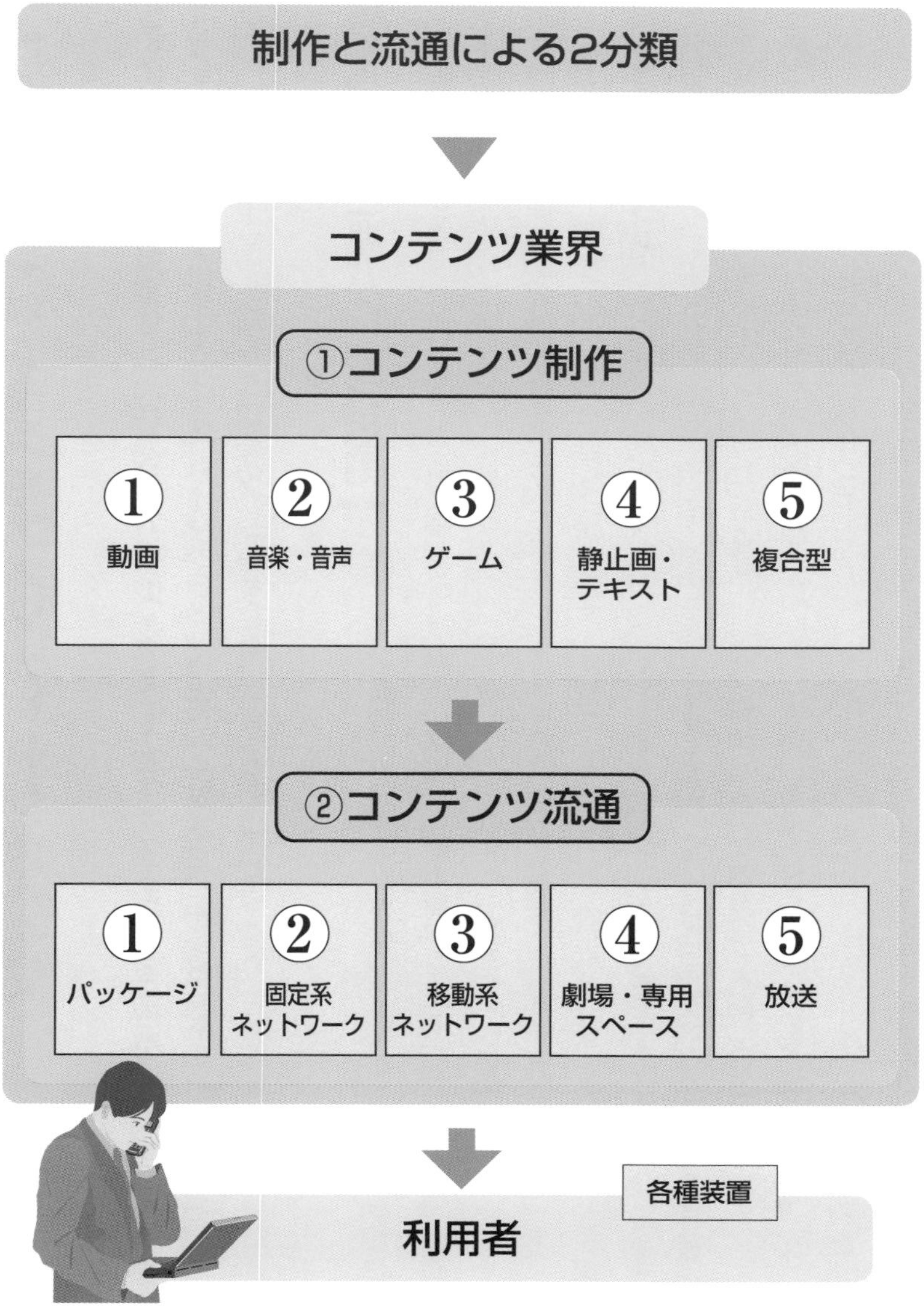
制作と流通による2分類
コンテンツ業界
①コンテンツ制作
① 動画
② 音楽・音声
③ ゲーム
④ 静止画・テキスト
⑤ 複合型
②コンテンツ流通
① パッケージ
② 固定系ネットワーク
③ 移動系ネットワーク
④ 劇場・専用スペース
⑤ 放送
各種装置
利用者

6 コンテンツ業界の市場規模

コンテンツ業界の市場規模は一二兆八四七六億円(一九年度)で、日本の名目GDP五五九兆円(一九年度)と比較するとその約二・三%に相当します。リーマンショック後、一一年を底に市場は緩やかに拡大する傾向にあります。しかし、リーマンショック以前の市場規模には、いまだ戻っていません。

市場規模は一二兆八四七六億円

経済産業省が監修するデジタルコンテンツ協会編『デジタルコンテンツ白書２０２０』によると、一九年＊のコンテンツ産業の市場規模は**一二兆八四七六億円**となりました(図1・6・1)。一九年度の日本の**名目GDP**＊は約五五九兆円＊でしたから、コンテンツ産業のシェアはその約二・三%に相当します。

市場規模の推移を経年で見ると、〇七年には一二兆九四七一億円と一三兆円近くありましたが、〇八年に起こったリーマンショックの影響で、市場規模は縮小に転じました。しかしながら、東日本大震災があった一一年を底に、市場は緩やかではありますが規模拡大の傾向にあります。

市場規模の推移を分野別に見ると(図1・6・2)、かつてトップだった**静止画・テキスト**は長期的な低下傾向にあります。一九年は**三兆二三二四億円**でした。代わってトップに立つのが**動画**です(**四兆三九五五億円**)。また、**複合型**(インターネット広告、モバイル広告)が大きく躍進しています(**一兆六六二〇億円**)。**ゲーム**も市場を拡大してきましたが、一九年は前年割れとなりました(**一兆一五七二億円**)。**音楽・音声**は**一兆四〇〇五億円**でした。

一九年の市場占有率は大きい順に動画(三四・一%)、静止画・テキスト(二五・二%)、ゲーム(一六・八%)、複合型(一二・九%)、音楽・音声(一〇・九%)となりました(図1・6・3)。これをさらに細分化して見たのが図1・6・4です。

用語解説

＊**一九年**　「年」と表記した場合はその年の1月から12月までの期間、「年度」と表記した場合はその年の4月から翌年の3月までの期間を指す。また、「20年3月期」の表記は「19年度」と等しい期間になる。

コンテンツ産業の市場規模推移（図 1.6.1）

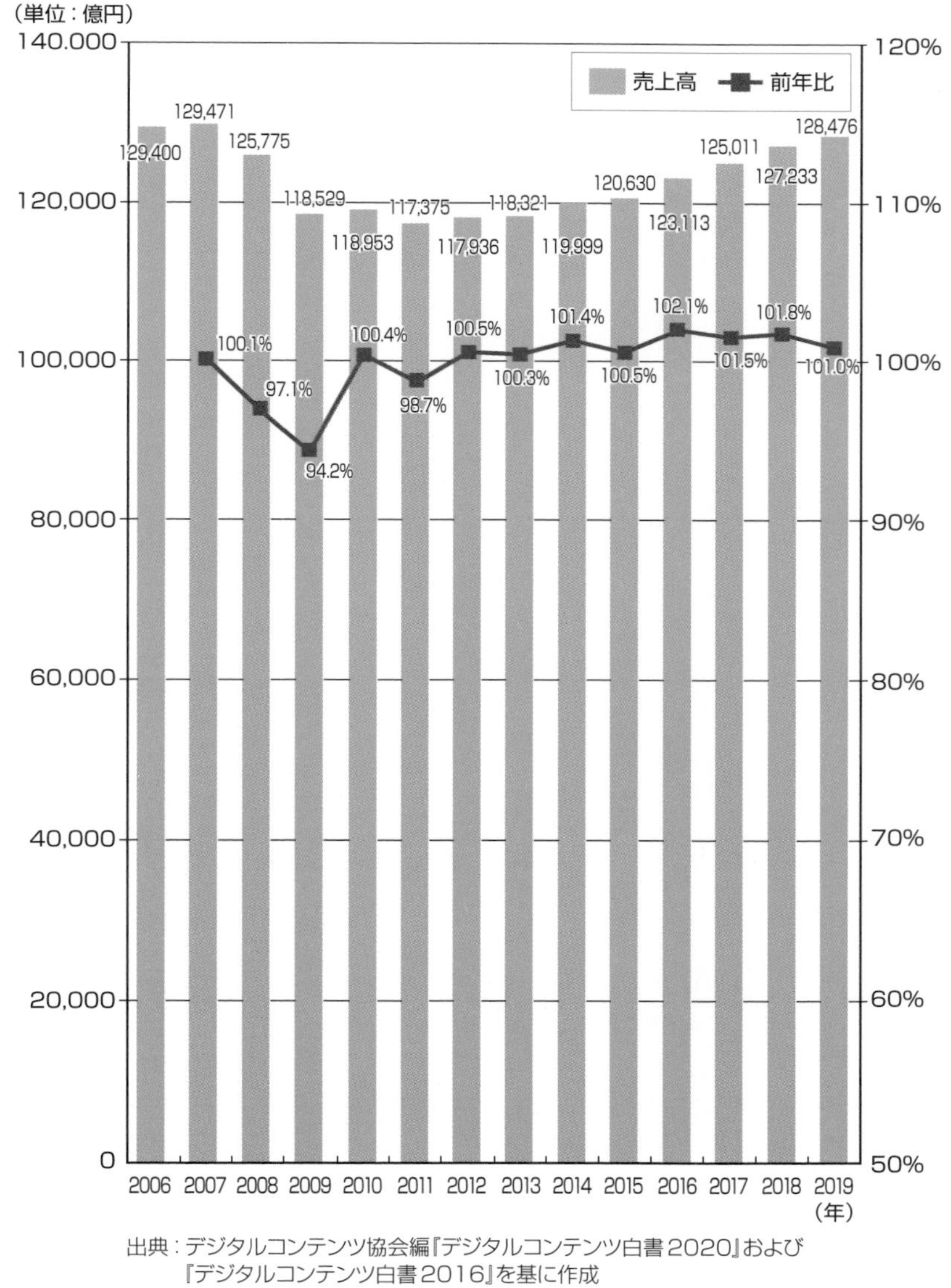

出典：デジタルコンテンツ協会編『デジタルコンテンツ白書 2020』および『デジタルコンテンツ白書 2016』を基に作成

用語解説

＊**名目GDP**　名目国内総生産。名目とは国内の付加価値を単純に合計した数値で、ここから物価変動の影響を取り除いたものを実質国内総生産と呼ぶ。一般に名目GDPが生活実感に近いといわれている。

分野別市場規模の推移（図 1.6.2）

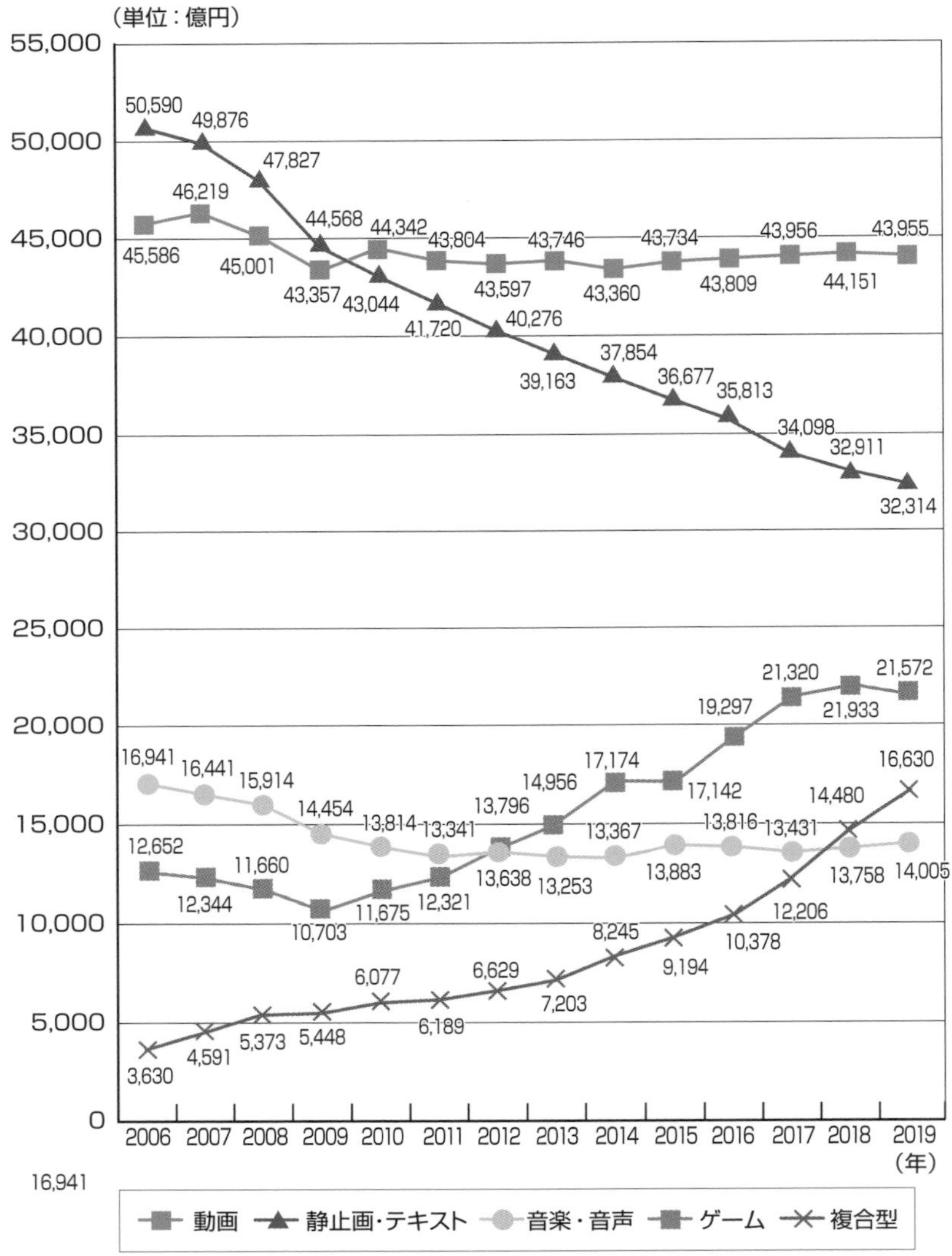

出典：デジタルコンテンツ協会編『デジタルコンテンツ白書 2020』および
『デジタルコンテンツ白書 2016』を基に作成

用語解説

＊**約五五九兆円**　内閣府「2019年度（令和元年度）国民経済計算年時推計」（2020年12月24日）による。

分野別市場占有率（2019年）（図1.6.3）

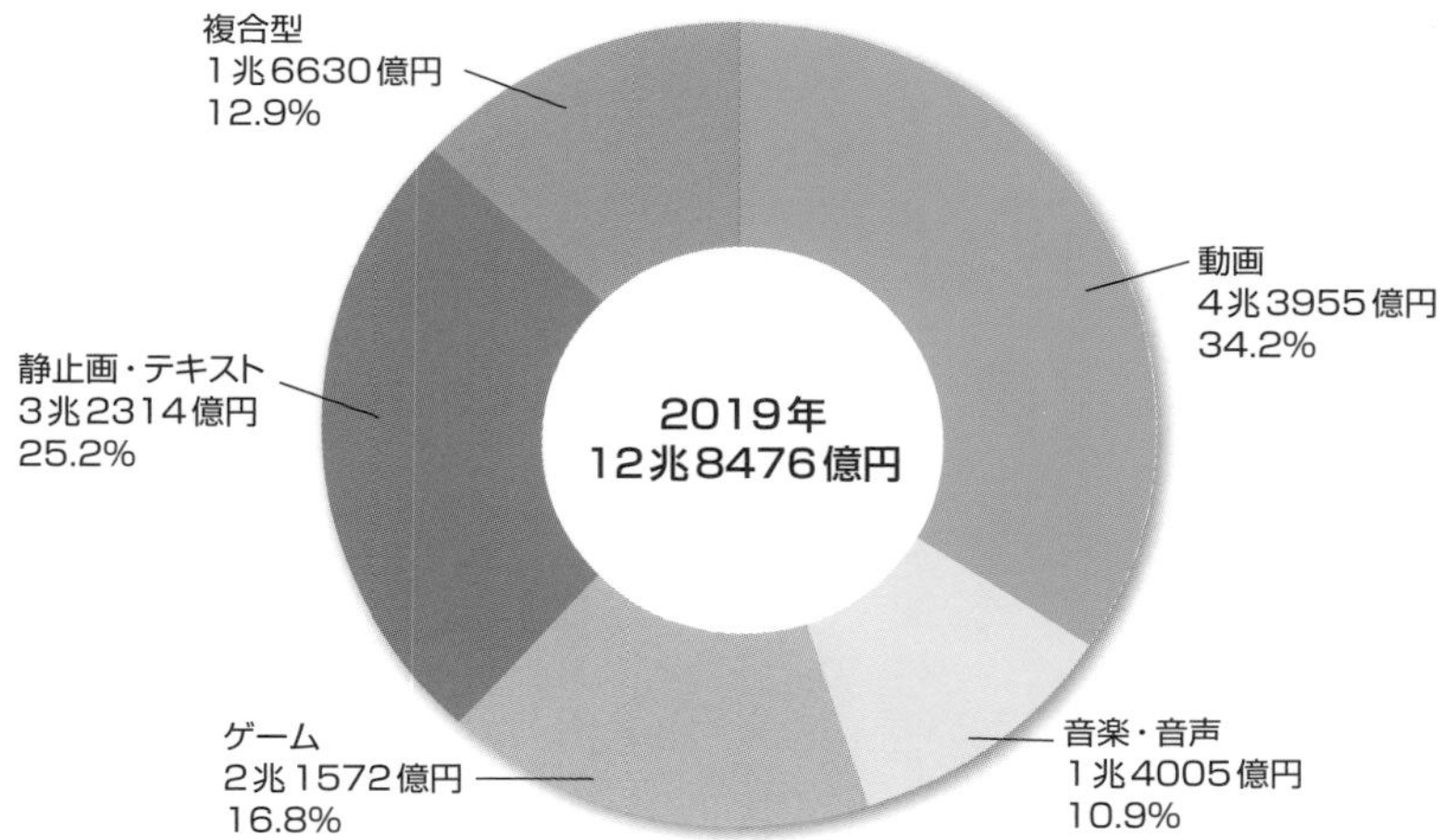
複合型
1兆6630億円
12.9%
動画
4兆3955億円
34.2%
静止画・テキスト
3兆2314億円
25.2%
2019年
12兆8476億円
ゲーム
2兆1572億円
16.8%
音楽・音声
1兆4005億円
10.9%

出典：デジタルコンテンツ協会編『デジタルコンテンツ白書2020』を基に作成

コンテンツ産業の詳細分野別市場規模（図1.6.4）

動画 4兆3955億円	音楽・音声 1兆4005億円	ゲーム 2兆1572億円	静止画・テキスト 3兆2314億円
ビデオソフト 2437億円	音楽ソフト 3076億円	ゲームソフト 1916億円	書籍 6723億円
映画興行収入 2612億円	カラオケ 4100億円	オンライン・ゲーム 1兆4469億円	雑誌 7312億円
テレビ放送・関連サービス 3兆4078億円	コンサート入場料 4237億円	携帯電話向けゲーム 38億円	フリーペーパー 2110億円
ステージ入場料 2058億円	ラジオ放送・関連サービス 1335億円	アーケードゲーム 5149億円	新聞 1兆2301億円
配信 2770億円	配信 1257億円		ネットワーク配信 3738億円
			携帯電話向け配信 130億円

※複合型　1兆6630億円　　出典：デジタルコンテンツ協会編『デジタルコンテンツ白書2020』

7 詳細コンテンツ別・流通別市場規模の推移

コンテンツ業界の市場規模の内訳を見ると、マスコミ四媒体に関連するコンテンツの占める割合が大きいのが特徴になっています。経年ではネットワーク経由のコンテンツの飛躍が目立っています。

詳細コンテンツ別市場規模

コンテンツの種類をより詳細に区分して、一九年の市場規模を見たのが図1・7・1です。

市場の大部分を占めるのが、いわゆる**マスコミ四媒体***と呼ばれるメディアを通じたコンテンツだということがよくわかります。特に、テレビ放送、新聞、雑誌が大きなシェアを占めています。また、ビデオソフトや音楽ソフト、書籍も大きなシェアを確保しています。

ただ、こうした従来型のコンテンツは経年変化で見ると減少傾向のものが多く見られます。図1・7・2は、一五年のコンテンツ別市場規模を見たものです。一五年と一九年を比較すると、マスコミ四媒体のシェアがいずれも低下しているのがわかるでしょう。

また、図1・7・3は、流通別に見たコンテンツ市場規模の推移です。これを見ると、パッケージ型の市場規模が継続して低下しているのがわかります。また、停滞傾向にあった放送経由のコンテンツは、とうとう三兆六〇〇〇億円台を割り込んで、三兆五四一三億円になりました。

一方、継続して規模を拡大しているのが、固定系・移動系を合わせた**ネットワーク**です。市場規模は一〇年の一兆四四八九億円から一九年は**三兆九二九一億円**と約**二・七倍**となり、パッケージと放送を抜いて初めてトップに立ちました。市場全体に占める割合は、**三〇・六%**です*。また、劇場・専用スペース向けコンテンツも市場を拡大しており、一九年は一兆八一五六億円を達成しています。

用語解説

* **マスコミ四媒体**　新聞・雑誌・テレビ・ラジオをマスコミ四媒体（または四大マス媒体）と呼ぶ。**マス四**と略称する場合もある。
* **…三〇・六%です**　これを**ネット化率**と呼ぶ。

1-7 詳細コンテンツ別・流通別市場規模の推移

詳細コンテンツ別市場規模（2019年）（図 1.7.1）

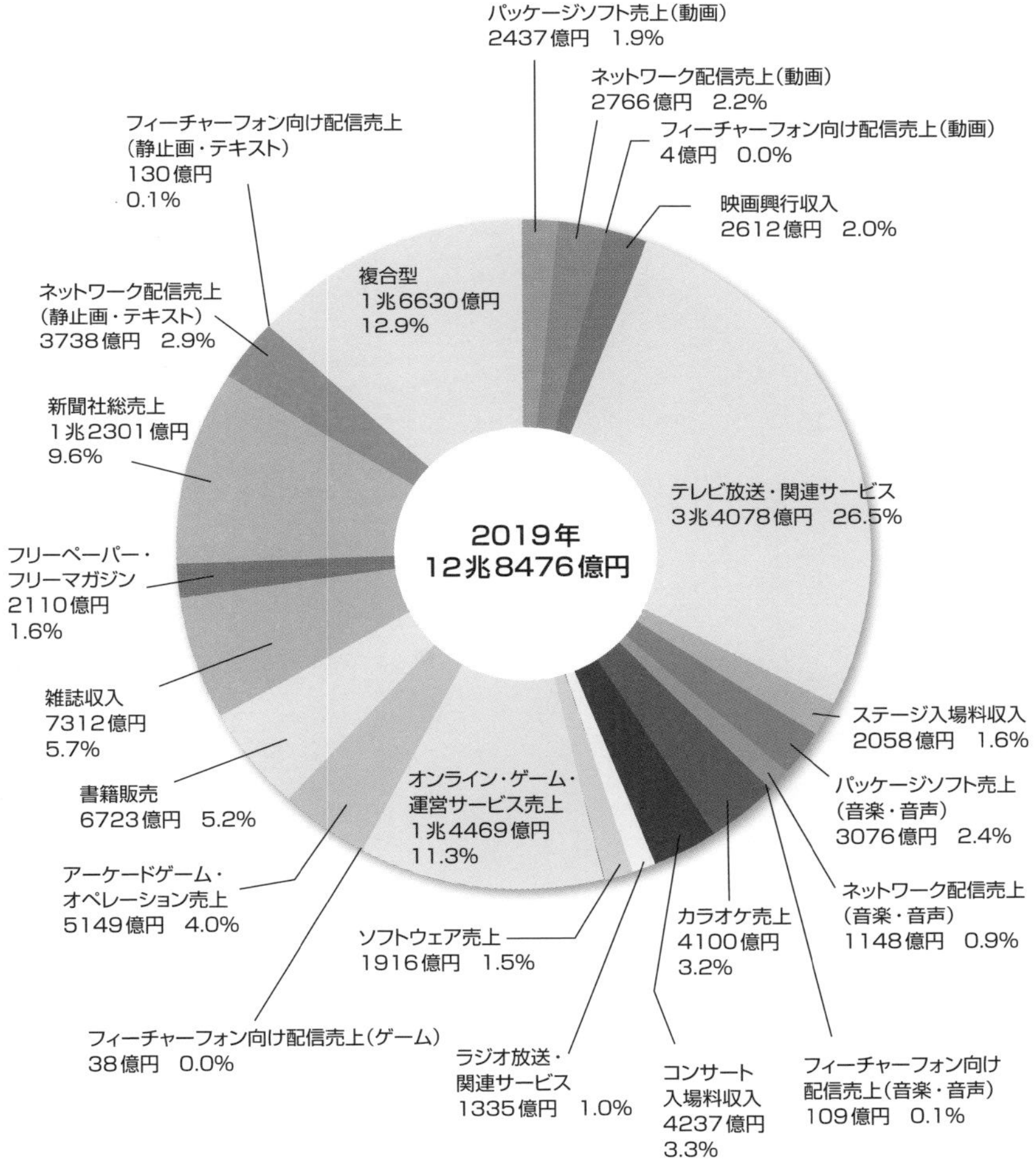

パッケージソフト売上（動画）
2437億円 1.9%
ネットワーク配信売上（動画）
2766億円 2.2%
フィーチャーフォン向け配信売上（動画）
4億円 0.0%
映画興行収入
2612億円 2.0%
テレビ放送・関連サービス
3兆4078億円 26.5%
ステージ入場料収入
2058億円 1.6%
パッケージソフト売上
（音楽・音声）
3076億円 2.4%
ネットワーク配信売上
（音楽・音声）
1148億円 0.9%
フィーチャーフォン向け
配信売上（音楽・音声）
109億円 0.1%
コンサート
入場料収入
4237億円
3.3%
カラオケ売上
4100億円
3.2%
ラジオ放送・
関連サービス
1335億円 1.0%
ソフトウェア売上
1916億円 1.5%
オンライン・ゲーム・
運営サービス売上
1兆4469億円
11.3%
フィーチャーフォン向け配信売上（ゲーム）
38億円 0.0%
アーケードゲーム・
オペレーション売上
5149億円 4.0%
書籍販売
6723億円 5.2%
雑誌収入
7312億円
5.7%
フリーペーパー・
フリーマガジン
2110億円
1.6%
新聞社総売上
1兆2301億円
9.6%
ネットワーク配信売上
（静止画・テキスト）
3738億円 2.9%
フィーチャーフォン向け配信売上
（静止画・テキスト）
130億円
0.1%
複合型
1兆6630億円
12.9%
2019年
12兆8476億円

出典：デジタルコンテンツ協会編『デジタルコンテンツ白書2020』を基に作成

詳細コンテンツ別市場規模（2015年）（図1.7.2）

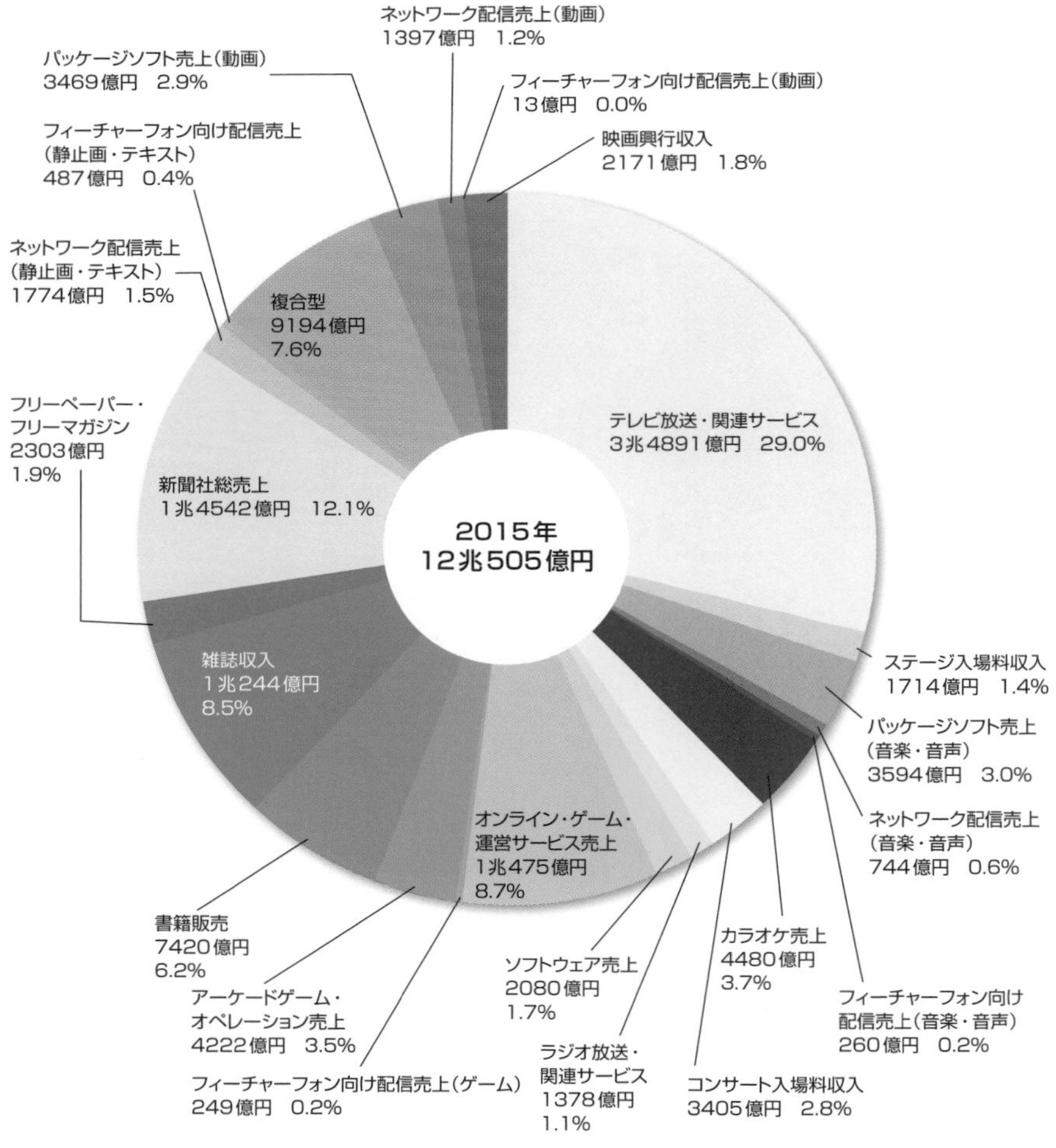
ネットワーク配信売上（動画）
1397億円　1.2%
パッケージソフト売上（動画）
3469億円　2.9%
フィーチャーフォン向け配信売上（動画）
13億円　0.0%
映画興行収入
2171億円　1.8%
フィーチャーフォン向け配信売上
（静止画・テキスト）
487億円　0.4%
ネットワーク配信売上
（静止画・テキスト）
1774億円　1.5%
複合型
9194億円
7.6%
テレビ放送・関連サービス
3兆4891億円　29.0%
フリーペーパー・
フリーマガジン
2303億円
1.9%
新聞社総売上
1兆4542億円　12.1%
2015年
12兆505億円
ステージ入場料収入
1714億円　1.4%
雑誌収入
1兆244億円
8.5%
パッケージソフト売上
（音楽・音声）
3594億円　3.0%
ネットワーク配信売上
（音楽・音声）
744億円　0.6%
オンライン・ゲーム・
運営サービス売上
1兆475億円
8.7%
書籍販売
7420億円
6.2%
ソフトウェア売上
2080億円
1.7%
カラオケ売上
4480億円
3.7%
アーケードゲーム・
オペレーション売上
4222億円　3.5%
フィーチャーフォン向け
配信売上（音楽・音声）
260億円　0.2%
ラジオ放送・
関連サービス
1378億円
1.1%
フィーチャーフォン向け配信売上（ゲーム）
249億円　0.2%
コンサート入場料収入
3405億円　2.8%

出典：デジタルコンテンツ協会編『デジタルコンテンツ白書2016』を基に作成

流通別市場規模の推移（図 1.7.3）

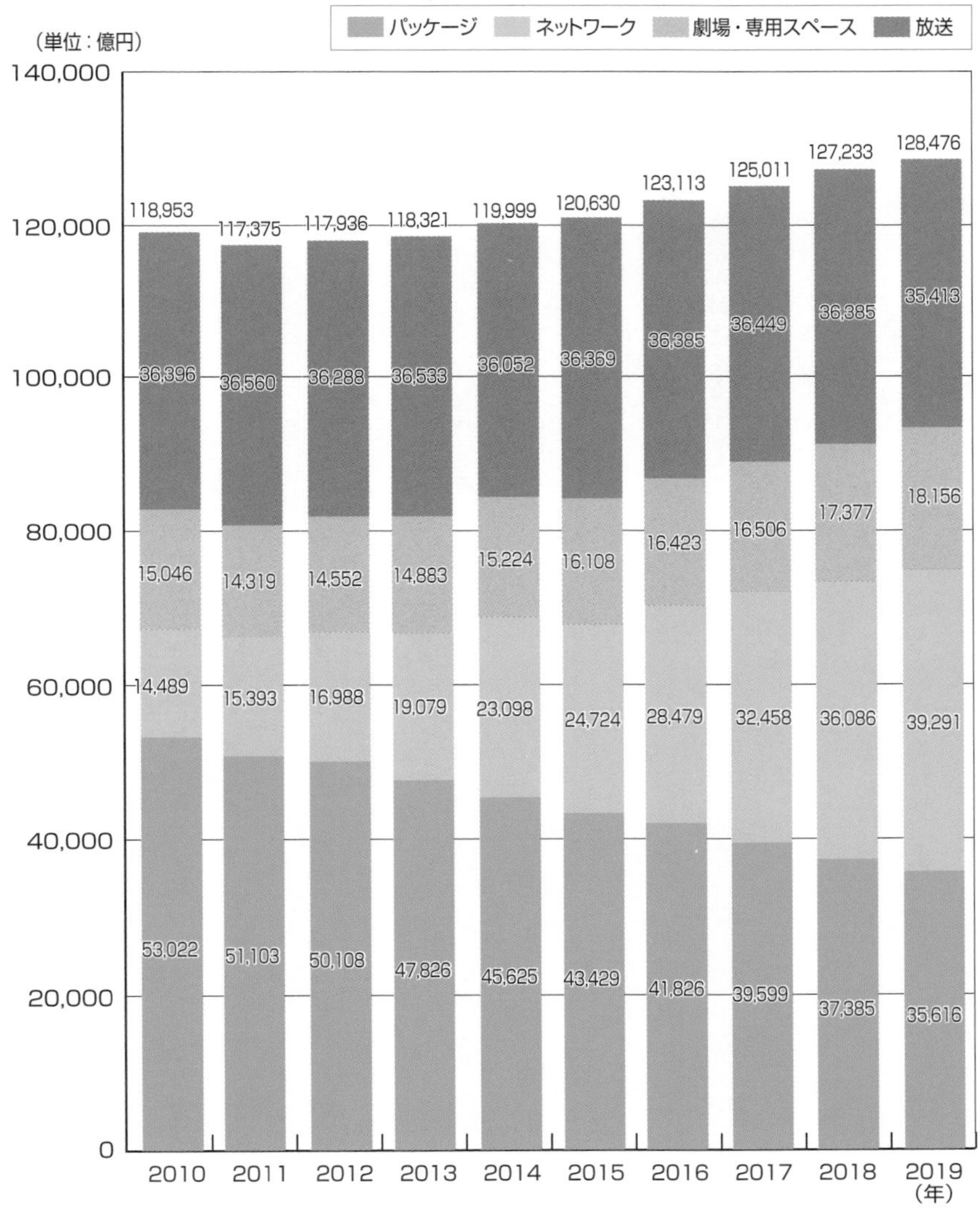

出典：デジタルコンテンツ協会編『デジタルコンテンツ白書 2020』を基に作成

8 デジタル・コンテンツの市場規模

情報のデジタル化、ビット化が進展する中、コンテンツ全体に占めるデジタル・コンテンツの存在感が著しく高まってきています。この傾向は今後も続くことになるでしょう。

市場規模九兆二三二〇億円

一九年のデジタル・コンテンツの市場規模は**九兆二三二〇億円**でした（図1・8・1）。コンテンツ市場全体に占める割合は**七一・九%**になりました*。この数字はコンテンツの**デジタル化率**とも呼べるものです。デジタル化率は一〇年が五七・〇%でしたから、当時に比べると一四ポイント以上もプラスになっていることがわかります。

また、コンテンツ市場の成長が鈍化する中でも、デジタル・コンテンツの市場規模は年々拡大しています。一〇年の六兆七七四七億円と比較すると、一九年の市場規模は**一・三六倍**に相当します。

次にデジタル・コンテンツを項目別に見てみましょう（図1・8・2）。このグラフを見ると、従来、市場の大半を占めていたのが**動画**だったことがよくわかります。ただし成長は頭打ちで、一九年は前年割れの**四兆一八四九億円**になりました。前年割れといえばゲーム、それに音楽・音声も同様でした。ゲームは**二兆一五七二億円**、音楽・音声は**八四〇一億円**と、いずれも前年には届きませんでした。

そのような中で大きく市場規模を拡大しているのが複合型すなわちインターネット広告・モバイル広告です*。一九年は**一兆六六三〇億円**と前年から**二一五〇億円もの上積み**となり、市場全体を牽引《けんいん》しているのがわかります。

なお、高速大容量でデータ使用量に制限のない**5G**サービス*の登場により、動画が再び市場規模を拡大するのではないかと期待されています。

用語解説

＊…**になりました**　『デジタルコンテンツ白書2020』による。

＊…**広告です**　広告はテキスト、静止画、動画、音声と多様な形式があるために、『デジタルコンテンツ白書』では「複合型」という名称を用いているのだと思われる。

デジタル・コンテンツ市場の規模推移とデジタル化率（図 1.8.1）

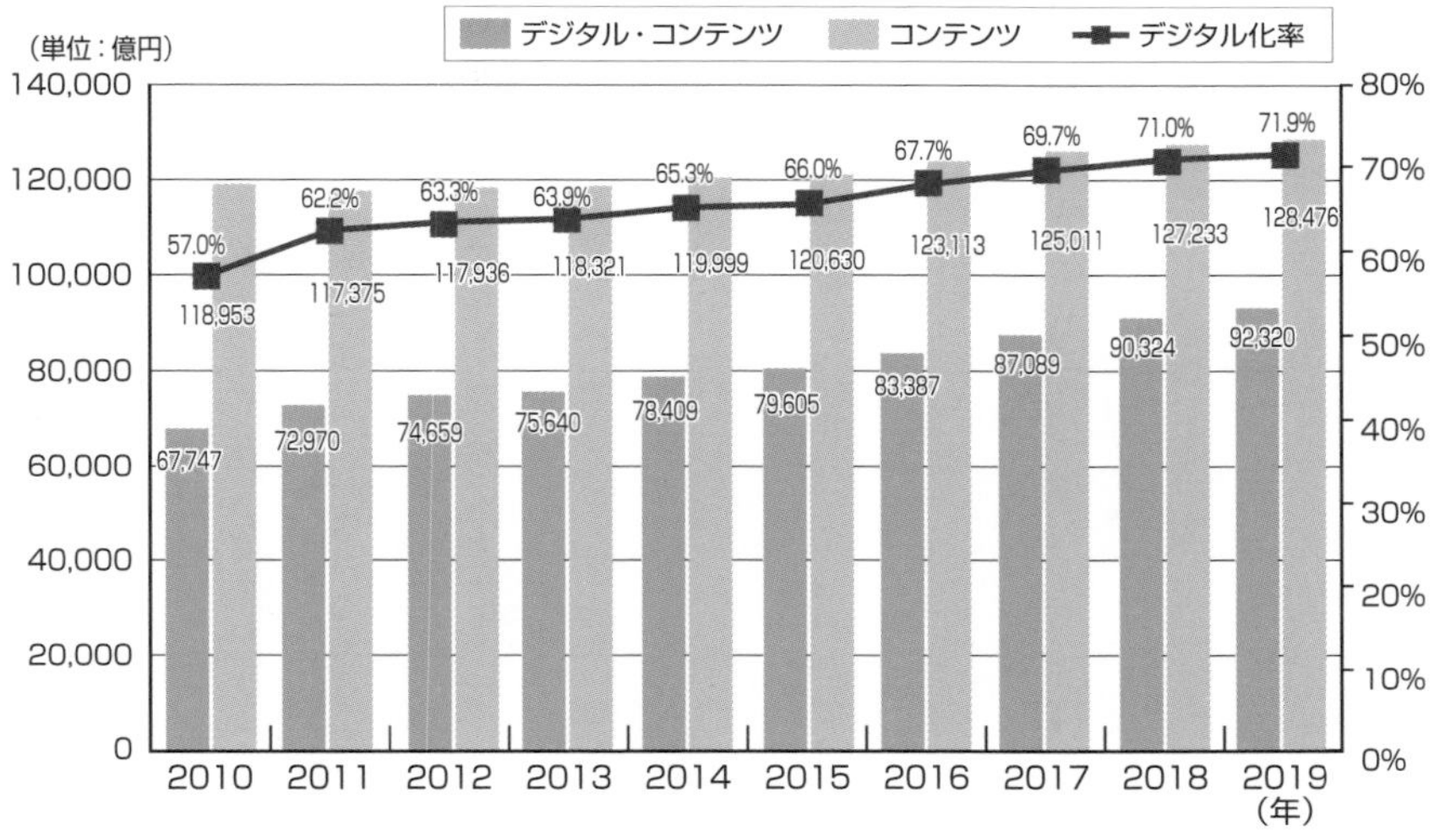

出典：デジタルコンテンツ協会編『デジタルコンテンツ白書 2020』を基に作成

デジタル・コンテンツのコンテンツ別市場規模の推移（図 1.8.2）

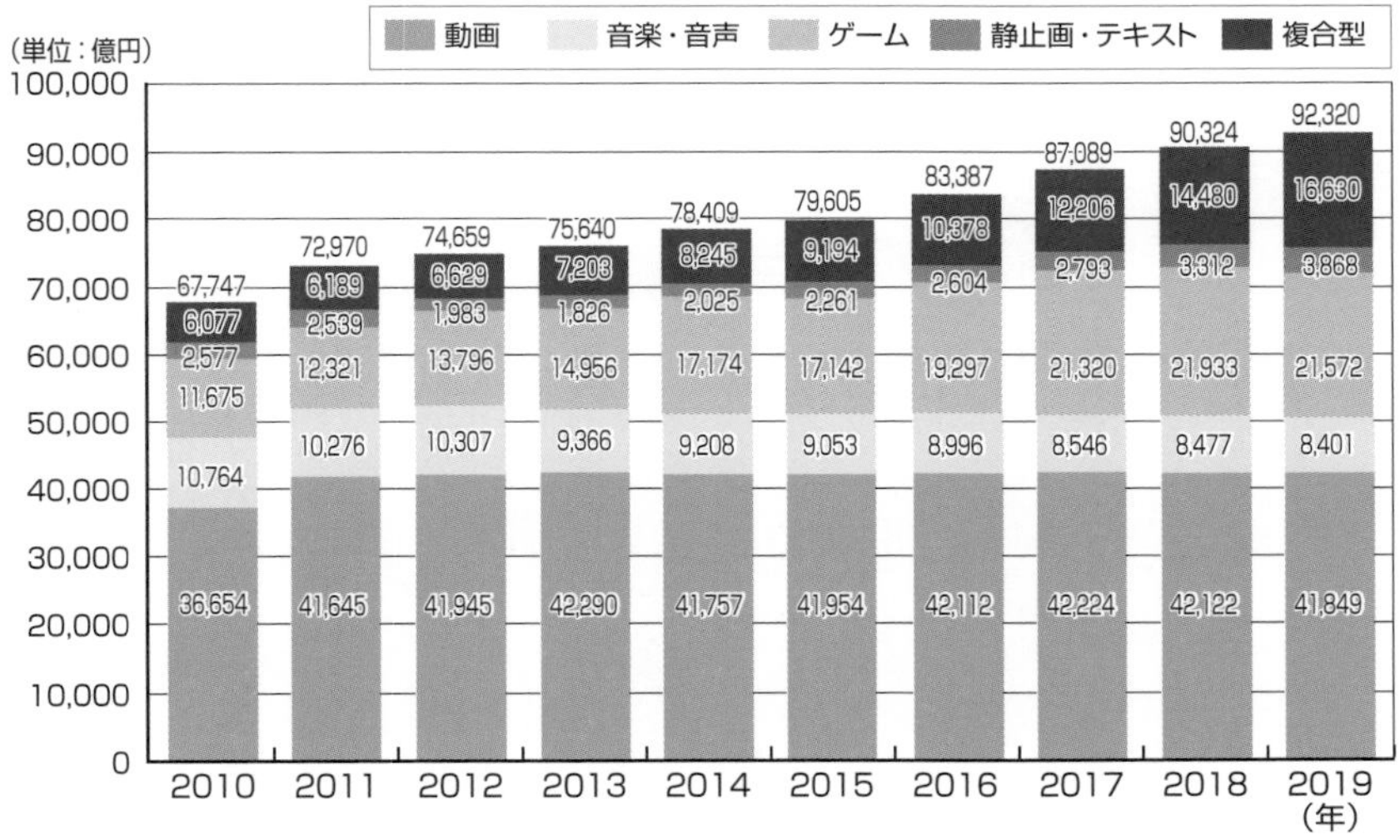

出典：デジタルコンテンツ協会編『デジタルコンテンツ白書 2020』を基に作成

用語解説

＊**5Gサービス**　例えば楽天モバイルでは、月額2980円(税抜)で、データ使用量に制限のないサービスを提供している。

9 メディア・ソフトと市場規模の推移

総務省情報通信政策研究所でも、日本のコンテンツ業界について調査しています。この調査によると、コンテンツ業界の市場規模は一一兆八五五八億円（一八年）になります。

総務省による市場規模の調査

前節までは主に『デジタルコンテンツ白書』に基づいて、コンテンツ業界の市場規模を見てきました。同白書とは別に日本のコンテンツ市場を調査したものに、総務省情報通信政策研究所の「メディア・ソフトの制作及び流通の実態に関する調査研究」があります。

メディア・ソフトとは、「メディアを『ハード』とした場合、コンテンツはメディアの『ソフト』である」という考え方を前提にした、様々なメディアを通じて流通するコンテンツの総称です。1-3節で**メディア・コンテンツ**についてふれましたが、メディア・ソフトも、要するに本書でいうところの「コンテンツ」を指していると考えて問題ありません*。

それはともかく、同研究所が示した一八年のコンテンツ市場全体の規模は**一一兆八五五八億円**でした。その内訳は、映像系ソフトが六兆九六九六億円（全体の五八・八%）、テキスト系ソフトが四兆一二九一億円（三四・八%）、音声系ソフトが七五七一億円（六・四%）となりました（図1・9・1、図1・9・3）。

また同研究所では、流通段階別の市場規模についても調査しています。

これによると一八年ベースで**一次流通市場**は九・一兆円、**マルチユース市場**が二・八兆円となりました（図1・9・2）。マルチユースとは、一次流通後のコンテンツの再利用市場を意味しました（1-4節）。

なお、図1・9・3と図1・9・4にはコンテンツ市場の詳細と形態別、流通段階別の比率を示しました。

用語解説

*…**問題ありません**　メディア・コンテンツ、メディア・ソフトとも、シンプルにコンテンツと表現したほうが、誤解がなくて済むように思うのだが。

ソフト形態別コンテンツ市場規模の推移（図 1.9.1）

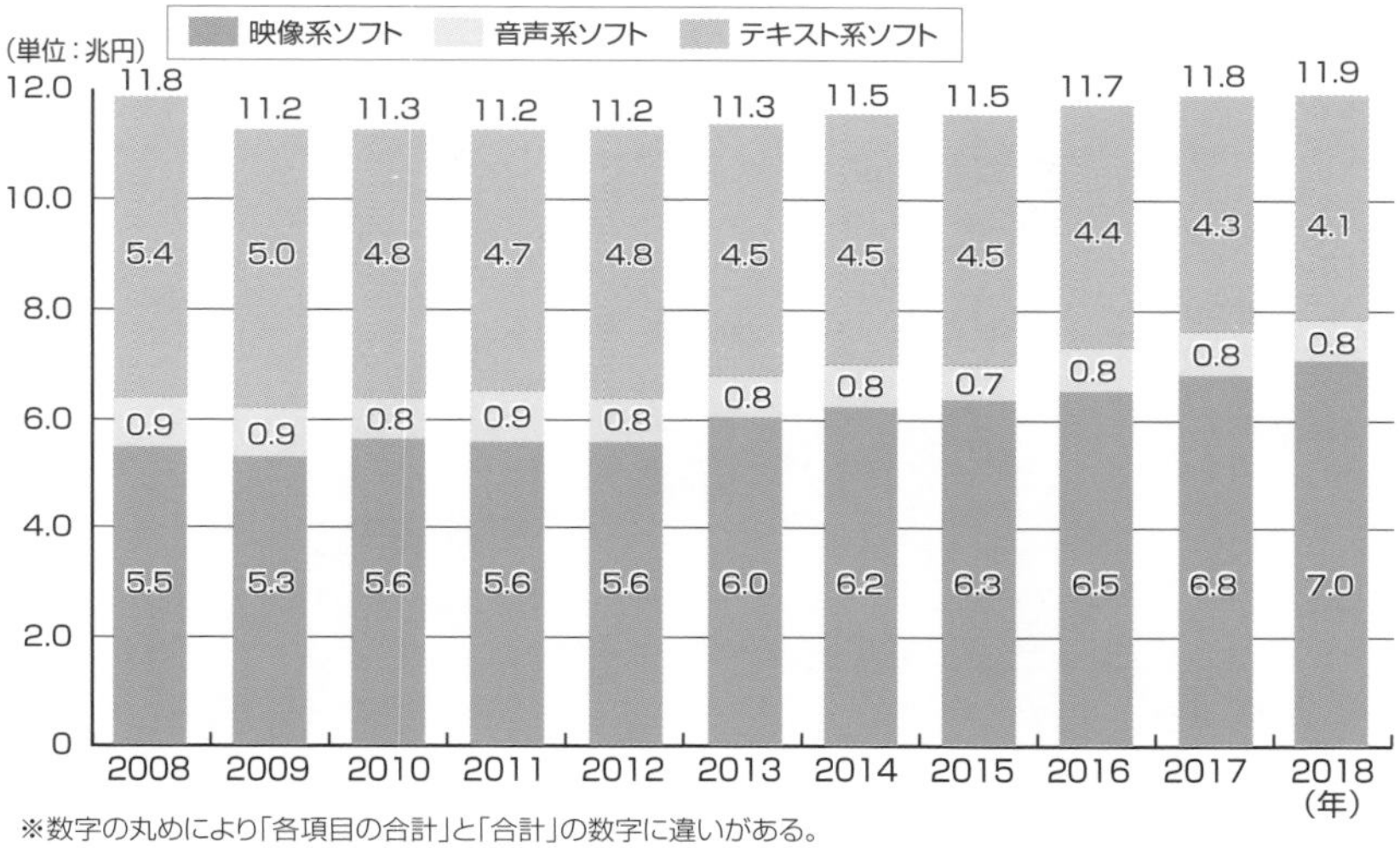

※数字の丸めにより「各項目の合計」と「合計」の数字に違いがある。
出典：総務省「メディア・ソフトの制作及び流通の実態に関する調査研究」各年度を基に作成

流通段階別コンテンツ市場規模の推移（図 1.9.2）

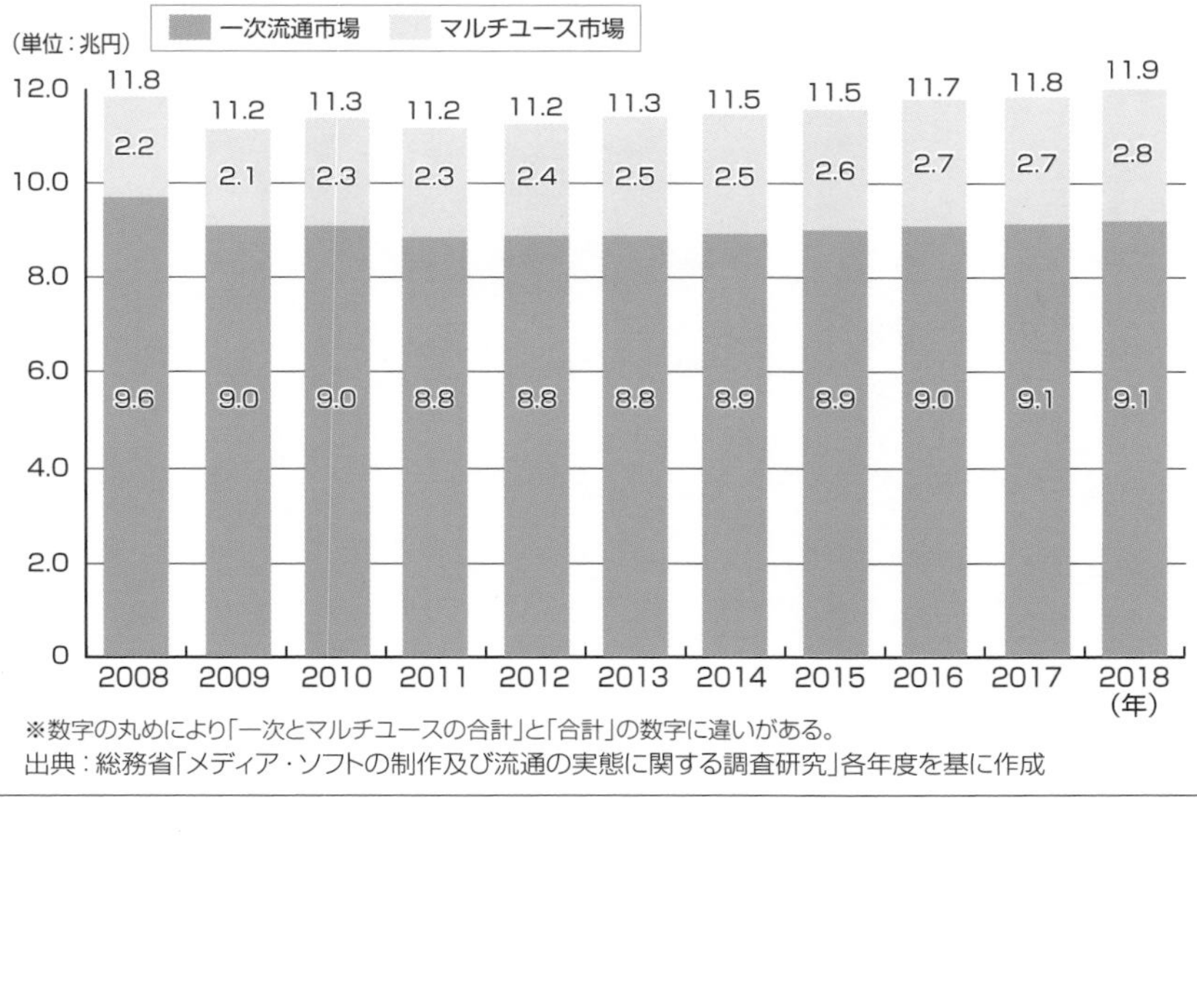

※数字の丸めにより「一次とマルチユースの合計」と「合計」の数字に違いがある。
出典：総務省「メディア・ソフトの制作及び流通の実態に関する調査研究」各年度を基に作成

コンテンツ市場を構成する各ソフトの規模（2018年）（図1.9.3）

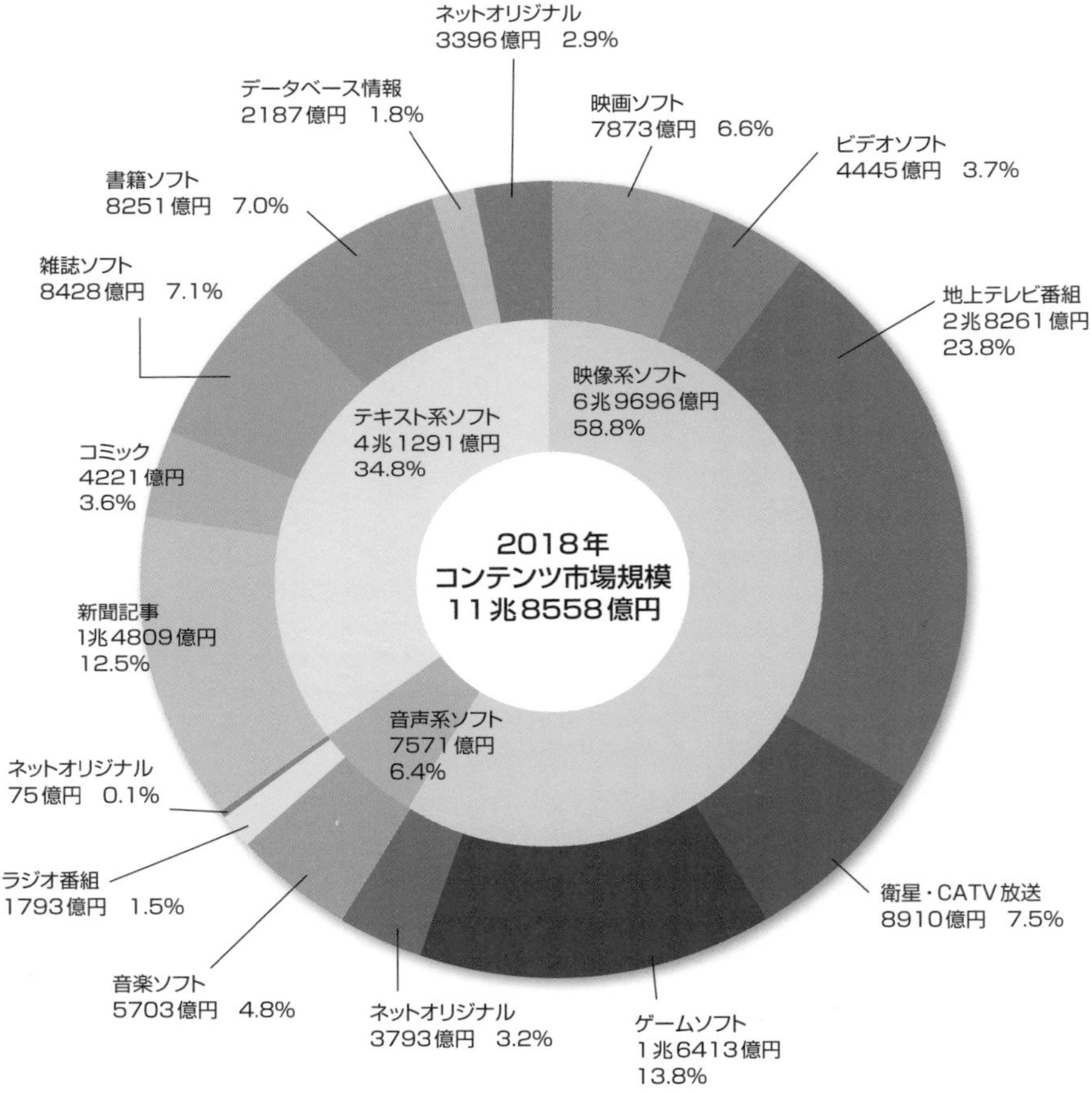
ネットオリジナル
3396億円　2.9%
データベース情報
2187億円　1.8%
映画ソフト
7873億円　6.6%
ビデオソフト
4445億円　3.7%
書籍ソフト
8251億円　7.0%
雑誌ソフト
8428億円　7.1%
地上テレビ番組
2兆8261億円
23.8%
映像系ソフト
6兆9696億円
58.8%
テキスト系ソフト
4兆1291億円
34.8%
コミック
4221億円
3.6%
2018年
コンテンツ市場規模
11兆8558億円
新聞記事
1兆4809億円
12.5%
音声系ソフト
7571億円
6.4%
ネットオリジナル
75億円　0.1%
ラジオ番組
1793億円　1.5%
衛星・CATV放送
8910億円　7.5%
音楽ソフト
5703億円　4.8%
ネットオリジナル
3793億円　3.2%
ゲームソフト
1兆6413億円
13.8%

出典：総務省「メディア・ソフトの制作及び流通の実態に関する調査研究」（2020年7月）

形態別・流通段階別の市場規模（2018年）（図1.9.4）

ソフト形態別

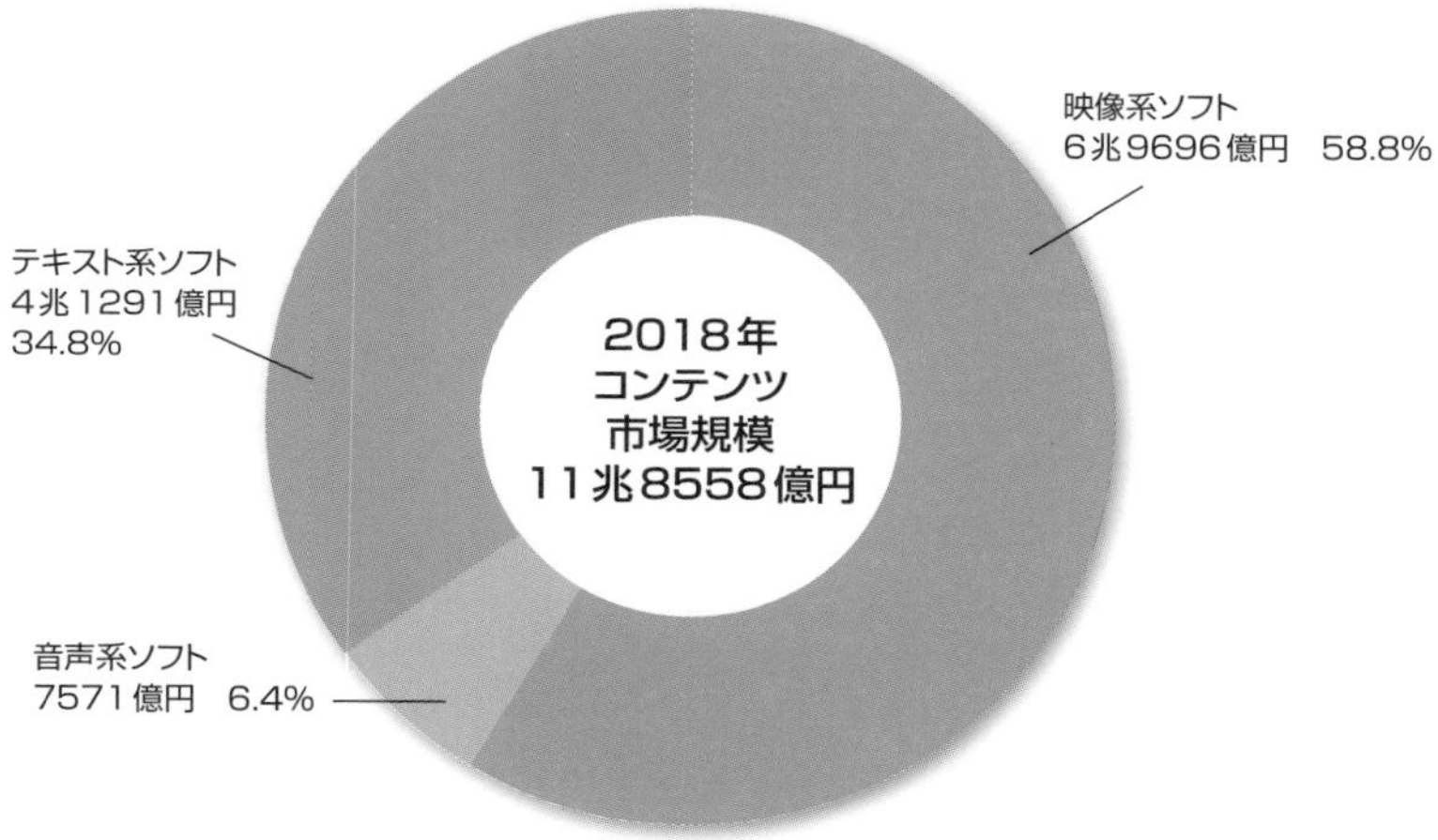
映像系ソフト
6兆9696億円　58.8%
テキスト系ソフト
4兆1291億円
34.8%
2018年
コンテンツ
市場規模
11兆8558億円
音声系ソフト
7571億円　6.4%

流通段階別

マルチユース市場
2兆7511億円　23.2%
一次流通市場
9兆1047億円　76.8%
2018年
コンテンツ
市場規模
11兆8558億円

出典：総務省「メディア・ソフトの制作及び流通の実態に関する調査研究」（2020年7月）

10 なぜいまコンテンツ業界なのか

以上、コンテンツ業界の市場規模について見てきました。ところで、なぜいまコンテンツ業界に注目が集まっているのでしょうか。実はこれには確固たる理由があります。

知財立国を目指して

日本の産業は、諸外国から資源を輸入し、それを加工し輸出することで外貨を稼いできました。ところが、発展するアジア新興諸国や世界の工場を標榜《ひょうぼう》する中国、さらにはインドなどの台頭により、日本の経済モデルはかつてほどの力強さを発揮できないでいます。

このような中、日本を牽引する新たな経済モデルの模索が不可欠になってきました。その一つとして着目されたのが、付加価値の高い**無形資産**、すなわちコンテンツをはじめとした**知的財産***の有効活用です。

実際、政府でも、**知的財産戦略本部***を立ち上げ、知的財産の創造、保護、活用を促進し、日本産業の国際競争力を高めようとしています。いわば「**知財立国**」の実現を目指しているのが現在の日本です。その中でもコンテンツは**クール・ジャパン***を代表する極めて重要な知的財産です。

またコンテンツは、日本の**ソフト・パワー***を高めるのにも有効です。提唱者の国際政治学者ジョセフ・ナイは、国家レベルのソフト・パワーとして①文化、②政治的価値観、③外交政策の三つがあると指摘します。

コンテンツという観点から注目したいのが**文化**です。日本のコンテンツの基層には、日本の文化が連綿と受け継がれています。そして、日本のよりよいコンテンツを世界に問うということは、諸外国に対して日本の文化、すなわち日本のソフト・パワーを発信することを意味します。こうしてコンテンツは、世界中に日本のファンを増やす「**良き外交官**」の役割も期待されているのです。

用語解説

* **知的財産**　近年はIntellectual Property、略して**IP**と呼ぶことも多い。
* **知的財産戦略本部**　2003年に内閣に設置される。活動は現在も続いており、最新の報告書に「知的財産推進計画2020」などがある。

コンテンツとソフト・パワー（図 1.10.1）

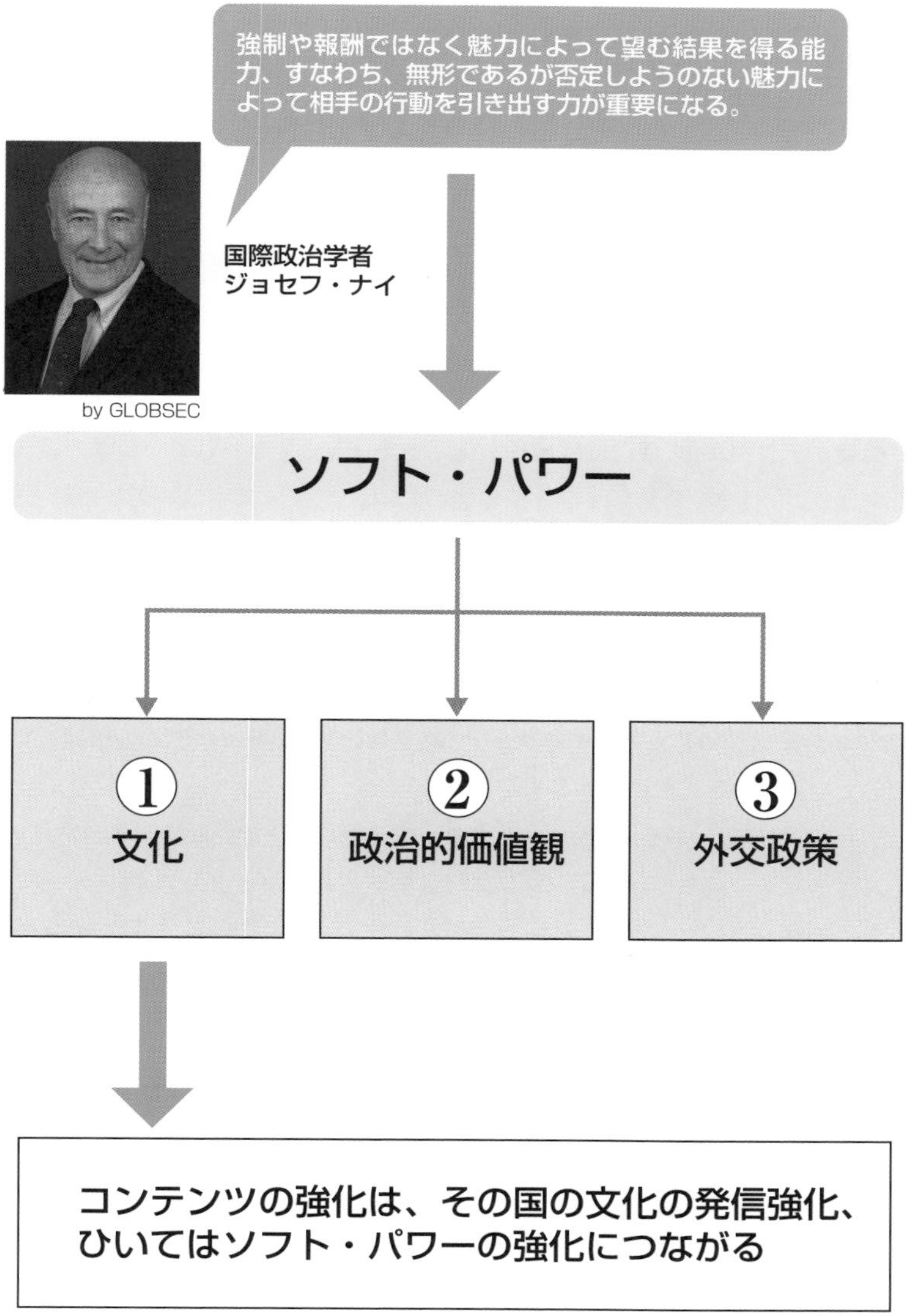
強制や報酬ではなく魅力によって望む結果を得る能力、すなわち、無形であるが否定しようのない魅力によって相手の行動を引き出す力が重要になる。
国際政治学者
ジョセフ・ナイ
by GLOBSEC
ソフト・パワー
① 文化
② 政治的価値観
③ 外交政策
コンテンツの強化は、その国の文化の発信強化、ひいてはソフト・パワーの強化につながる

用語解説

＊**クール・ジャパン**　かっこいい日本。主に日本のポップ・カルチャーに対するほめ言葉として用いられる。

＊**ソフト・パワー**　強制や報酬ではなく、「無形であるが否定しようのない魅力によって望む結果を得る能力」を指す。

column

シャノンの情報理論とビット化の進展

●シャノンの情報理論とは何か

アメリカの数学者**クロード・シャノン***は1948年に公表した論文で、世の中のあらゆる情報は**0と1**で表現できる、と述べました。情報は**ビット**の単位、すなわち0と1にまで分解できるという考えです。のちにこの考えは**情報理論**と呼ばれるようになります。

情報が**デジタル化**（厳密には**ビット化***）される前、すなわちアナログの時代には、音楽はレコード盤、音声はラジオや電話、映像はテレビ、文字は新聞や書籍というように、情報の形式によってその情報を乗せる器すなわち**メディア**が異なっていました（1-3節）。

しかし、あらゆる情報がビットで表現できるのならば、情報の形式によってメディアを使い分ける必要はなくなります。パフォーマンスは非常に低かったのですが、1990年前後に登場した**マルチメディア・パソコン**では、様々な形式の情報を1つの装置の上で再現することに成功しました。

しかし、当時のマルチメディア・パソコンの環境には決定的な問題点がありました。それはネットワークのパフォーマンスが貧弱だったということです。

ところが、パソコン・ネットワークのデファクト・スタンダードとして**インターネット**が姿を現すとともに、ブロードバンドが急速に進展して、大容量のデジタル情報を高速にやりとりできるようになりました。

こうして、テキストであれ音声であれ画像であれ映像であれ、ビット化されたデジタル情報がインターネット上を駆けめぐるようになりました。こうして、従来のように情報の形式によってメディアを使い分けることは無意味になりました。情報のビット化とそれを扱うハードウェアの進歩、さらにネットワークの進展が、既存のメディアを飲み込んだわけです。

私たちはいま、そうした時代の真っただ中にいるのだと思います。

＊**クロード・シャノン**　Claude E. Shannon（1916-2001）。
＊**ビット化**　情報を0と1に置き換えること。情報のビット化はデジタル化の一形式で、「デジタル化＝ビット化」ではない。

第2章

音楽業界

2015年から本格的にサービスが始まったサブスクリプション型音楽配信も、いまやすっかり市場に定着した感があります。その一方で、今回のコロナ禍により音楽コンサート市場は大惨事となりました。本章では、大きく変わりつつある音楽業界のいまを解説したいと思います。

How-nual
図解入門
業界研究

1 音楽業界の市場構造

コンテンツ産業全体の約一割のシェアを占めるのが音楽業界です。音楽業界の歴史は非常に長く、その時間の流れの中で、図2・1・1に示したような業界構造が形成されてきました。

音楽業界の制作パート

1-5節で述べたように、コンテンツ業界はコンテンツの制作と流通に分類すると、全体を見渡しやすくなります。**音楽業界**も同様です。

まず音楽業界の制作パートですが、ここでキーポイントになるのが**原盤**です。原盤とは、音源を収録した録音テープやディスクのことを指します。そして、この原盤を作成した者は「レコードに固定されている音を最初に固定した者」（著作権法第二条）として原盤の権利を有します。

これを**複製***することで、音楽CDなどの音楽コンテンツが世の中に出回るわけです。よって、この原盤の制作と複製が、音楽業界の制作パートの要になります。原盤制作者には、**レコード会社**や**音楽出版社***、**音楽プロダクション***、**アーティスト**自身など、原盤制作費を負担できるのであれば誰でもなれます。

音楽業界の流通パート

市場に投入された音楽コンテンツは、多様な経路を通って利用者に届きます。CDショップ、テレビやラジオでの放送利用、カラオケソフト、インターネットを通じたダウンロード、音楽配信、ライブコンサートなどがそれにあたります。これらはいずれも、音楽業界の流通パートを構成しています。

また、音楽コンテンツの著作権使用料は、**JASRAC***などの**音楽著作権管理事業者**が徴収し、著作権者に分配*されます。

用語解説

*＊***複製**　複製がレコード会社の主要業務の1つになる。複製された楽曲が市場に出回る。

＊**音楽出版社**　著作権を管理する会社。詳細は2-8節参照。

＊**音楽プロダクション**　アーティストを擁する企業。音楽プロダクションが音楽出版社を経営したり、グループに収めたりするケースも多い。

音楽業界の市場構造（図 2.1.1）

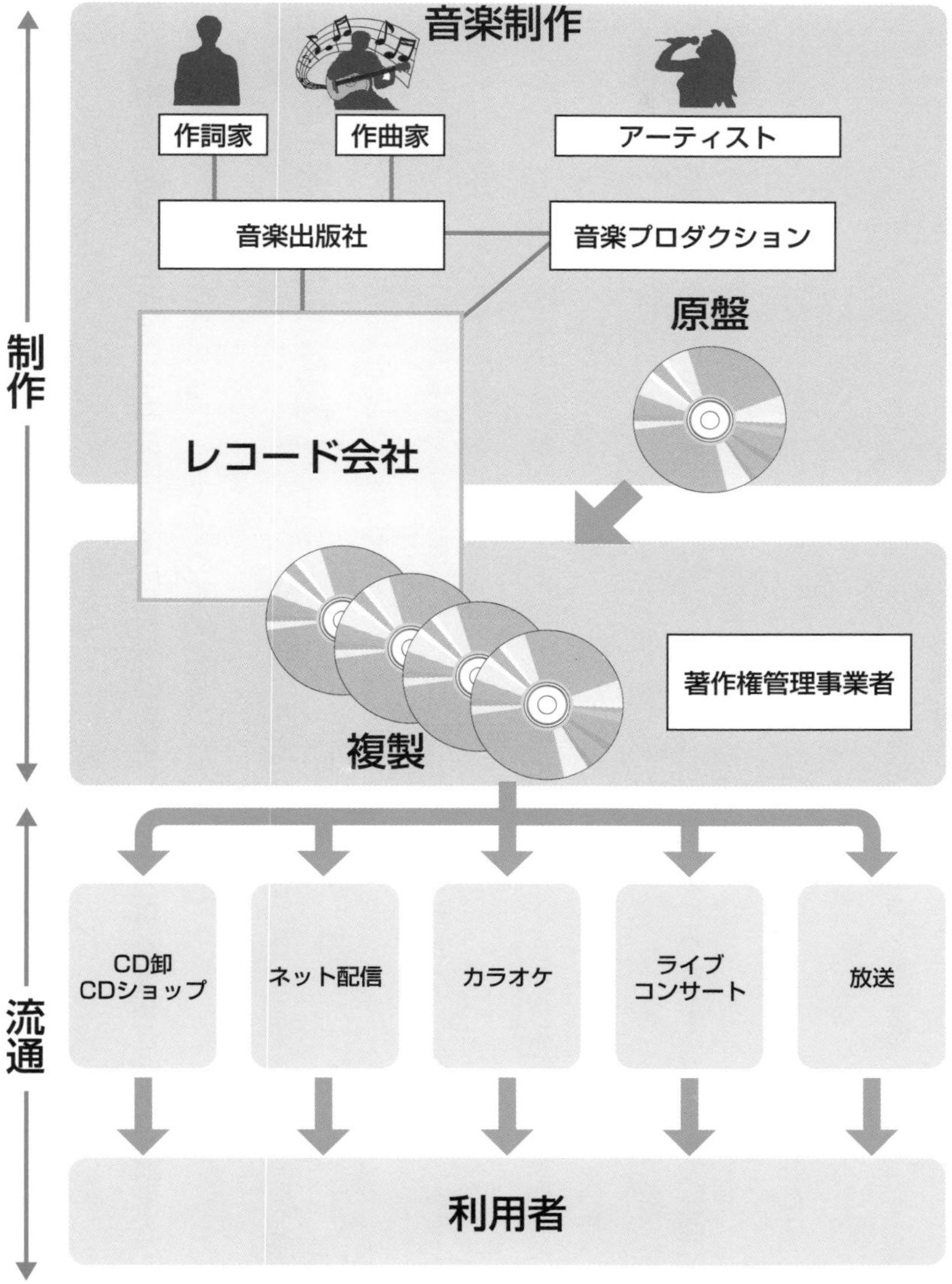

用語解説

＊**JASRAC**　日本音楽著作権協会。Japanese Society for Rights of Authors, Composers and Publishersの略。ジャスラックと読む。詳細は2-9節参照。

＊**…に分配**　音楽著作権管理事業者による著作権使用料の徴収と分配は、音楽業界の大きな特徴になっている。

2 音楽業界の市場規模

日本の音楽市場の規模は一兆五三三二億円と推計されています(一九年)。長期推移では市場の縮小がトレンドになっていましたが、復調の兆しも見え始めています。

市場規模は一兆五三三二億円

次に、音楽業界の市場規模について見てみましょう。電通メディアイノベーションラボ編『情報メディア白書2021』によると、一九年の音楽関連市場規模は**一兆五三三二億円**になりました(図2・2・1)。この数字は、音楽ソフト(レコード、ビデオソフト)購入・レンタル、音楽配信、有料音楽チャンネル、カラオケ、コンサートを対象に、利用者が支出した金額をベースにして推計したものです。

グラフを見るとわかるように、日本の音楽市場は規模の縮小が長期トレンドでした。しかしながら、一三年を底に下げ止まり、市場は緩やかに回復しました。一七年、一八年こそ足踏みはしたものの、一九年は**一兆五三三二億円**と、再び一兆五〇〇〇億円台にまで戻しました。音楽業界としてはこの上昇トレンドが今後も続いてほしいところでしょう。

一方、図2・2・2は、世界の音楽業界団体である**IFPI***がまとめた、世界のレコード音楽産業の収益推移です。世界のトレンドでも音楽市場はやはり長期的に縮小傾向にあったことがわかります。ところが一四年を底に市場は急拡大しました。グラフからもわかるように、その牽引力となったのは**ストリーミング型音楽配信***でした。

一九年における世界のレコード音楽産業の収益は二〇二億ドル*、日本円換算で約二兆二〇〇〇億円となりました。最大の音楽市場はアメリカで、日本の音楽市場規模は世界第二位です。

用語解説

* **IFPI**　International Federation of Phonogram and Videogram Producers。国際レコード・ビデオ制作者連盟。本部はイギリスにある。
* **ストリーミング型音楽配信**　音楽ファイルをすべてダウンロードしてから再生するのではなく、一部をデバイスに読み込んで順次再生する方式。動画ファイルでも同様の方式がある。

音楽市場規模の推移（図 2.2.1）

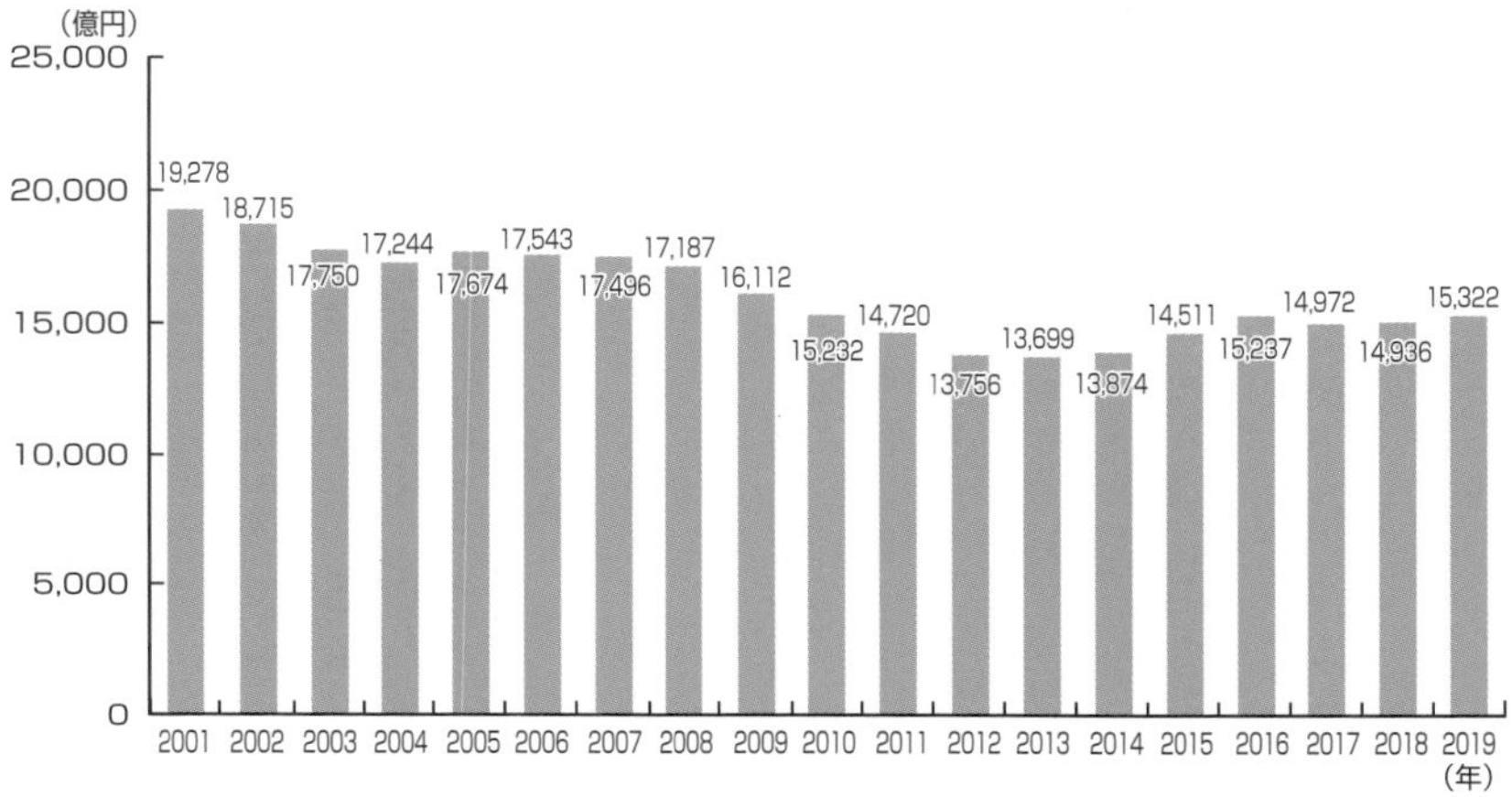

※音楽ソフト（レコード、ビデオソフト）購入・レンタル、音楽配信、有料音楽チャンネル、カラオケ、コンサートを対象にユーザー支出ベースで算出。
出典：電通メディアイノベーションラボ編『情報メディア白書2021』

世界のレコード音楽産業の収益推移（図 2.2.2）

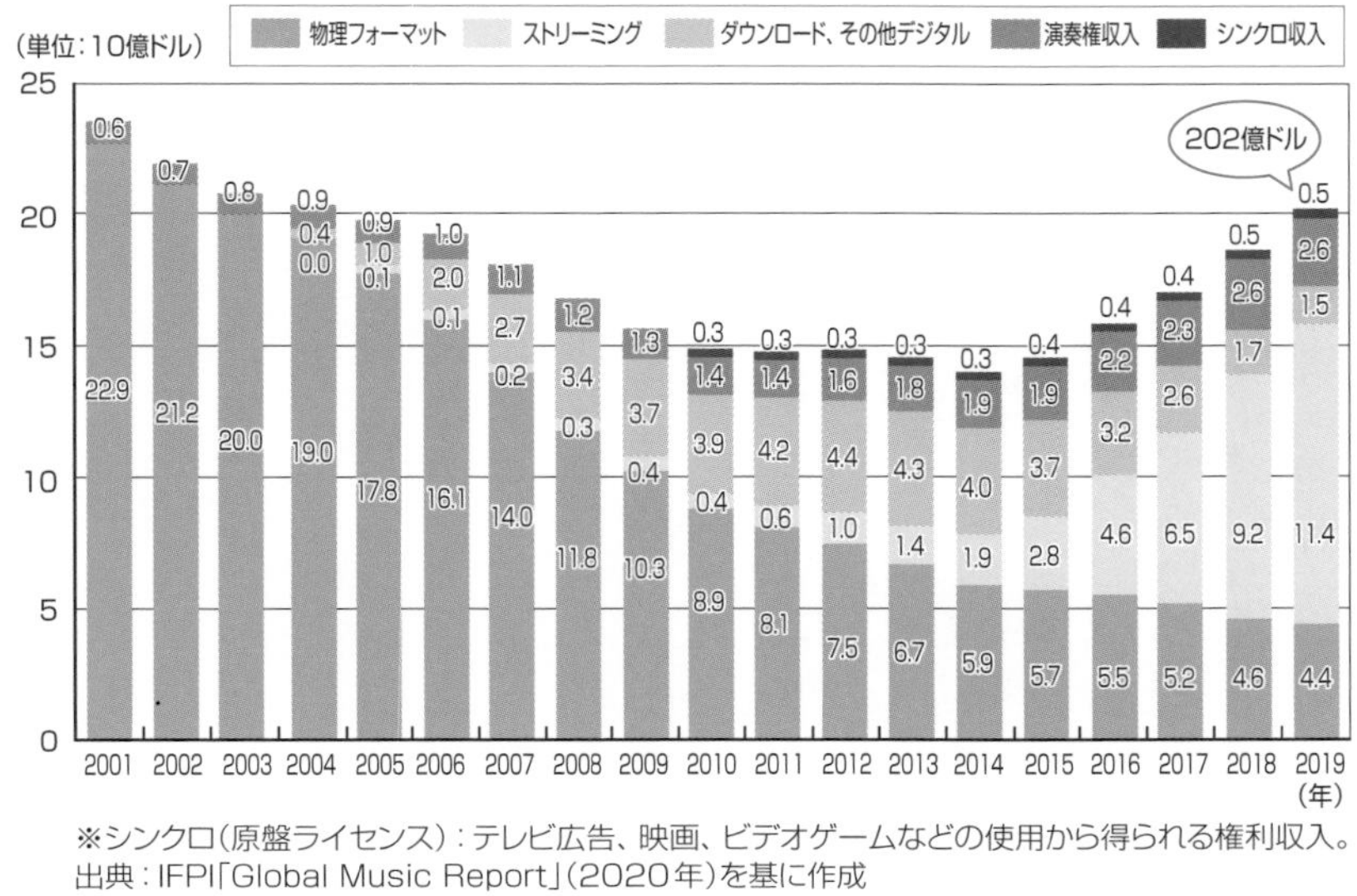

※シンクロ（原盤ライセンス）：テレビ広告、映画、ビデオゲームなどの使用から得られる権利収入。
出典：IFPI「Global Music Report」（2020年）を基に作成

用語解説

＊**二〇二億ドル**　こちらは日本円に換算すると2兆2131億円になる（1ドル109円56銭、2019年末の為替レート）。図2.2.1は「利用者が支出した金額」をベースにしているのに対して、図2.2.2は「レコード音楽産業の収益」を基礎にしており、統計対象が異なるため、市場規模が小さくなっている。日本のレコード音楽産業の規模は2-3節を参照。

3 音楽市場の日本的トレンド

次に日本のレコード音楽産業の総生産（パッケージ型音楽ソフトと音楽配信市場）に注目しましょう。一九年は二九九八億円と、わずかに前年に届きませんでした。

さえない音楽ソフト

日本レコード協会の「日本のレコード産業２０２０」によると、一九年のパッケージ型音楽ソフト（オーディオ・レコードや音楽ビデオ）と音楽配信市場の合計は**二九九八億円**で前年比九八・四％の市場規模となりました（図2・3・1）。一二年の市場規模が三六五一億円でしたから、一九年の市場規模は一二年比で約二割減の八二・一％になっています。

中でもパッケージ型音楽ソフトの苦戦が続いており、一九年の売上合計は二三九二億円（前年比九五・四％）、一億八〇六七万枚／巻となりました。一二年の市場規模が三二〇八億円でしたから、一九年はその七三・七％と四分の三に縮小しています。

内訳を記しておくと、オーディオ・レコード（CDやアナログディスク、カセットテープなど）は、売上高が一五二七億円、数量は一億三四三〇万枚／巻となりました。また、音楽ビデオの売上は七六三億円、数量は四六三七万枚／巻でした。

次に有料音楽配信を見てみましょう。一九年の市場規模は**七〇六億円***となりました。一三年以降、市場は拡大しており、一九年は前年比**一〇九・五％**となりました。全体に占める割合も、一三年の一三・四％から、一九年には**二三・五％**になりました（図2・3・2）。このように、音楽配信が成長しているとはいえ、パッケージ型音楽ソフトが圧倒的な強さを見せる日本の音楽市場は、世界的なトレンドから見ると極めて特殊です。どういうことか、引き続きその点についてふれましょう。

用語解説

＊**七〇六億円**　有料音楽配信では、アップル・ミュージックやスポティファイなどの**サブスクリプション・サービス**（定額音楽配信）が人気だ。2-5節参照。

音楽ソフト・有料音楽配信の市場規模推移（図 2.3.1）

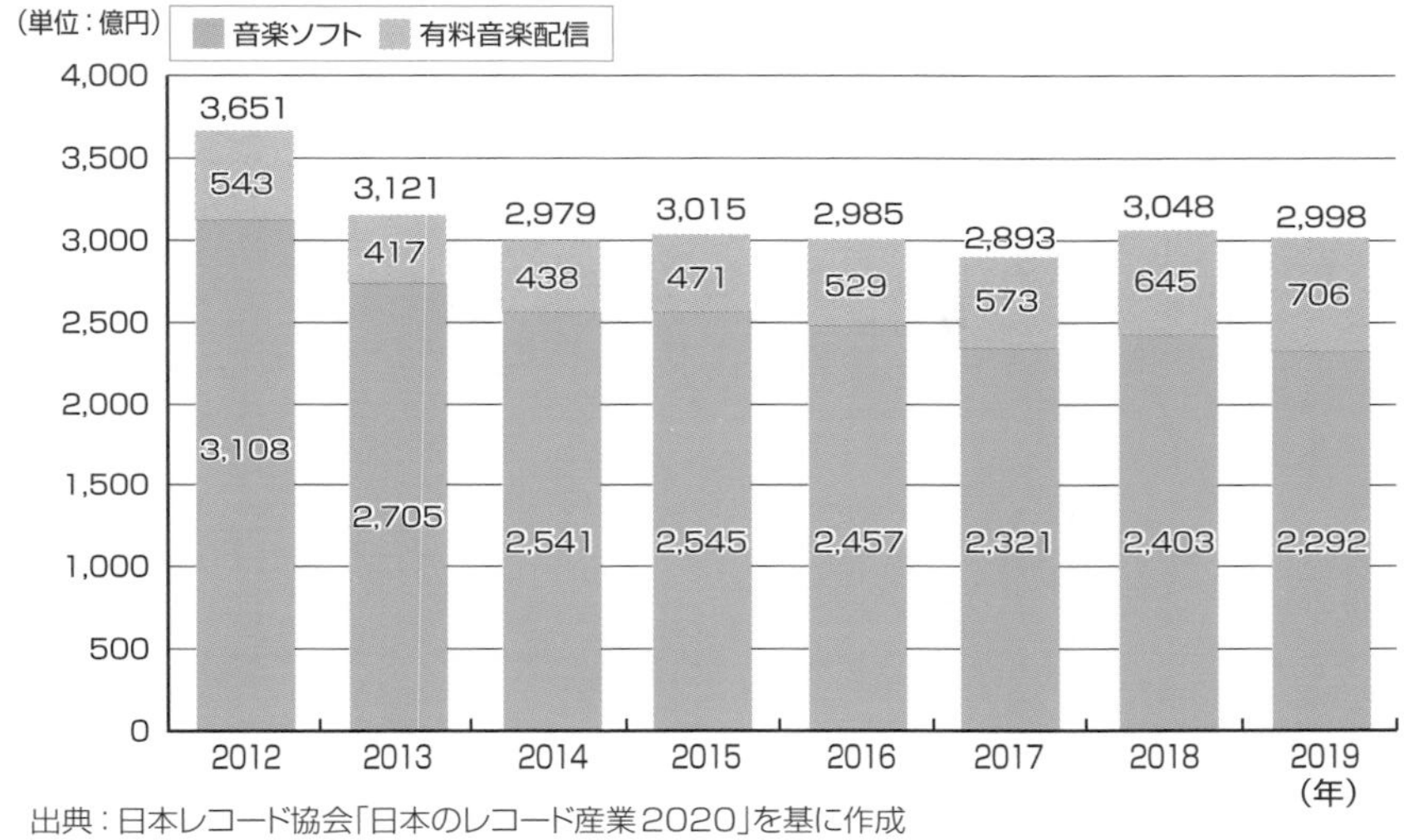
(単位：億円)
音楽ソフト
有料音楽配信
4,000
3,500
3,000
2,500
2,000
1,500
1,000
500
0
3,651
543
3,108
3,121
417
2,705
2,979
438
2,541
3,015
471
2,545
2,985
529
2,457
2,893
573
2,321
3,048
645
2,403
2,998
706
2,292
2012
2013
2014
2015
2016
2017
2018
2019
(年)

出典：日本レコード協会「日本のレコード産業 2020」を基に作成

音楽ソフトと有料音楽配信の売上比率（図 2.3.2）

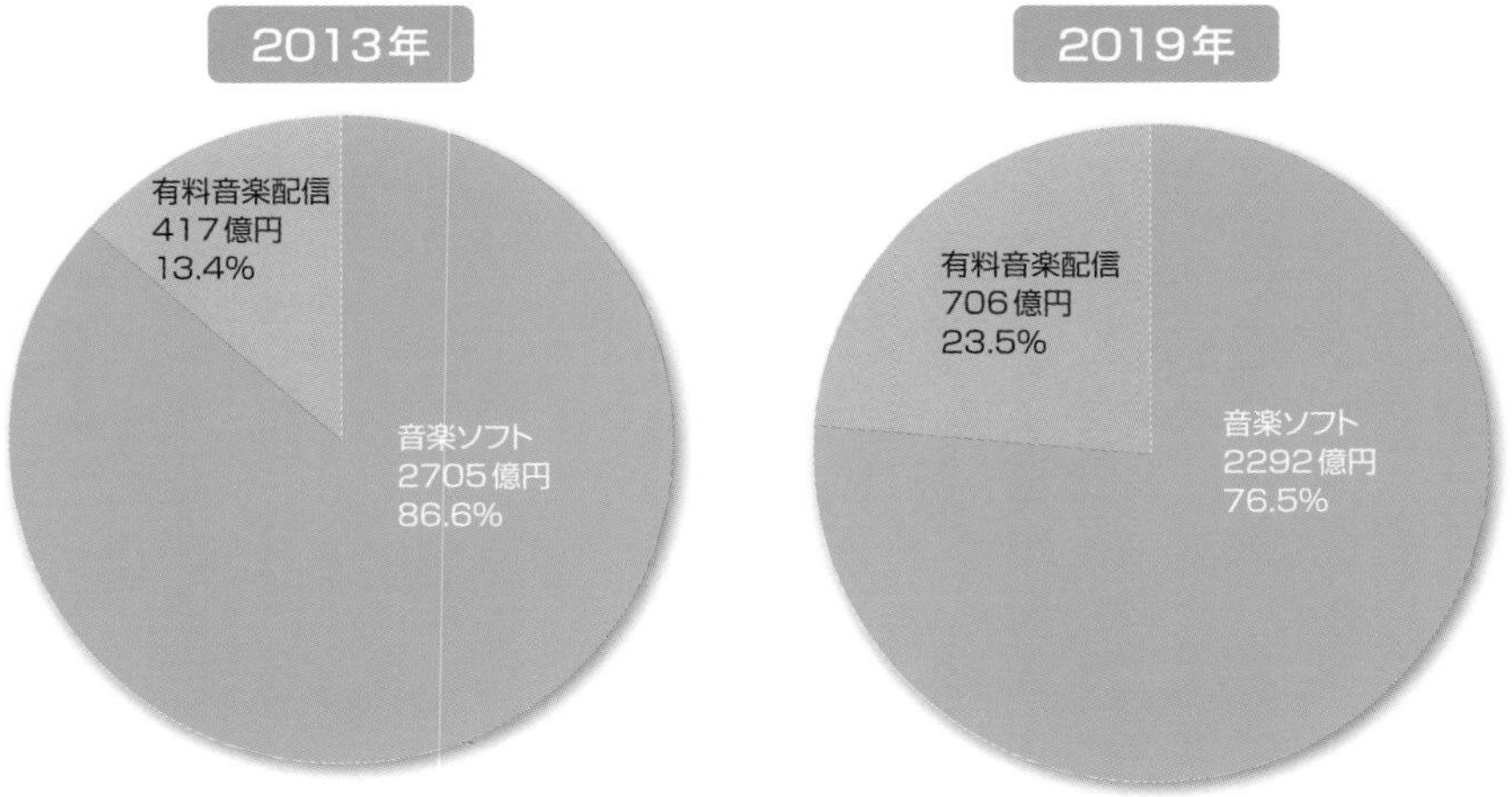
2013年
有料音楽配信
417億円
13.4%
音楽ソフト
2705億円
86.6%
2019年
有料音楽配信
706億円
23.5%
音楽ソフト
2292億円
76.5%

出典：日本レコード協会「日本のレコード産業 2020」を基に作成

4 音楽市場の世界的トレンド

世界的に見た音楽市場の動向は有料音楽配信、中でもストリーミングによる定額音楽配信が主役になっています。この点において日本の音楽市場はかなり特殊です。

かなり特殊な日本の音楽市場

図2・4・1は、世界最大を誇るアメリカの音楽産業の売上構成比を見たものです。一九年の市場規模は一一一億ドルで、その内訳はストリーミング(七九%)、パッケージ(一〇%)、ダウンロード(八%)、シンクロ(二%)となっています*。

ストリーミングとは、ネットワークから音楽データを丸ごと端末に取り込んで聴取するのではなく、一部データを読み込みながら順時再生する方式です。このストリーミングには、アップル・ミュージックやスポティファイなどの**サブスクリプション・サービス***、パンドラなどの**ストリーミング・ラジオ***、ユーチューブや広告型スポティファイなどの広告ベース音楽配信が含まれています。いまやアメリカの音楽産業はその八割がストリーミングとなりました。

2-2節で見たように、このような傾向はアメリカ以外の諸外国も同様で、世界全体で見た一九年のストリーミング音楽配信は**五六・四%***、ダウンロードも加えると**六三・八%**になります(2-2節)。その意味で、ネットワーク経由が**二三・五%**(2-3節)にしか過ぎない日本の音楽市場は、世界から見ると極めて特殊です。

おそらくこれは、CDに人気アイドルの握手券や投票権を封入してCDの売上を維持する、日本特有のガラパゴス的マーケティング手法が影響しているものと考えられます。今後もサブスクリプション型の音楽ストリーミング・サービスは大きく伸びそうです(図2・4・2)。日本でもビジネスモデルの転換が欠かせません。

用語解説

* **…となっています** RIAA「Year-End 2019 RIAA Music Revenues Report」による。RIAAはRecording Industry Association of America(アメリカレコード協会)の略称。

* **サブスクリプション・サービス** 定額で聴き放題となる音楽ストリーミング配信サービス。**定額音楽配信サービス**とも呼ぶ。2-5節参照。

アメリカ音楽産業の規模と売上高構成比（図 2.4.1）

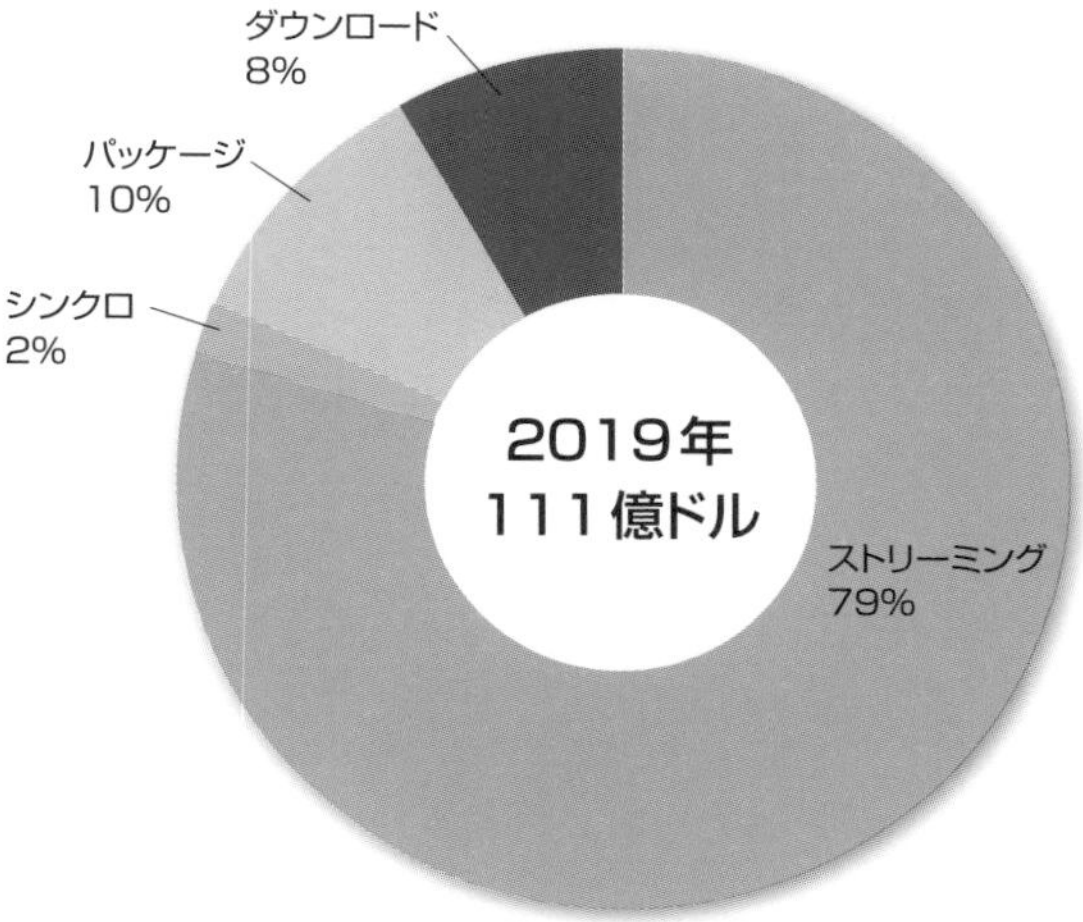
ダウンロード
8%
パッケージ
10%
シンクロ
2%
2019年
111億ドル
ストリーミング
79%

出典：RIAA「Year-End 2019 RIAA Music Revenues Report」

世界の音楽配信売上高・契約数の推移および予測（図 2.4.2）

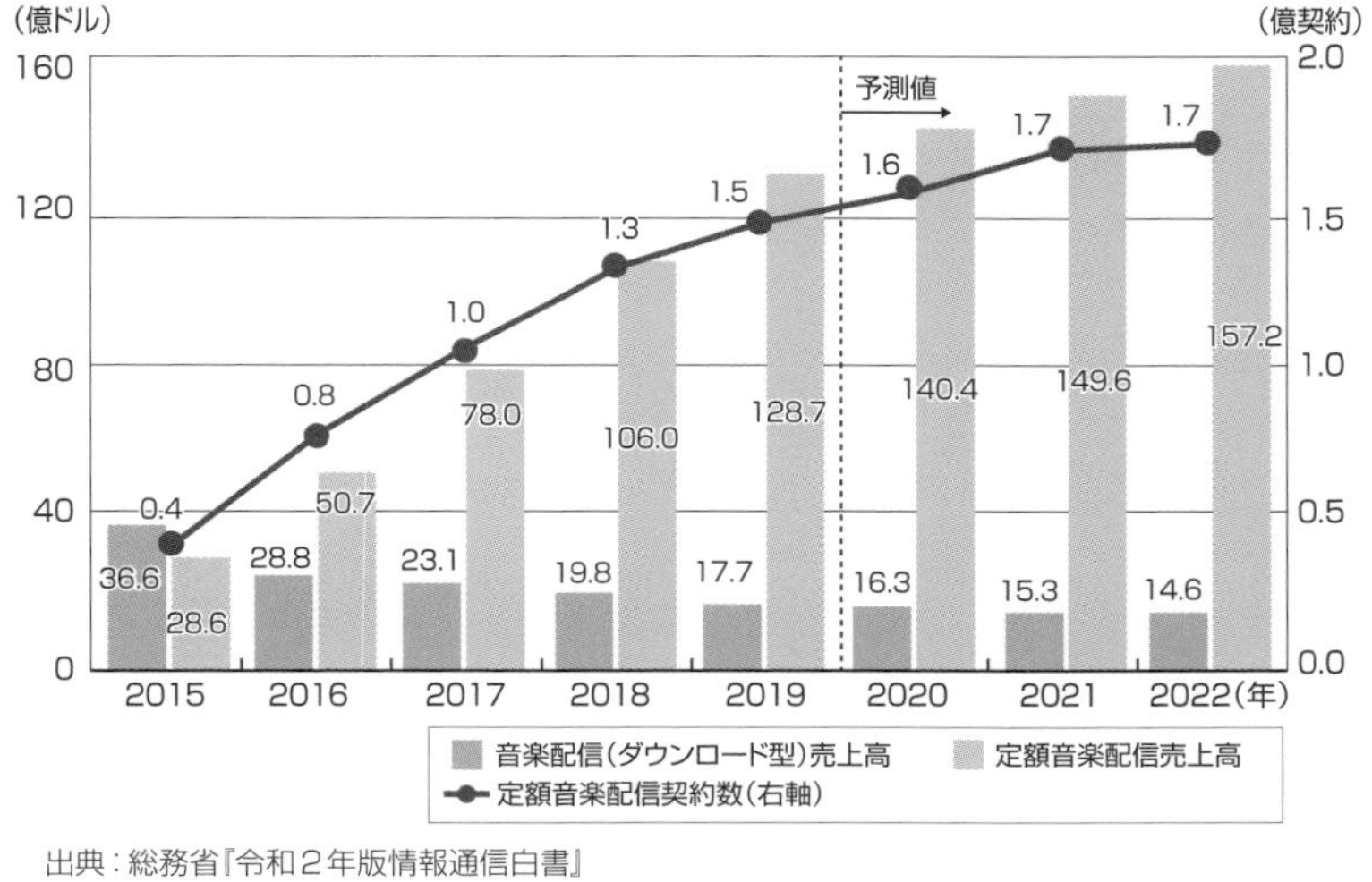
（億ドル）
（億契約）
160
120
80
40
0
2.0
1.5
1.0
0.5
0.0
予測値
0.4
0.8
1.0
1.3
1.5
1.6
1.7
1.7
36.6
28.6
28.8
50.7
23.1
78.0
19.8
106.0
17.7
128.7
16.3
140.4
15.3
149.6
14.6
157.2
2015
2016
2017
2018
2019
2020
2021
2022（年）
音楽配信（ダウンロード型）売上高
定額音楽配信売上高
定額音楽配信契約数（右軸）

出典：総務省『令和２年版情報通信白書』

用語解説

＊**ストリーミング・ラジオ**　自分の好みに合った曲をかけてくれるインターネット・ラジオ。パンドラが有名だが日本では利用できない。

＊**五六・四%**　IFPI「Global Music Report」（2020年）による。

5 日本における音楽配信の現状

日本における音楽配信の市場規模は一七年が五七二億円、一九年が七〇六億円になりました。市場規模こそまだ小さいですが、日本でもやはりストリーミングの占めるシェアが高まっています。

ストリーミングは六六・〇%

日本における音楽配信の市場規模は、一七年が五七二億円で、その内訳はストリーミングが四六・〇%、シングルトラックが二八・八%、アルバムが一七・八%でした（図2・5・1）。シングルトラックとアルバムはダウンロードと考えてよいでしょう。

一方、一九年の市場規模は**七〇六億円**で、一七年と比べると一三四億円増、成長率は二三・四%となっています。内訳はストリーミングが**六六・〇%**、シングルトラックが一九・六%、アルバムが一一・九%となっており、ストリーミング市場が拡大していることがわかります。

このように、日本でもストリーミングによる音楽配信市場が着実に成長していますが、その起爆剤になったのは、一五年に始まったアップルのサブスクリプション型ストリーミング音楽配信サービス、**アップル・ミュージック**だといえるでしょう。

さらに、このアップル・ミュージックに対抗するかのように**スポティファイ**が日本に上陸しました。スポティファイもアップル・ミュージックと同様、ストリーミングで音楽を配信するサービスです。スポティファイの特徴は、なんといっても広告の露出を前提に無料で音楽が聴ける点でしょう*。

ほかにも**グーグル・プレイ**や**アマゾン・プライム・ミュージック***、**ライン・ミュージック**など、日本でもサブスクリプション型ストリーミング音楽配信市場は激戦区となっています。世界のトレンドを見ると、この競争はさらに激化するでしょう。

用語解説

＊**…が聴ける点**　有料会員になると、広告なしで音楽が聴き放題になる。

日本の音楽配信売上額構成比（図 2.5.1）

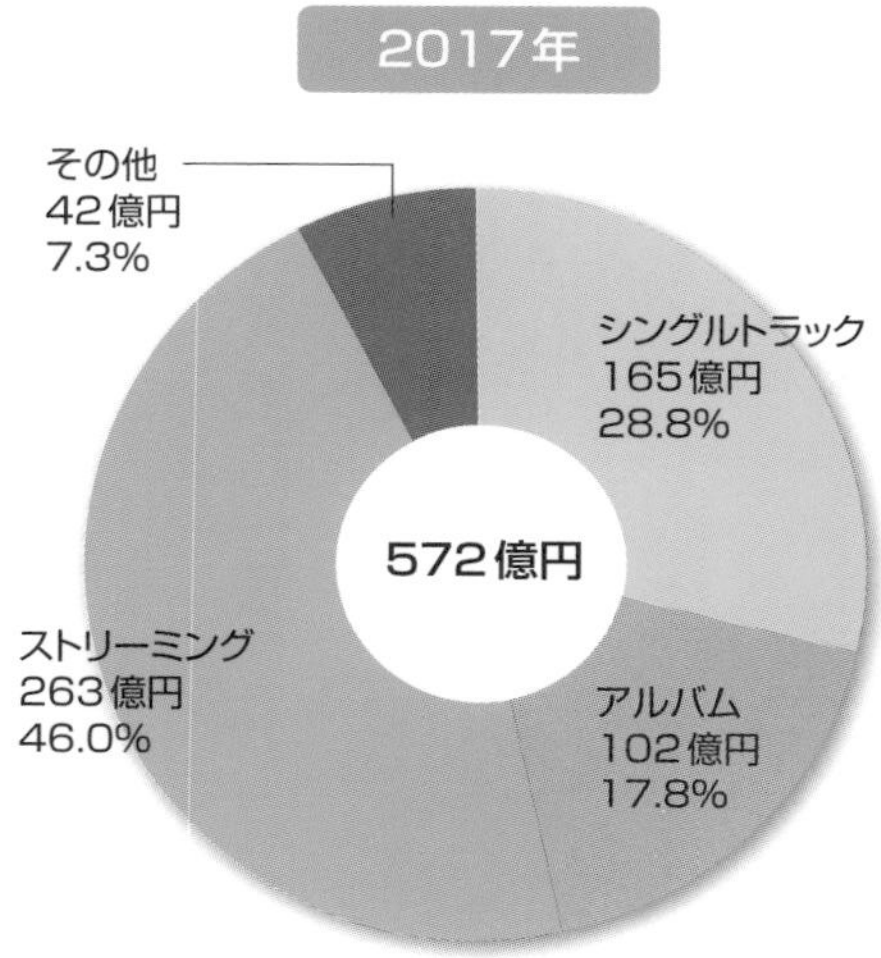
2017年
その他
42億円
7.3%
シングルトラック
165億円
28.8%
572億円
ストリーミング
263億円
46.0%
アルバム
102億円
17.8%

出典：日本レコード協会「日本のレコード産業2018」を基に作成

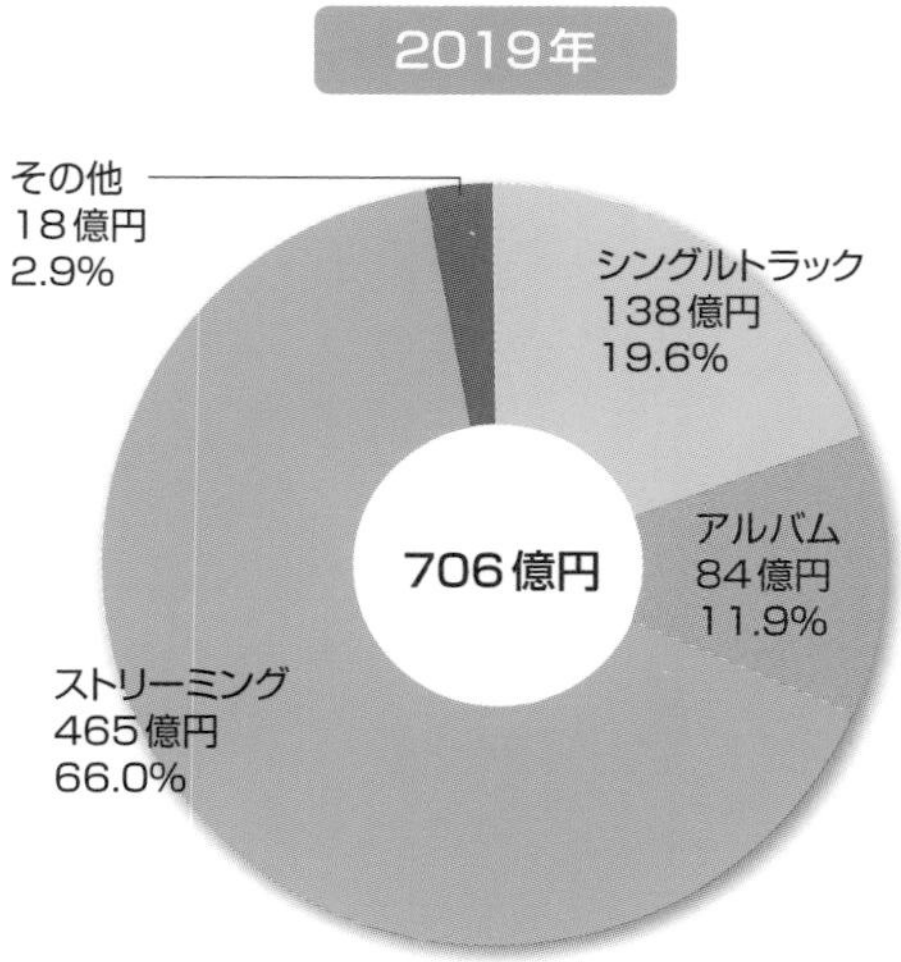
2019年
その他
18億円
2.9%
シングルトラック
138億円
19.6%
706億円
アルバム
84億円
11.9%
ストリーミング
465億円
66.0%

出典：日本レコード協会「日本のレコード産業2020」を基に作成

用語解説

＊**アマゾン・プライム・ミュージック**　アマゾンでは、アマゾン・プライム会員になると、翌日配送サービスのほか、追加料金なしで音楽や動画を視聴できるプライム・ミュージックやプライム・ビデオが提供される。

6 リスナーの音楽聴取方法

「デジタル×ネットワーク」という流れの中、リスナーの音楽聴取方法も変わってきています。特に若者はユーチューブ経由で音楽を聴くことが半ば常識になっています。

ユーチューブ人気も一服？

ネットワーク経由で音楽を聴くスタイルが世界でのトレンドとなり、日本でもストリーミングによる音楽配信の市場規模がじわりと増えてきていることがわかりました。このような変化の中、リスナーの音楽聴取方法にも変化が見られます。

図2・6・1は、音楽の聴取方法について日本レコード協会が調査したものです*。聴取方法として最も支持を得ているのが**ユーチューブ**で、調査対象者のうち、一八年は六五・九％、一九年は五四・九％の人が利用していました。一九年で見ると、これに続くのがテレビ（四六・九％）、音楽ＣＤ（四一・八％）となりました。このように、無料で音楽を楽しめるユーチューブは、若者を中心に大きな支持を得ています。

そのためか、ユーチューブでブームに火がつくアーティストが次々と現れています。その意味でユーチューブは、音楽コンテンツのプロモーションの場になっているともいえるでしょう。

とはいえ、従来は右肩上がりだったユーチューブも、一九年は前年を大きく割り込む結果となりました。それに代わって注目されるのが、**定額音楽配信サービス***の存在ではないでしょうか。一九年は二六・一％と五位に食い込んでいます。

今後は、スマートスピーカーや自動運転車の普及により、ネットワーク経由の音楽配信はさらなる拡大が期待されています。新しいデバイスの登場により、リスナーの聴取方法もさらに変わるのでしょう。

用語解説

＊…**調査したものです**　日本レコード協会「音楽メディアユーザー実態調査　2019年度調査結果」（2020年4月）より。

＊**定額音楽配信サービス**　2-5節で取り上げたサブスクリプション型ストリーミング音楽配信と同義。

音楽聴取方法（図 2.6.1）

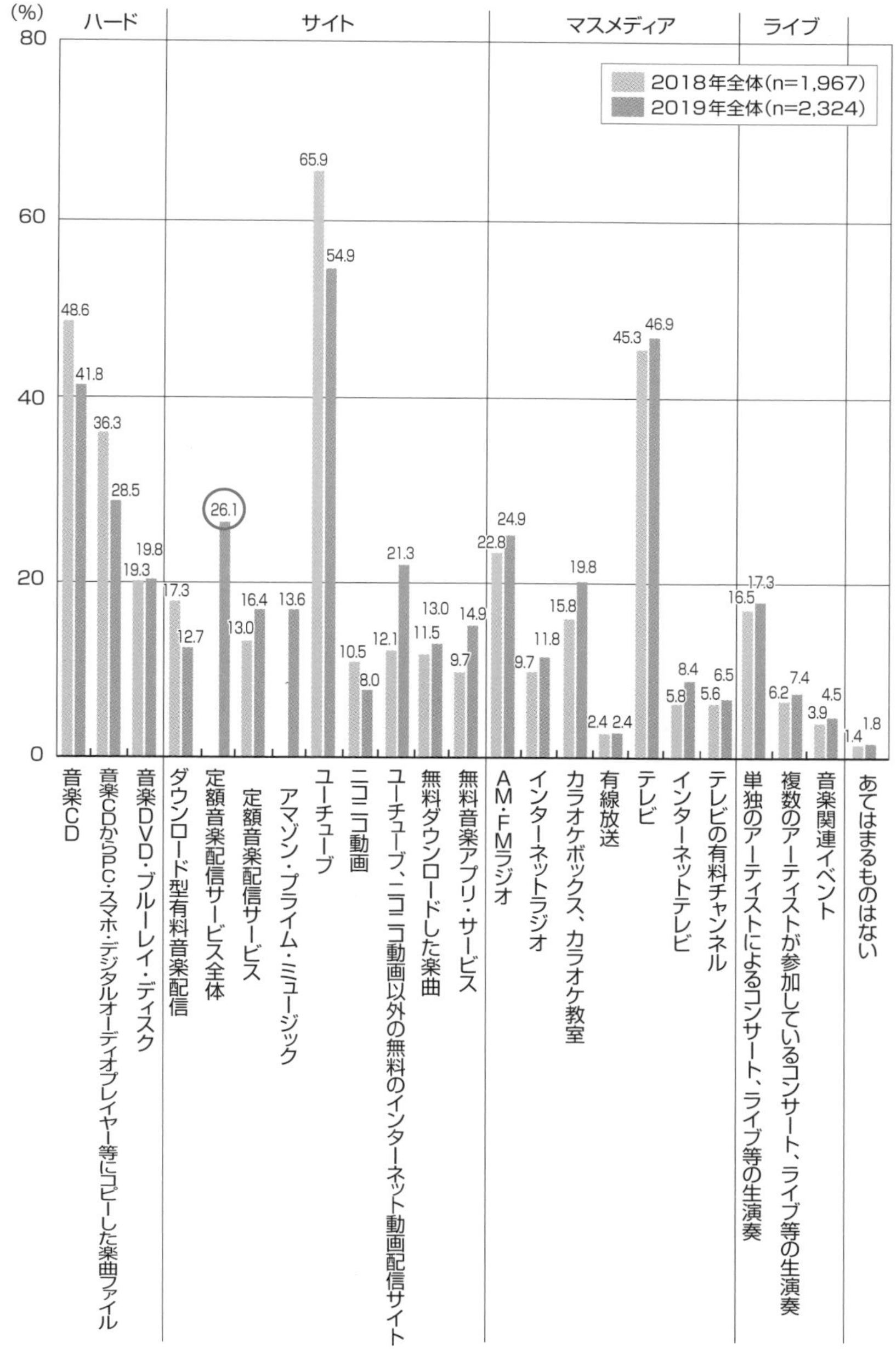
(%)
ハード
サイト
マスメディア
ライブ
80
60
40
20
0
2018年全体(n=1,967)
2019年全体(n=2,324)
48.6
41.8
36.3
28.5
19.3
19.8
17.3
12.7
26.1
13.0
16.4
13.6
65.9
54.9
10.5
8.0
12.1
21.3
11.5
13.0
9.7
14.9
22.8
24.9
9.7
11.8
15.8
19.8
2.4
2.4
45.3
46.9
5.8
8.4
5.6
6.5
16.5
17.3
6.2
7.4
3.9
4.5
1.4
1.8
音楽CD
音楽CDからPC・スマホ・デジタルオーディオプレイヤー等にコピーした楽曲ファイル
音楽DVD・ブルーレイ・ディスク
ダウンロード型有料音楽配信
定額音楽配信サービス全体
定額音楽配信サービス
アマゾン・プライム・ミュージック
ユーチューブ
ニコニコ動画
ユーチューブ、ニコニコ動画以外の無料のインターネット動画配信サイト
無料ダウンロードした楽曲
無料音楽アプリ・サービス
AM・FMラジオ
インターネットラジオ
カラオケボックス、カラオケ教室
有線放送
テレビ
インターネットテレビ
テレビの有料チャンネル
単独のアーティストによるコンサート、ライブ等の生演奏
複数のアーティストが参加しているコンサート、ライブ等の生演奏
音楽関連イベント
あてはまるものはない

出典：日本レコード協会「音楽メディアユーザー実態調査　2019年度調査結果」（2020年4月）

7 環境変化の中におけるレコード会社の戦略

従来の稼ぎ頭だったオーディオ・レコードや音楽ビデオといった音楽ソフトが長期的に下降線をたどる中、SMEのように事業の相乗効果を高める独自路線を目指す企業が現れています。

日本のレコード会社の売上

図2・7・1は、主な日本のレコード会社の売上を見たものです。売上トップは**ソニー・ミュージックエンタテインメント**（SME）で三五七七億円、二位は**エイベックス・グループ・ホールディングス**で一三五四億円となりました。以下、ユニバーサルミュージック、ポニーキャニオン、キングレコードという順になっています。

また、折れ線で示したのは、各社のレコード関連売上比率です。比率が少ない企業ほど、レコード関連以外の売上に注力していることを意味します*。

すでにふれたように、従来のパッケージ型音楽ソフトは、長期的に下降線をたどっています。また、定額音楽配信サービスがトレンドとはいえ、特に日本の場合、すぐにパッケージ型音楽ソフトに取って代わるほどの規模にはまだ育っていません。そのためレコード会社としては、既存の音楽ソフトばかりに頼るのではなく、**事業の相乗効果**による売上の向上に努めざるを得ません。

図2・7・2は、SMEのグループ会社を一覧にしたものです。グループ統括会社であるSMEの下に、音楽関連グループ、ビジュアル・キャラクター関連グループ、ライブパフォーマンス関連グループが置かれているのがわかります。興味を引くのはビジュアル・キャラクター関連グループに属する**アニプレックス**の存在です。同社は歴代興行収入記録を更新した大ヒット映画・劇場版「**鬼滅《きめつ》の刃《やいば》**」を制作した企業です。また、同映画の主題歌はSME所属のLiSAが歌うというように、同社ではグループがもつ資産の相乗効果を最大限に高める戦略をとっています。

用語解説

＊…**を意味します**　ソニーやエイベックス、ポニーキャニオンの比率が低い一方、ユニバーサルミュージックの比率が突出して高いのがわかる。

主なレコード会社の売上高（2019年度）（図2.7.1）

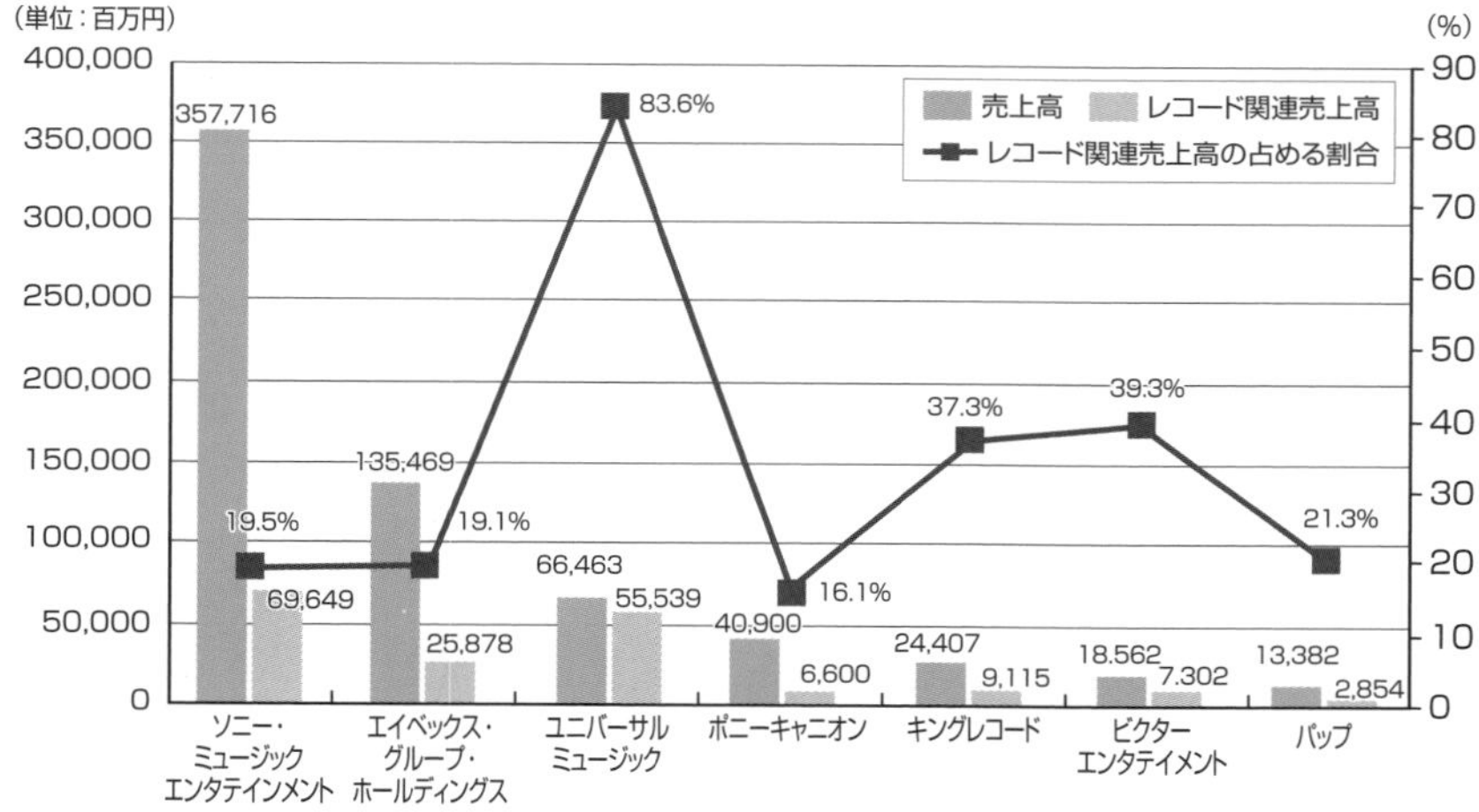

出典：電通メディアイノベーションラボ編『情報メディア白書2021』を基に作成

SMEのグループ会社一覧（図2.7.2）

グループ統括会社	株式会社ソニー・ミュージックエンタテインメント
アーティスト＆ミュージックビジネスグループ	株式会社ソニー・ミュージックレーベルズ
	株式会社ソニー・ミュージックダイレクト
	株式会社ソニー・ミュージックアーティスツ
	株式会社ミュージックレイン
	株式会社ソニー・ミュージックパブリッシング
	アルファミュージック株式会社
	株式会社ソニー・ミュージックマーケティングユナイテッド
ビジュアル＆キャラクタービジネスグループ	株式会社アニプレックス
	株式会社ソニー・クリエイティブプロダクツ
エンタテインメントソリューションビジネスグループ	株式会社ソニー・ミュージックソリューションズ
	株式会社エムオン・エンタテインメント
	株式会社Zeppホールネットワーク

8 音楽出版社とは何か

音楽出版社は、作詞家や作曲家との間で、楽曲ごとに著作権契約を締結し、契約した楽曲について利用促進(プロモーション)を行って著作権使用料を得ます。音楽出版社は音楽業界のキープレイヤーの一つです。

音楽出版社の定義

一般社団法人日本音楽出版社協会の資料*によると、**音楽出版社**の歴史は一六世紀にまでさかのぼれるといいます。そもそも音楽出版社の最初のビジネスモデルは、作曲家から楽譜を預かり、それを貸し出して収益を上げるというものでした。その後、この楽譜は印刷されて音楽出版社から販売されるようになりました。つまり、楽譜という著作物を利用して収益を上げるのが、音楽出版社の本来のビジネスにほかなりません。

現代の音楽出版社も、形態こそ大きく変わってきていますが、基本業務は変わっていません。作詞家や作曲家との間で、楽曲ごとに契約を結んで著作権を管理し、契約した楽曲に対する利用促進(プロモーション)や原盤制作などを行います。

著作権収入の分配

音楽出版社が管理する著作物の著作権使用料は、音楽出版社の収入になります。音楽出版社はこれを**著作権者***である作詞家や作曲家に、契約した割合で分配します。これも音楽出版社の重要な業務です。ほかにも、海外の音楽出版社と提携し、海外の楽曲の著作物を管理し、著作権収入を得るビジネスも行っています。

ただし、著作権使用料の徴収のすべてを音楽出版社が行うわけではありません。次節で見る**音楽著作権管理事業者**に委託するのが一般的です。そして、音楽著作権管理事業者が著作権使用料を徴収し、これを音楽出版社に分配する仕組みになっています。

用語解説

＊…の資料　一般社団法人日本音楽出版社協会のウェブサイト参照(http://www.mpaj.or.jp/whats/history)。

＊著作権者　著作権を所有する者を指す。

著作権者・音楽出版社・音楽著作権管理事業者（図 2.8.1）

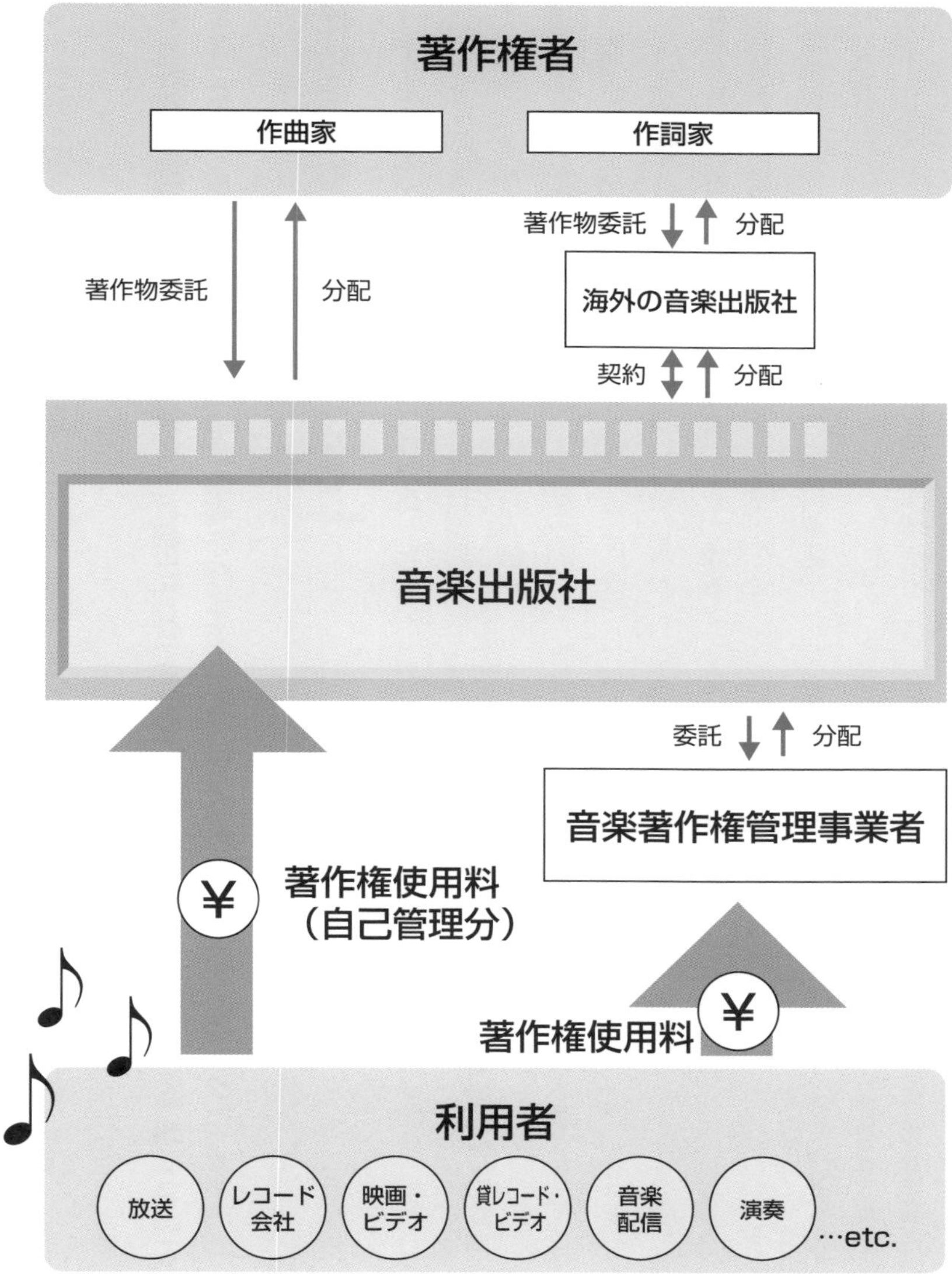

出典：日本音楽出版社協会の資料を基に作成

9　音楽著作権管理事業者とは何か

音楽著作権管理事業者とは、原著作者や音楽出版社に代わって著作権使用料を徴収する事業者のことを指します。日本で最も著名なのが日本音楽著作権協会、略称ＪＡＳＲＡＣ（ジャスラック）です。

著作権使用料を一括で徴収する

作曲家や作詞家、アーティストが、世に送り出した楽曲について、個別に著作権使用料を回収するのは至難の業です。そこで、著作権使用料の回収を専門に行う**音楽著作権管理事業者**が設けられました。中でも有名なのが**日本音楽著作権協会**、略称**ＪＡＳＲＡＣ**です。

著作権を有する作曲家や作詞家、あるいは著作者から著作権管理の委託を受けた音楽出版社は、その業務をこの音楽著作権管理事業者に委託します。委託を受けた音楽著作権管理事業者は、第三者への利用許諾や使用料の徴収を行います。

図２・９・１は、ＪＡＳＲＡＣによる**音楽著作権使用料徴収額**の推移を見たものです。一九年度は一一七六億円の徴収額がありました。〇八年度以降は下降傾向にありましたが、一二年にもち直し、以後ほぼ一一〇〇億円台で推移しています。

オーディオ・レコード以外の収益

一方、図２・９・２は、一九年度の音楽著作権使用料徴収額の構成比を見たものです。オーディオ・レコードは「録音」に含まれますが、その比率は一七・七％と意外に低い割合になっています。

最も割合が大きいのは「演奏」の五一・七％で、ここにはテレビやラジオでの放送も含まれています。有料音楽配信は「複合」に含まれていて、その割合は二四・四％と存在感を高めています。このように音楽著作権ビジネスは、多様な種目から音楽著作権使用料を得ています＊。

用語解説

＊…**得ています**　この多様化により、仮にオーディオ・レコードからの徴収額が減少しても、他の種目でカバーすることが可能になる。

JASRACの音楽著作権使用料徴収額（図 2.9.1）

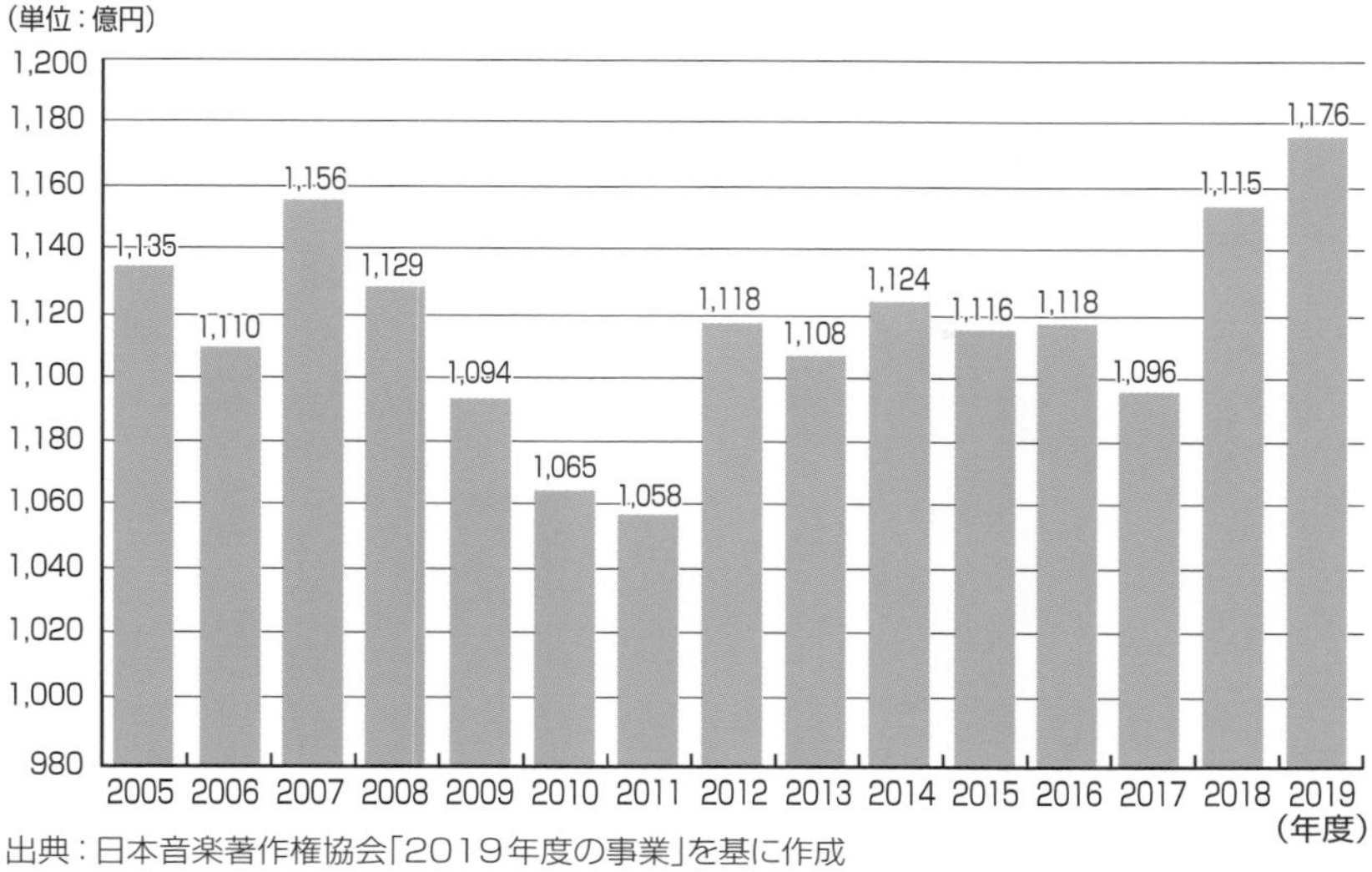

出典：日本音楽著作権協会「2019年度の事業」を基に作成

音楽著作権使用料徴収額の構成比（図 2.9.2）

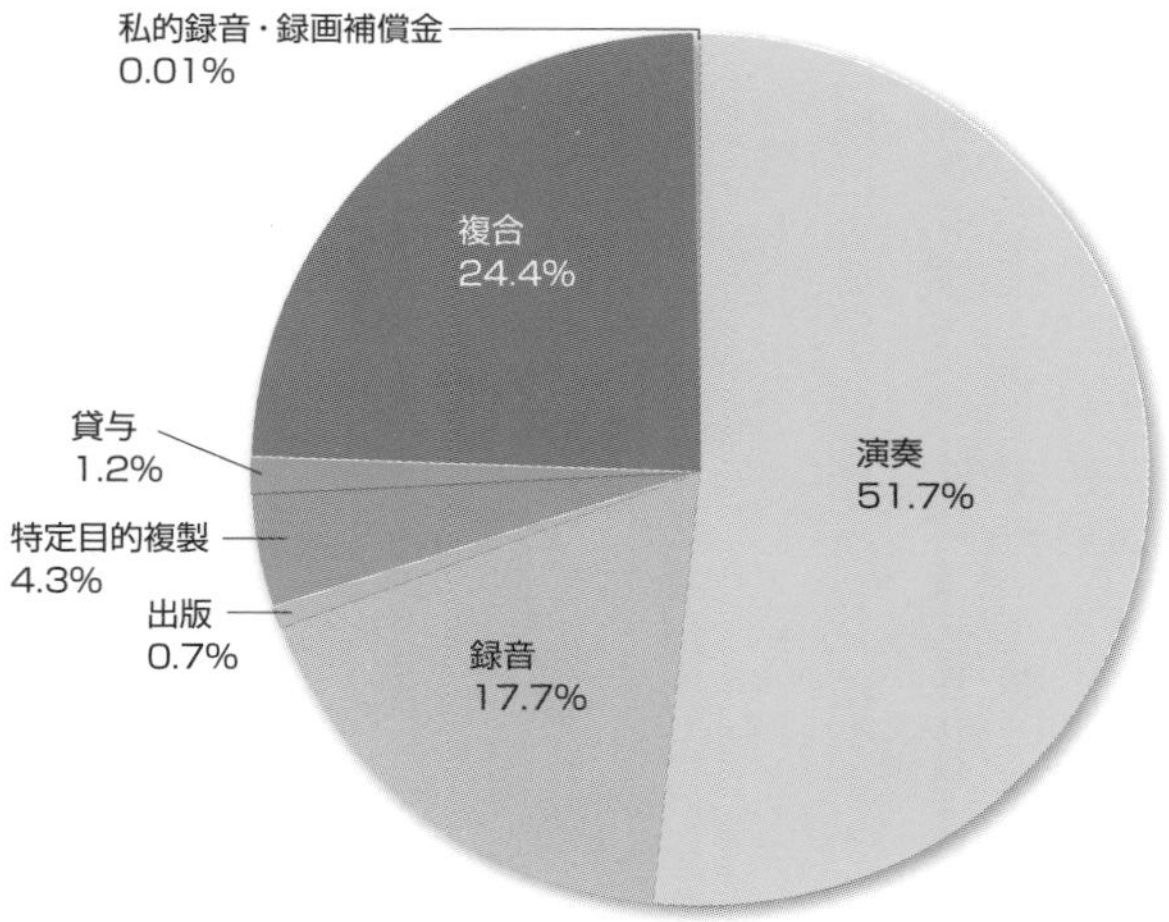

出典：日本音楽著作権協会「2019年度の事業」を基に作成

10 音楽流通の新たな形態

音楽ビジネスでは、プロダクションやレコード会社がアーティストを育てて売り出してきました。インターネットが進展する中、アーティスト自身が音楽を販売するツールが立ち上がってきています。

バンドキャンプで自作の音楽を販売する

インターネットが進展する中、大手のプロダクションやレコード会社に所属せず、アーティストが独自にプロモーションや音楽の販売を手がけられるツールが立ち上がってきています。

定番はなんといっても**ユーチューブ**でしょう。少々古い話ではありますが、一六年に世界中へ話題を振りまいた**ピコ太郎**は、ユーチューブで人気に火がつき、それが音楽ビジネスへと発展しました。この一例からも、音楽ビジネスにとってユーチューブは無視できない存在であることがわかります。

また、アーティストとファンをダイレクトに結びつけるインターネット・サービスも要注目です。アメリカ発の**バンドキャンプ***もその一つです。バンドキャンプでは誰もがアーティストになって自作を公開できます。その際に、楽曲やアルバムについてアーティスト自らが価格をつけられるほか、フリーダウンロードや、顧客が価格を決めるいわゆる「投げ銭」方式も採用しています。また、バンドキャンプは、レコードレーベルのプロモーションや販売の場にもなっています（図2・10・1）。

有料音楽配信サイトへの楽曲の配信を請け負う**チューンコア***などのサービスも注目を集めています。チューンコアでは、楽曲とジャケットの画像を用意するだけで、自分の楽曲を世界中に届けられます。このように原盤制作や配信業務を自分で行うことを**DIY***と呼びます。音楽の流通は大きく変わろうとしています。

用語解説

***バンドキャンプ**　https://bandcamp.com

***チューンコア**　https://www.tunecore.co.jp。チューンコアでは日本版のサービスも提供している。

バンドキャンプとチューンコア（図 2.10.1）

● Bandcamp

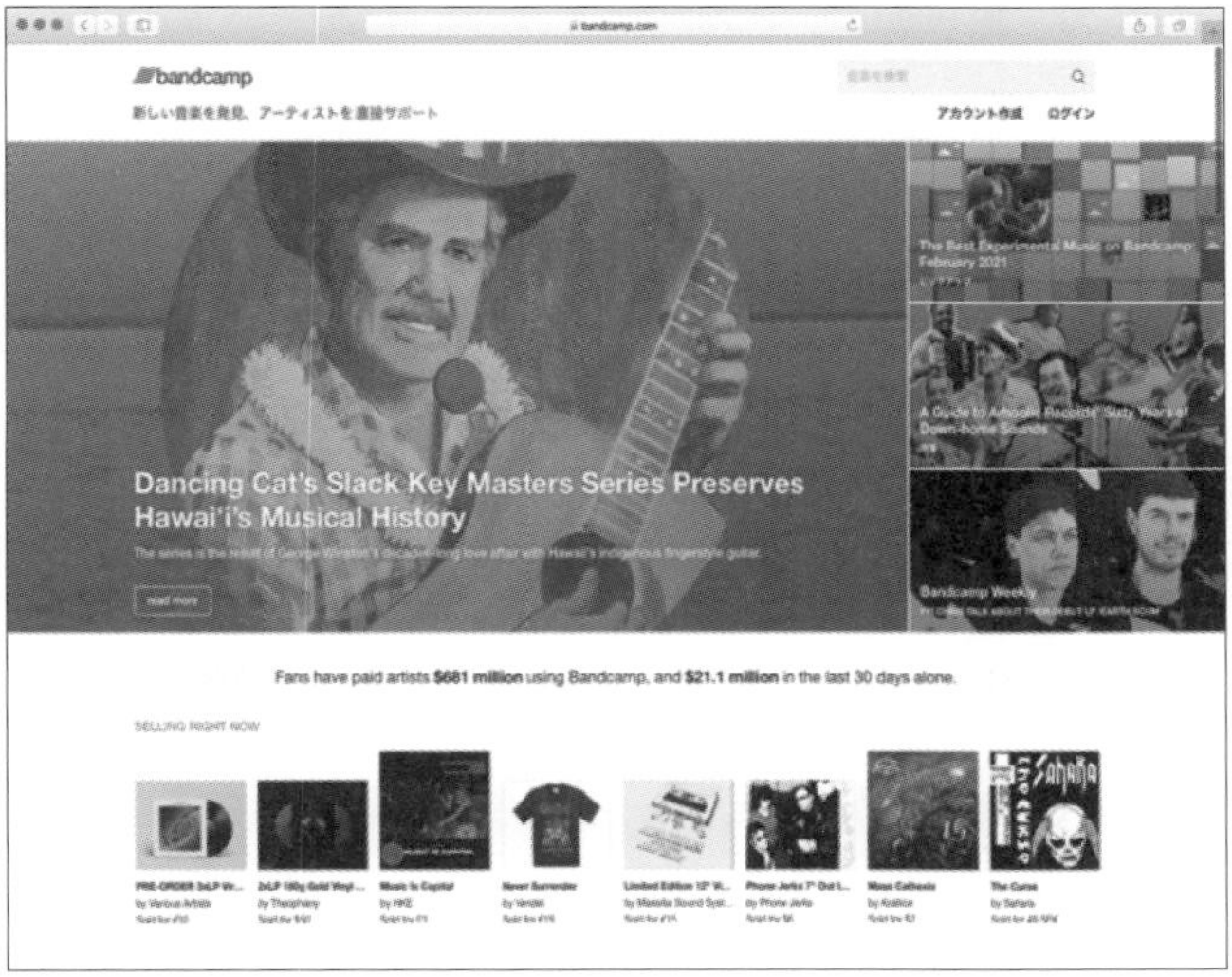

● TuneCore Japan

用語解説

＊DIY　Do It Yourselfの略。

11 苦境にあえぐ音楽コンサート市場

音楽コンサート市場が、活況から一転して危機的状況に陥っています。二〇年のライブエンターテインメント市場は一三〇六億円、前年比二〇・七%という未曽有の結果となりました。

悪夢の音楽コンサート市場

図2・11・1は、音楽コンサートとステージ（ライブパフォーマンス）の市場規模推移を見たものです。一一年から見ると一六年以外は右肩上がりで推移してきました。しかもその成長率は非常に高く、一五年のように前年比一二〇%を超える時期もありました。

一九年も音楽コンサートが四二三七億円、ステージが二〇五八億円とともに過去最高を達成し、総計は**六二九五億円**となりました。この勢いは二〇年も続くと楽観視されていたところへ突如襲いかかったのが、中国・武漢で発生したとみられる新型コロナウイルスです。

予期せぬ新型コロナウイルス感染症の流行により、二〇年二月以降、音楽コンサートやステージが軒並み中止に追い込まれました。さらに同年四月一六日に全国に発出された緊急事態宣言により、状況は悪化の一途をたどります。この結果、二〇年のライブエンターテインメント市場は、ぴあ総研の試算値によると、音楽コンサートが七一四億円、ステージが五九二億円、総計**一三〇六億円、前年比二〇・七%（七九・三%減）**という信じがたい数字になりました*。要するに、ライブエンターテインメントのちょうど**八割が蒸発**した格好です。

コロナ禍の影響は、二一年に入っても続いています。その間、アーティストばかりか、コンサートやステージに関わる舞台進行、音響や照明など多くのスタッフが仕事を失いました。次節に見るように、オンラインによる活動に一条の光が見えますが、関係者にとってはまさに死活に関わる状態だといえます。

用語解説

*…**数字になりました**　ぴあ総研「2020年のライブ・エンタテインメント市場は、対前年約8割減に。ぴあ総研が試算値を下方修正」（https://corporate.pia.jp/news/detail_live_enta_20201027.html）。

ライブエンターテインメントの市場規模推移（図 2.11.1）

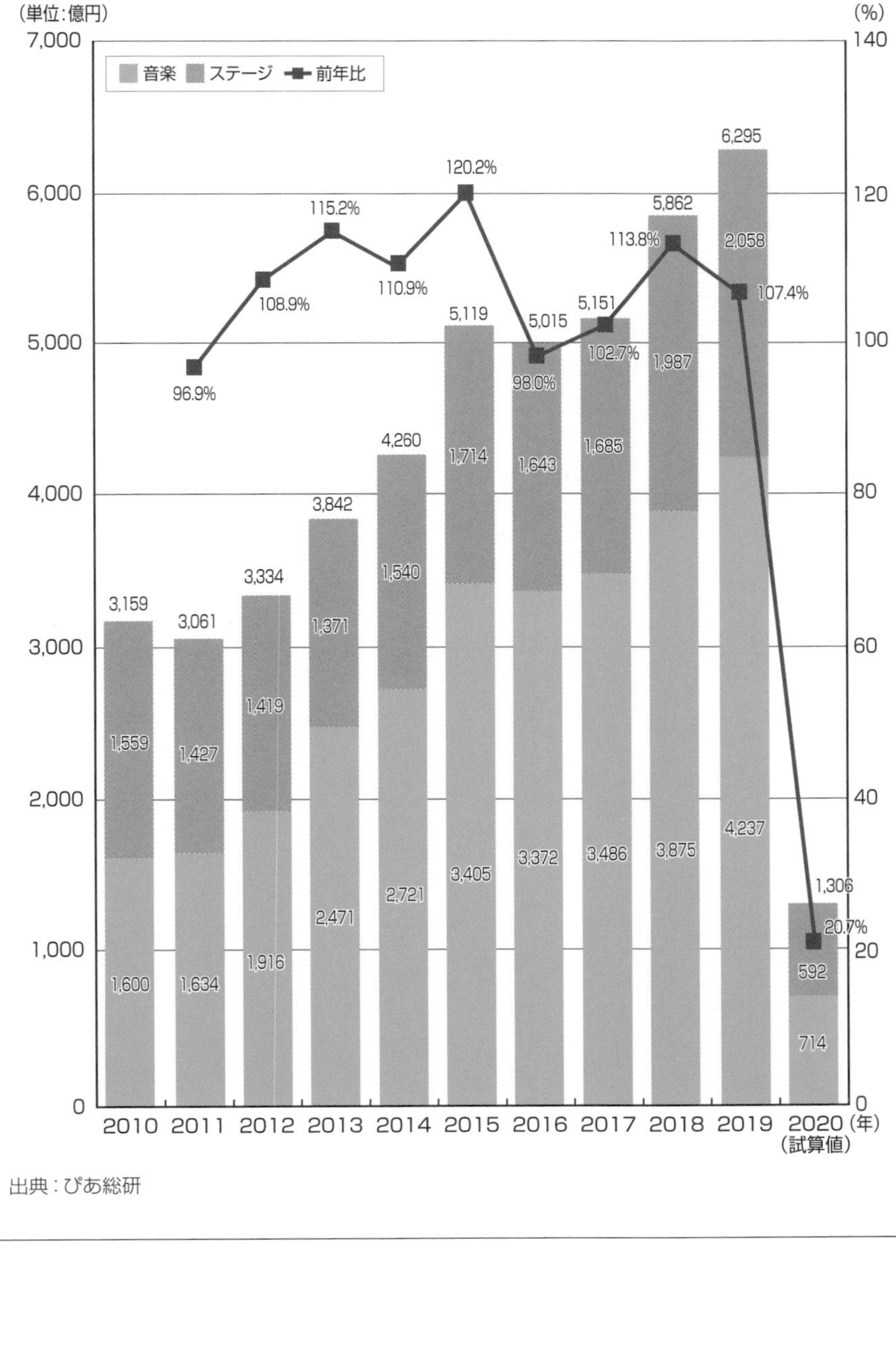
(単位:億円)
(%)
音楽
ステージ
前年比
7,000
6,000
5,000
4,000
3,000
2,000
1,000
0
140
120
100
80
60
40
20
0
3,159
1,559
1,600
3,061
1,427
1,634
96.9%
3,334
1,419
1,916
108.9%
3,842
1,371
2,471
115.2%
4,260
1,540
2,721
110.9%
5,119
1,714
3,405
120.2%
5,015
1,643
3,372
98.0%
5,151
1,685
3,486
102.7%
5,862
1,987
3,875
113.8%
6,295
2,058
4,237
107.4%
1,306
592
714
20.7%
2010
2011
2012
2013
2014
2015
2016
2017
2018
2019
2020
(試算値)
(年)

出典：ぴあ総研

12 オンラインライブ市場は拡大するか

二〇年の国内有料型オンラインライブ市場の規模は推計で四四八億円になりました。アフター・コロナでは、有料型オンラインライブが、音楽業界にとって新たな収益源になるかもしれません。

サザンのライブに一八万人

コロナ禍で音楽コンサートが軒並み中止に追い込まれる中、一条の光となったのが、オンラインを通じたライブコンサートでした。当初はユーチューブなどを用いた小規模なものが中心でしたが、二〇年六月二五日には**サザンオールスターズ**が横浜アリーナから大規模な**オンラインライブ**を配信しました。公演は無観客ながら、三六〇〇円の電子チケットが販売され、なんと一八万人もの人がオンラインでライブを視聴しました。サザンオールスターズの取り組みは、オンラインライブが通常のライブの代替物ではなく、新たな市場として十分成立する可能性があることを示しました。

この仮説が正しいとすると、**アフター・コロナ**の音楽コンサートでは、現場で楽しみたい人はステージに足を運び、家庭で楽しみたい人は電子チケットを購入するというように、市場の拡大が大いに期待できます。しかもオンラインの場合、市場は一気に海外まで広がりますから、まさに危機的状況をチャンスに変える絶好機だといえるのかもしれません。コロナ禍の音楽業界にとってはまさに希望の光です。

ぴあ総研によると、電子チケット制の**有料型オンラインライブ市場**は二〇年五月頃から立ち上がり、短期間に急拡大を遂げました。その結果、二〇年の国内有料型オンラインライブ市場の規模が推計で**四四八億円**になりました*。視聴経験者も一八～二九歳の女性で三九・八%に達するといいます(図2・12・1)。オンラインライブの今後の進展が楽しみです。

用語解説

＊…なりました　ぴあ総研「有料型オンラインライブ、5人に1人が視聴／ぴあ総研がオンラインライブ視聴に関する実態調査を実施」(https://corporate.pia.jp/news/detail_live_enta_20210215.html)

有料型オンラインライブの視聴経験（図 2.12.1）

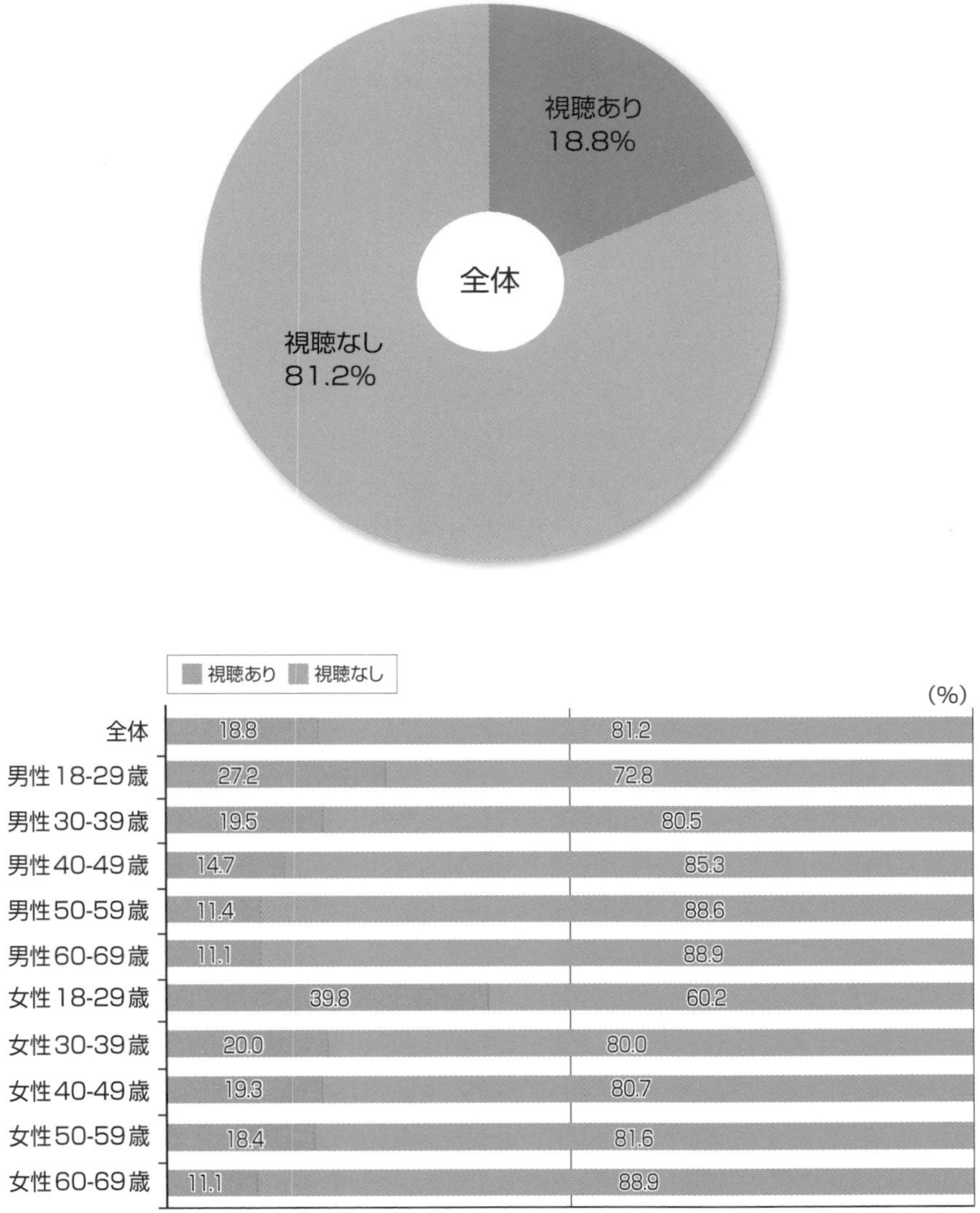
視聴あり
18.8%
全体
視聴なし
81.2%
視聴あり
視聴なし
(%)
全体 18.8 81.2
男性18-29歳 27.2 72.8
男性30-39歳 19.5 80.5
男性40-49歳 14.7 85.3
男性50-59歳 11.4 88.6
男性60-69歳 11.1 88.9
女性18-29歳 39.8 60.2
女性30-39歳 20.0 80.0
女性40-49歳 19.3 80.7
女性50-59歳 18.4 81.6
女性60-69歳 11.1 88.9

出典：ぴあ総研

column

サブスクリプション・サービスがもたらしたもの

●メディアやデータの所有から聴く権利の所有へ

音楽の**サブスクリプション・サービス**の進展で、音楽に対する価値観や聴き方が大きく変わってきています。

かつて音楽は、音楽自体を聴くことはもちろん、レコードやCDを所有することにも意味がありました。ところが、アップル・ミュージックやスポティファイなどのサブスクリプション・サービスの登場により、もはや物理的なメディアを所有することではなく、聴く権利を所有することが重要になりました。権利さえ所有していれば、有り余るほどの音楽を聴けます。このことは、物理的なメディアの所有から**聴く権利の所有**へ、という音楽に対する価値観の変化を示しているように思います。

●プレイリストで聴くという音楽スタイル

また、昔からの音楽好きは、好みのアーティストが出すアルバムを購入して、繰り返し聴いてきたのではないでしょうか。しかし、サブスクリプション・サービスにより、こうした音楽の聴き方にも変化が生じているようです。

かつては、音楽好きでも予算が限られているため、次から次へと際限もなくアルバムを購入することなどできませんでした。これはと思うアルバムを決め打ちで購入したものです。

しかし、サブスクリプション・サービスでは、こうした決め打ちは不必要です。ちょっと気になる楽曲やアルバムを、予算など気にせずに次々と聴けます。とはいえ聴きっぱなしでは、気に入った楽曲があってもその場限りになりがちです。

そこで登場するのがオリジナルの**プレイリスト**＊です。友達にいい音楽をすすめるのも、自分で作ったプレイリストを共有する形になってきているようです。

このように、アルバムからプレイリストへと聴き方が変わってきているのも、サブスクリプション・サービスによる影響ではないでしょうか。

＊**プレイリスト**　好みの楽曲を並べて、まとめ聴きできるようにした音楽リストのこと。

第3章

放送業界

　コンテンツ業界の中で大きな存在感を発揮してきたのが放送業界です。しかし、定額動画配信の台頭やスマートテレビの登場などにより、放送業界を取り巻く環境も大きく変化しつつあります。その変化にいかに対応するかが、放送業界の課題になっています。本章ではその現況を解説します。

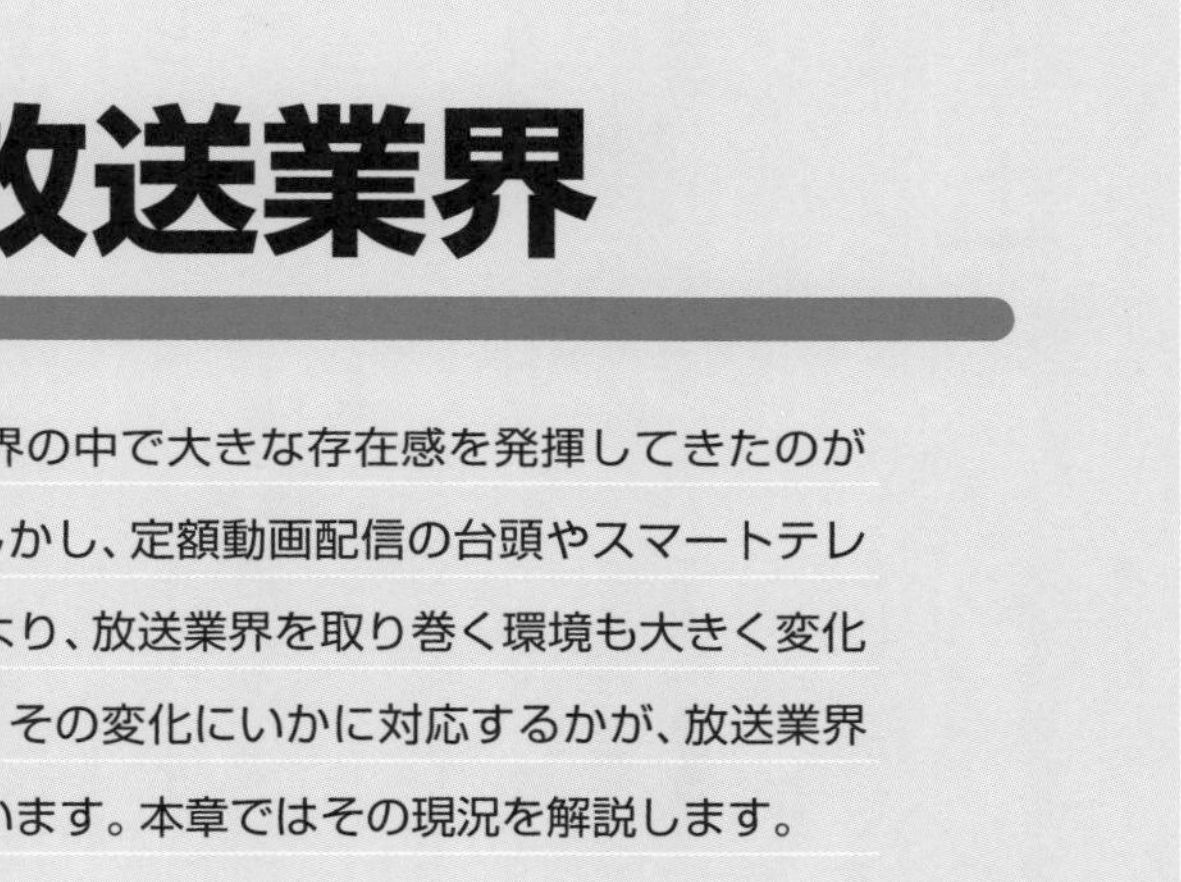

How-nual
図解入門
業界研究

1 放送業界の市場構造

映像系コンテンツ業界の中でも大きな存在感を示す事業者の一つに、テレビ放送事業者があります。ここではテレビ放送における放送業界の構造を概観します。

テレビ放送業界の制作パート

映像系コンテンツを提供する**テレビ放送業界**は、広義では映像系コンテンツ業界の一部といえます。テレビ放送には放送手法の違いによって**地上テレビ放送**、**衛星放送**、**ケーブルテレビ放送**、**IP放送**などがあります。

テレビ放送業界を、制作パートと流通パートに分けて見たものが図3・1・1です。番組の制作には放送局自らが携わるほか、外部の**番組制作会社**、アーティストや俳優を抱える**プロダクション**が携わります。そして、これらの企業が協力して一本の番組を制作します。

テレビ放送業界の流通パート

制作された番組は電波やケーブルテレビ、ネットワークを通して視聴者のもとに届きます。地上テレビ放送の場合、テレビ局が自ら設備を整備し、電波を通じて番組を提供します。ケーブルテレビ事業者も、自ら設備を整備する点ではテレビ局と同様です。ただし、ケーブルテレビの場合、ほとんどの番組を外部から調達*します。

一方、衛星放送には**衛星基幹放送**と**衛星一般放送**があります*。衛星基幹放送では、放送番組を制作・編集する**衛星基幹放送事業者**が、放送局を管理する**基幹放送局提供事業者**に番組の放送を委託します。また衛星一般放送では、**電気通信事業者**が管理する衛星の放送設備を**衛星一般放送事業者**が借り受けて放送を行います。

1-5節でも見たように、本来、コンテンツの制作と流通は異なる事業者によって行われるのが一般的です。その点で地上テレビ放送は特殊なケースです。

用語解説

*…**外部から調達**　地上テレビ放送事業者でもローカル局の場合、自社制作は極めて少なく、多くの番組が外部から調達されている。

*…**あります。**　衛星基幹放送とは、かつてのBS放送および東経110度CS放送を指す。また、衛星一般放送は、かつての東経124/8度CS放送を指す。

放送業界（テレビ）の市場構造（図 3.1.1）

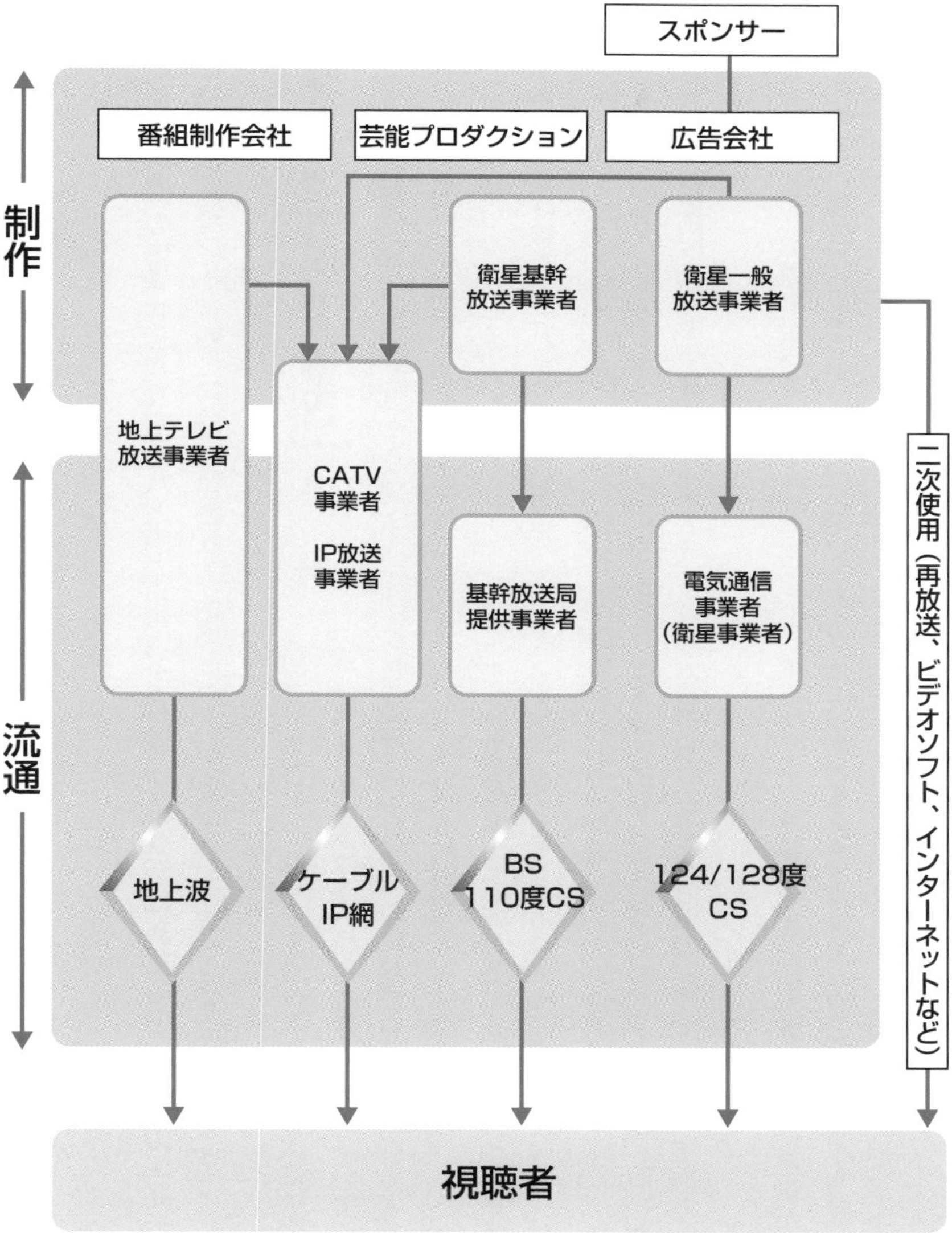
スポンサー
番組制作会社
芸能プロダクション
広告会社
制作
流通
地上テレビ
放送事業者
CATV
事業者
IP放送
事業者
衛星基幹
放送事業者
衛星一般
放送事業者
基幹放送局
提供事業者
電気通信
事業者
（衛星事業者）
二次使用（再放送、ビデオソフト、インターネットなど）
地上波
ケーブル
IP網
BS
110度CS
124/128度
CS
視聴者

放送業界の市場規模

2

一八年度の放送市場の規模は三兆九四一八億円でした。これは、ピーク時にあたる〇七年度の四兆一一七八億円と比較するとマイナス四・三%の規模です。市場は〇九年度以降、停滞気味だといえます。

市場規模は三兆九四一八億円

図3・2・1は、**放送市場**の長期推移を見たものです。二〇〇〇年代前半、市場は拡大傾向にあり、〇七年度には四兆一一七八億円のピークに達します。しかし、リーマンショック後、市場は下降線をたどります。〇九年度に底は打つものの、以後、三兆八〇〇〇億円台から三兆九〇〇〇億円台を行きつ戻りつしています。一八年度の市場規模は**三兆九四一八億円**で、〇七年度比でマイナス四・三%となっています。

その内訳を見ると、地上系基幹放送事業者が二兆三三九六億円、衛星系民間放送事業者が三六一九億円、ケーブルテレビ事業者が五〇三〇億円、NHK(日本放送協会)が七三七三億円でした。

図3・2・2は、一八年度までの五年間、各放送事業者の成長率を見たものです。毎年前年を上回っているのは**NHKのみ**で、市場全体の成長率より毎年高いのもNHKだけです。地上系基幹放送事業者は直近の二年続けて前年割れを喫しました。浮き沈みが激しいのは衛星系で、振れ幅こそ大きくはありませんがケーブルテレビも同様の傾向があります。

一方、種別のシェアを見ると(図3・2・3)、一四年度は地上系が六〇・三%、衛星系が九・四%、ケーブルテレビが一二・八%、NHKが一七・四%でした。

対して一八年度は、地上系が五九・四%、衛星系が九・二%といずれもシェアを減らしました。ケーブルテレビは一二・八%で現状維持、NHKのみが一八・七%とシェアを拡大しています。

放送市場の推移（図 3.2.1）

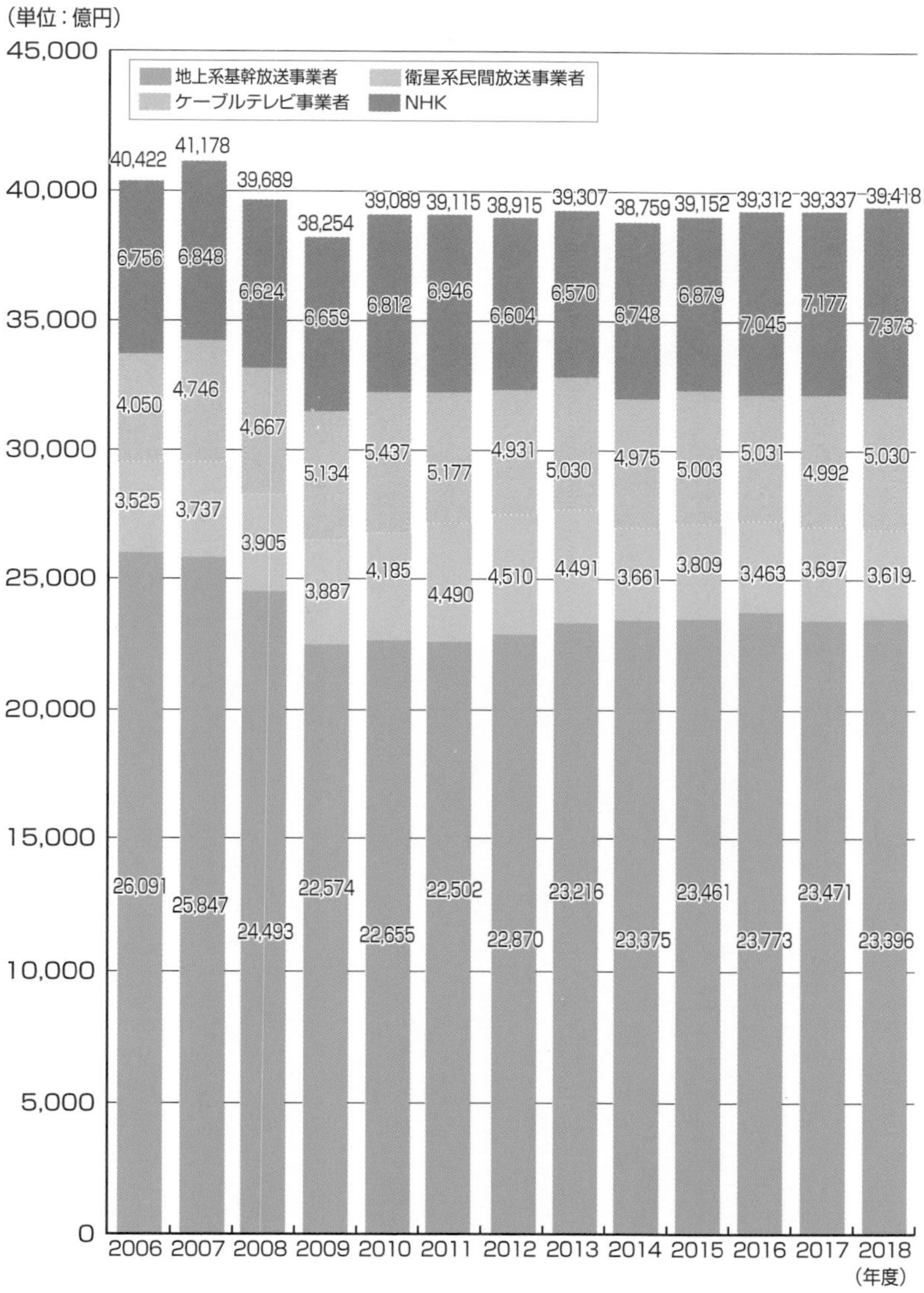

出典：総務省『令和２年版情報通信白書』を基に作成

各放送メディアの成長率推移（図 3.2.2）

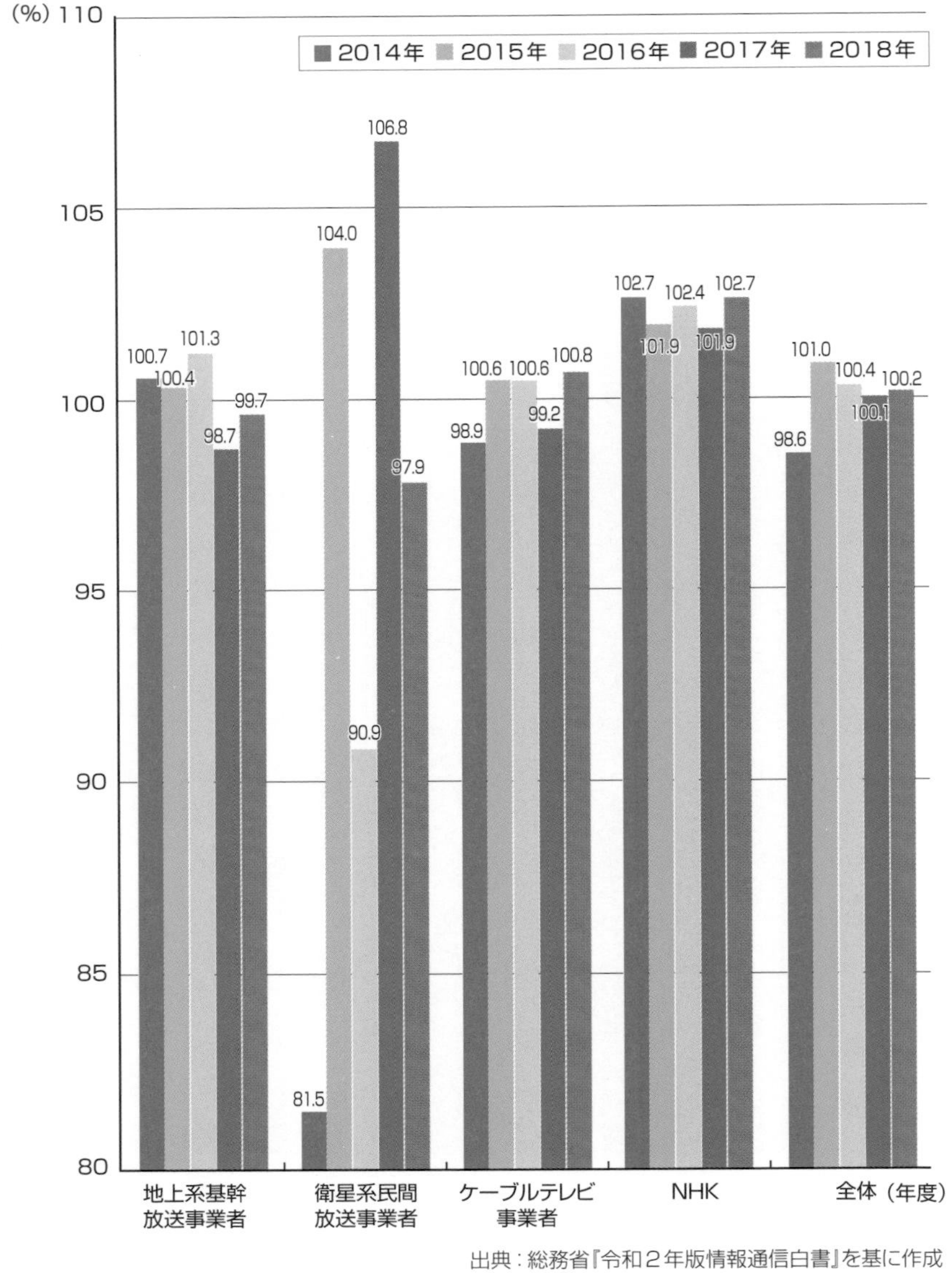

出典：総務省『令和２年版情報通信白書』を基に作成

各放送メディアの占める割合の推移（図 3.2.3）

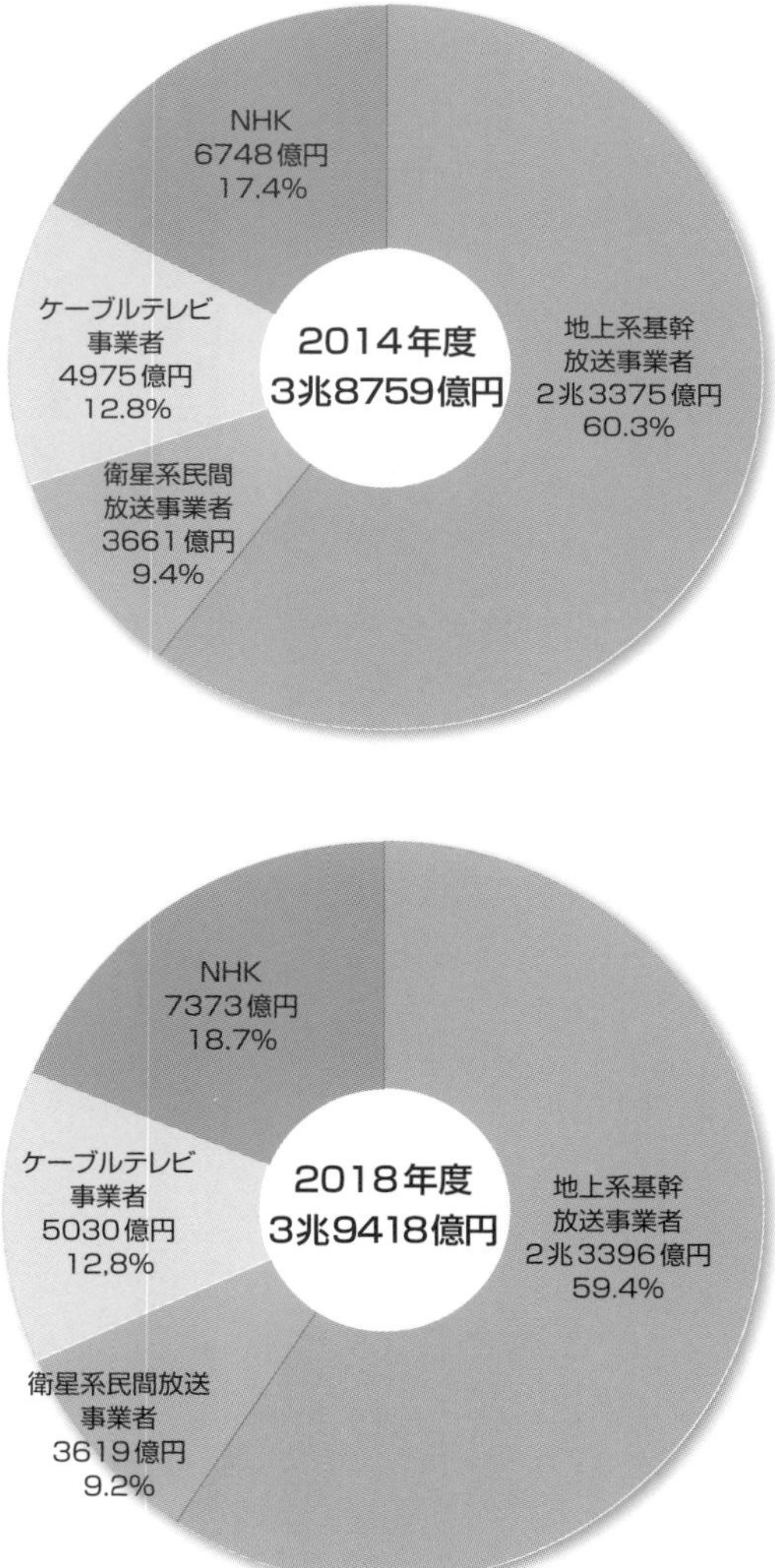
NHK
6748億円
17.4%
ケーブルテレビ
事業者
4975億円
12.8%
衛星系民間
放送事業者
3661億円
9.4%
2014年度
3兆8759億円
地上系基幹
放送事業者
2兆3375億円
60.3%
NHK
7373億円
18.7%
ケーブルテレビ
事業者
5030億円
12,8%
衛星系民間放送
事業者
3619億円
9.2%
2018年度
3兆9418億円
地上系基幹
放送事業者
2兆3396億円
59.4%

出典：総務省『令和２年版情報通信白書』を基に作成

3　ＮＨＫと民間テレビ局の経営状況

ＮＨＫは国民の受信料収入を原資にして経営を行っています。また、民間テレビ局の最大の収益源は広告収入です。この広告収入が厳しい状況下にあります。

好調ＮＨＫ、苦しい民間

図３・３・１は、ＮＨＫおよび**民間テレビ局***の営業収入を見たものです。一九年度の総営業収入は**二兆八七七〇億円**と、久々の前年割れとなりました。その内訳を見ると、ＮＨＫが**七三七二億円**、民間テレビ局が**二兆一三九八億円**となっています。

長期的推移では、二兆八〇〇〇億円台後半から二兆九〇〇〇億円台前半を上下しており、現在は下げ基調にあるようです。民間テレビ局の収益は、一六年をピークに下降傾向にあります。そのような中で、どこか不気味なのが、**受信料収入**で経営を成り立たせているＮＨＫです。

民間をよそ目に収益は一三年を底に上昇傾向が続いており、そのため全営業収益に占める割合は徐々に上昇しています。一九年度は**二五・六％**と、この一〇年間で最も高い割合になっています。

一方で、民間テレビ局の収益の柱は**広告収入**です。例えば東京キー局の場合、売上全体の四分の三をテレビ広告収入が占めます。図３・３・２は一〇年*から二〇年にかけての日本のテレビ広告費の推移を見たものです。一七年までは上昇傾向にあったテレビ広告費ですが、この年をピークに下降が始まります。

そして、コロナ禍の影響をもろに受けた直近の二〇年は**一兆六五五九億円**と、この一〇年間で最悪の数字になりました。また、かつては三〇％を超えていた日本の総広告費に占めるテレビ広告費の割合も、**二六・九％**まで下がっています。ＮＨＫとは異なり、民間テレビ局は苦しい経営が続いている模様です。

用語解説

＊**民間テレビ局**　数字は「ラジオ・テレビ兼営」と「テレビ単営」の合計。そのため図3.2.1の数字と異なる。

＊**一〇年**　こちらは「年度」（その年の4月から翌年の3月）ではなく「年」（その年の1月から12月）なので要注意。

NHK および民間地上テレビ放送事業者の営業収益（図 3.3.1）

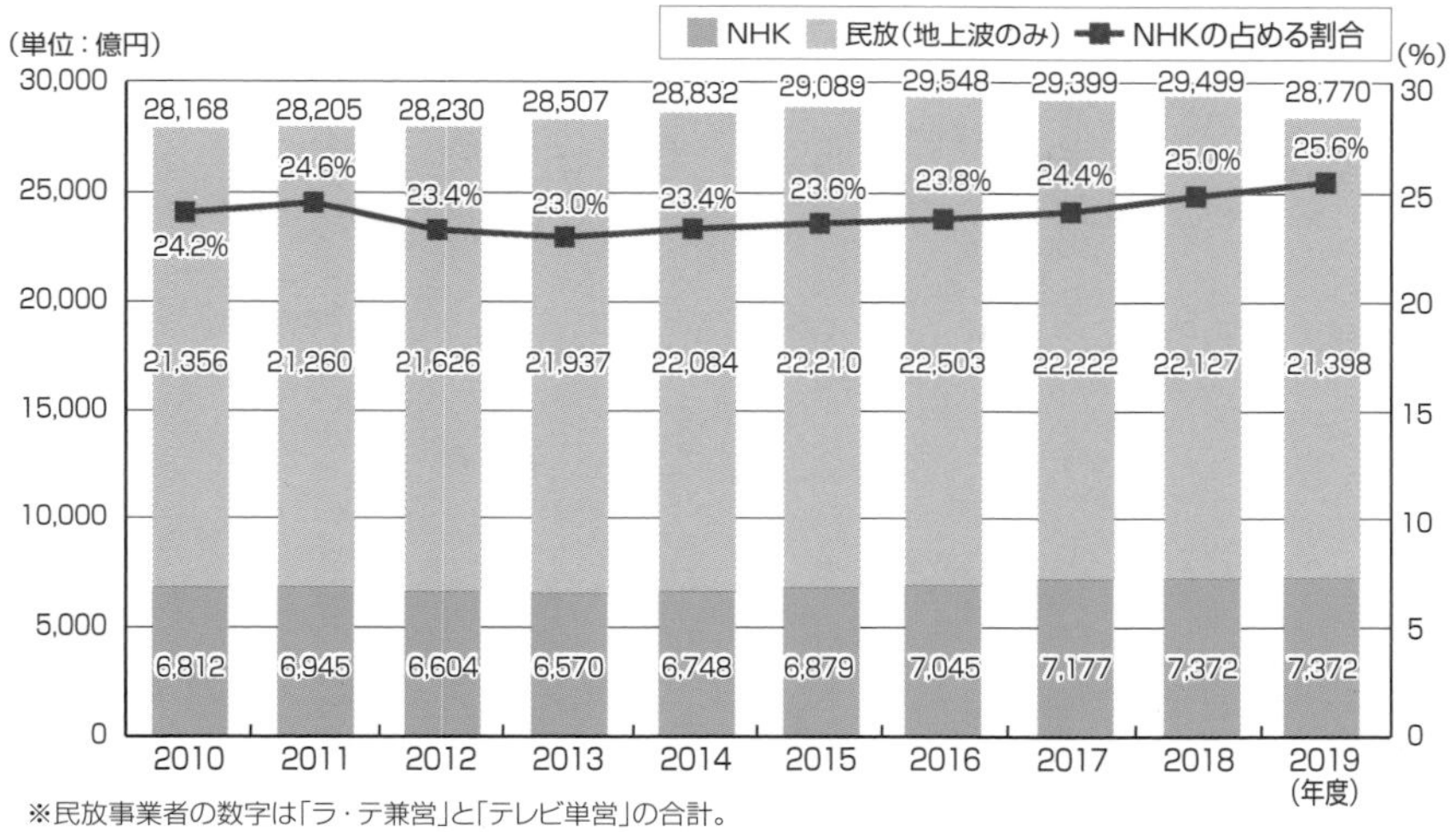

※民放事業者の数字は「ラ・テ兼営」と「テレビ単営」の合計。
出典：電通メディアイノベーションラボ編『情報メディア白書 2021』を基に作成

テレビ広告費の推移と総広告費に占める割合（図 3.3.2）

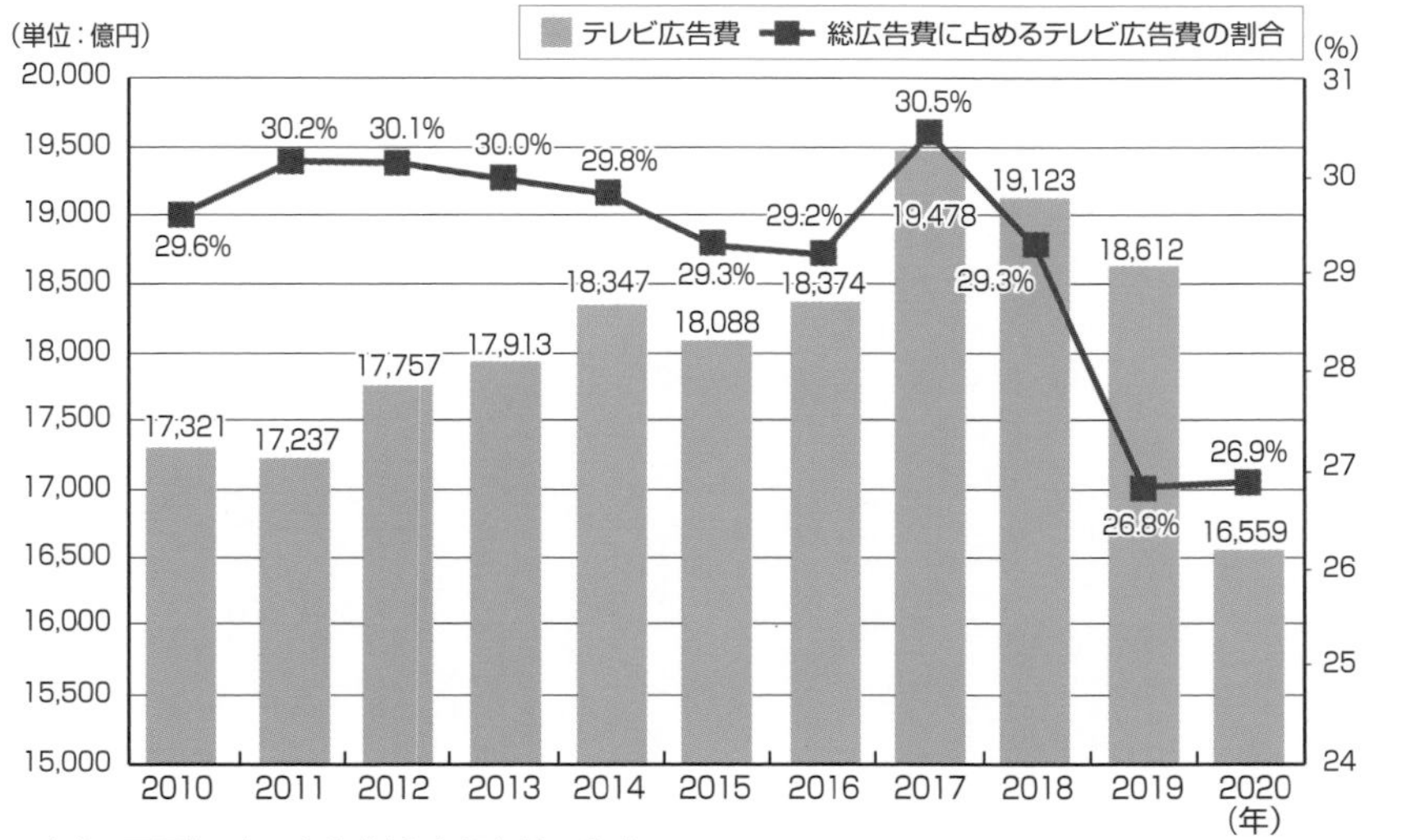

出典：電通「日本の広告費」各年版を基に作成

4 広告収入をベースにしないビジネスモデル

テレビ放送には、広告収入を柱にしたビジネスモデル以外にも、受信料収入あるいは多様な収益の組み合わせをベースにする形態があります。ビジネスモデルの違いが成長にも影響を及ぼしています。

受信料収入のNHK

テレビ放送事業者の中には、広告以外の収入源で経営を成り立たせているところもあります。**NHKやケーブルテレビ放送**、**衛星放送**などがそれです。

NHKの収入の柱は、国民から徴収する**受信料**です。一九年度の受信契約件数は四二一二万件で、受信料収入は**七二三一億円**でした(図3・4・1)。一時は、NHK職員の不祥事などでNHKに対する批判が高まり、受信料の支払い拒否世帯の増加傾向も見られました。しかし現況では、受信料収入、契約件数ともほぼ右肩上がりの傾向にあります。

一方、ケーブルテレビや衛星放送は、広告でも利益を得ていますが、それ以外にも、加入料や月ごとの視聴料、特別視聴料などの収益があります。つまり、**多様な収益源**を組み合わせているのがその特徴です。

以上を総括すると、現状の放送業界には、広告収入(民間テレビ局方式)、受信料収入(NHK方式)、多様な収益源の組み合わせ、という三つのビジネスモデルがあることがわかります。

そのことを念頭に、再度、図3・2・3を見てください。「地上系＝民間」は市場の約六割を占めるものの低迷傾向、一割強を占める多様な収益源の組み合わせによるビジネスモデル(衛星系、ケーブルテレビ)もやはり伸び悩んでいます。一方、受信料収入を基礎にするNHKは、市場の二割弱を占めるとともに、成長率こそ低いものの、その存在感をじわじわと高めている――というのが、いまの放送業界ということになるでしょう。

NHKの受信料収入と受信料契約件数の推移（図 3.4.1）

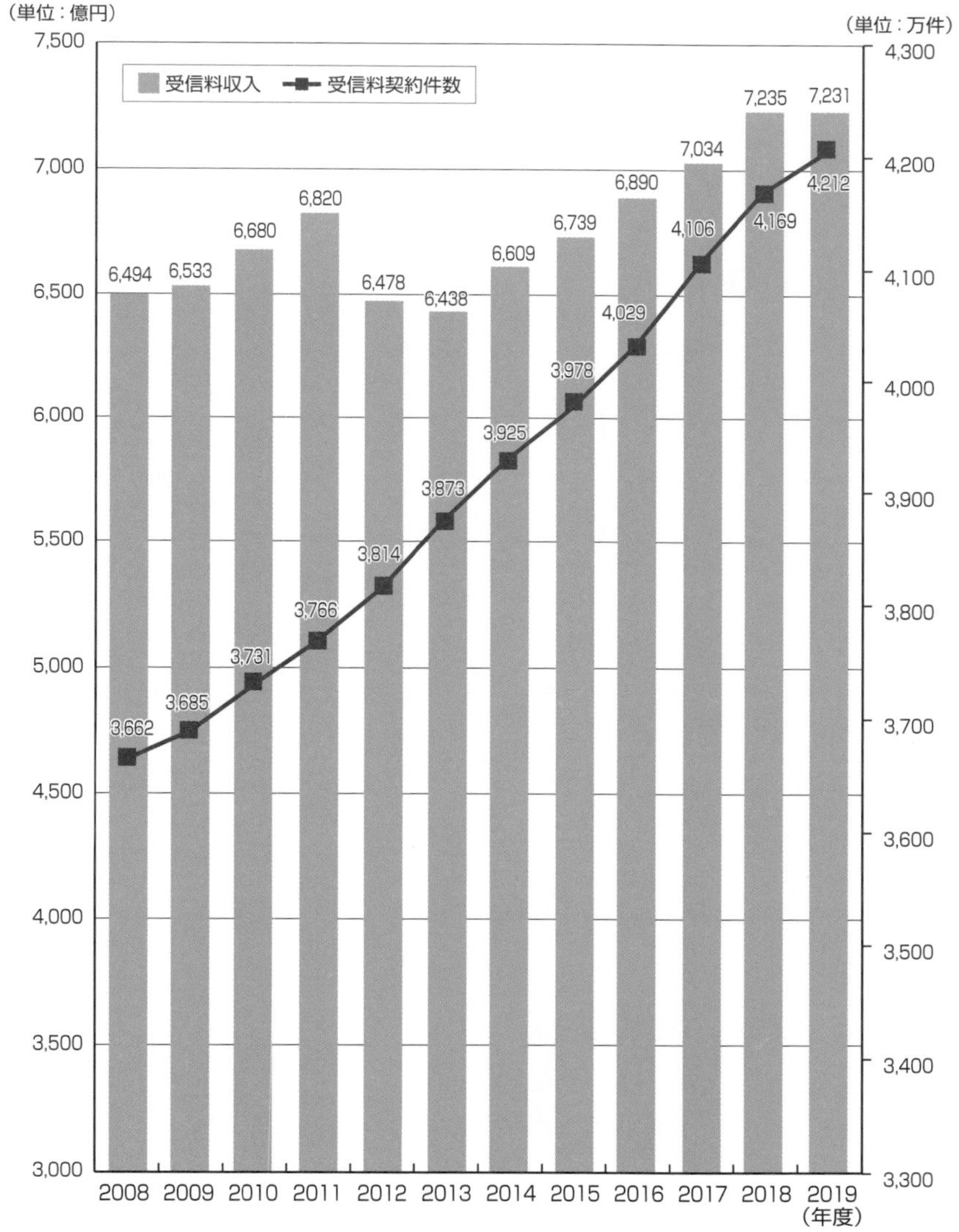

出典：NHK「業務報告書」令和元年度、平成26年度、平成21年度を基に作成

5 テレビ放送局の力比較

放送業界で大きな力を振るうのが、東京を拠点とする民放キー局五社、それにＮＨＫです。民放の中では日本テレビがトップの売上を誇りますが、ＮＨＫははるかその上を行っているのが現状です。

沈む民間、踏みとどまるＮＨＫ

今日、日本の民間テレビ局では、東京を拠点とする**キー局**が日本全国にある放送局＊と**ネットワーク協定**＊を結び、全国各地に番組やニュース、広告を提供しています。これが**ネットワーク**です。

キー局には現在、**日本テレビ**、**ＴＢＳテレビ**、**フジテレビ**、**テレビ朝日**、**テレビ東京**の五局があります。そして、**ＮＮＮ**（日本テレビ系列／三〇社）、**ＪＮＮ**（ＴＢＳ系列／二八社）、**ＦＮＮ**（フジテレビ系列／二八社）、**ＡＮＮ**（テレビ朝日系列／二六社）、**ＴＸＮ**（テレビ東京系列／六社）という五つのネットワークを形成しています。

図３・５・１と図３・５・２は、一一年度、一六年度、一九年度のキー局およびＮＨＫの売上と経常利益の推移を見たものです。

一九年度の民間テレビ局の売上トップは日本テレビで**三〇七二億円**でした。それに続くのが二五五五億円のフジテレビ、さらにテレビ朝日（二三六四億円）、ＴＢＳテレビ（二二〇三億円）、テレビ東京（一一三三億円）と続きます。

これに対してＮＨＫの売上高（**経常事業収入**＊）を見ると、一九年は**七三七二億円**で、民間テレビ局のトップである日本テレビの二・四倍の収益を達成しています。しかも右肩上がりで増収になっているのはＮＨＫだけです＊。

さらに経常利益を見ると、日本テレビは三七三億円にものぼるのに対して、ＴＢＳテレビはテレビ東京を下回る結果となりました（図３・５・２）。ＮＨＫの経常利益＊は、日本テレビよりも大幅に少なく九三億円でした。

用語解説

＊**日本全国にある放送局**　ローカル局や地方局と呼ぶ。ただし、近畿圏および中京圏の放送局は、**準キー局**、**中京局**と呼ぶ。

＊**ネットワーク協定**　営業に関して取り決めた**業務協定**と、ニュースおよび報道番組の共同編成、共同制作、共同分担を取り決めた**ニュース協定**からなる。

テレビ放送局の売上高推移（図 3.5.1）

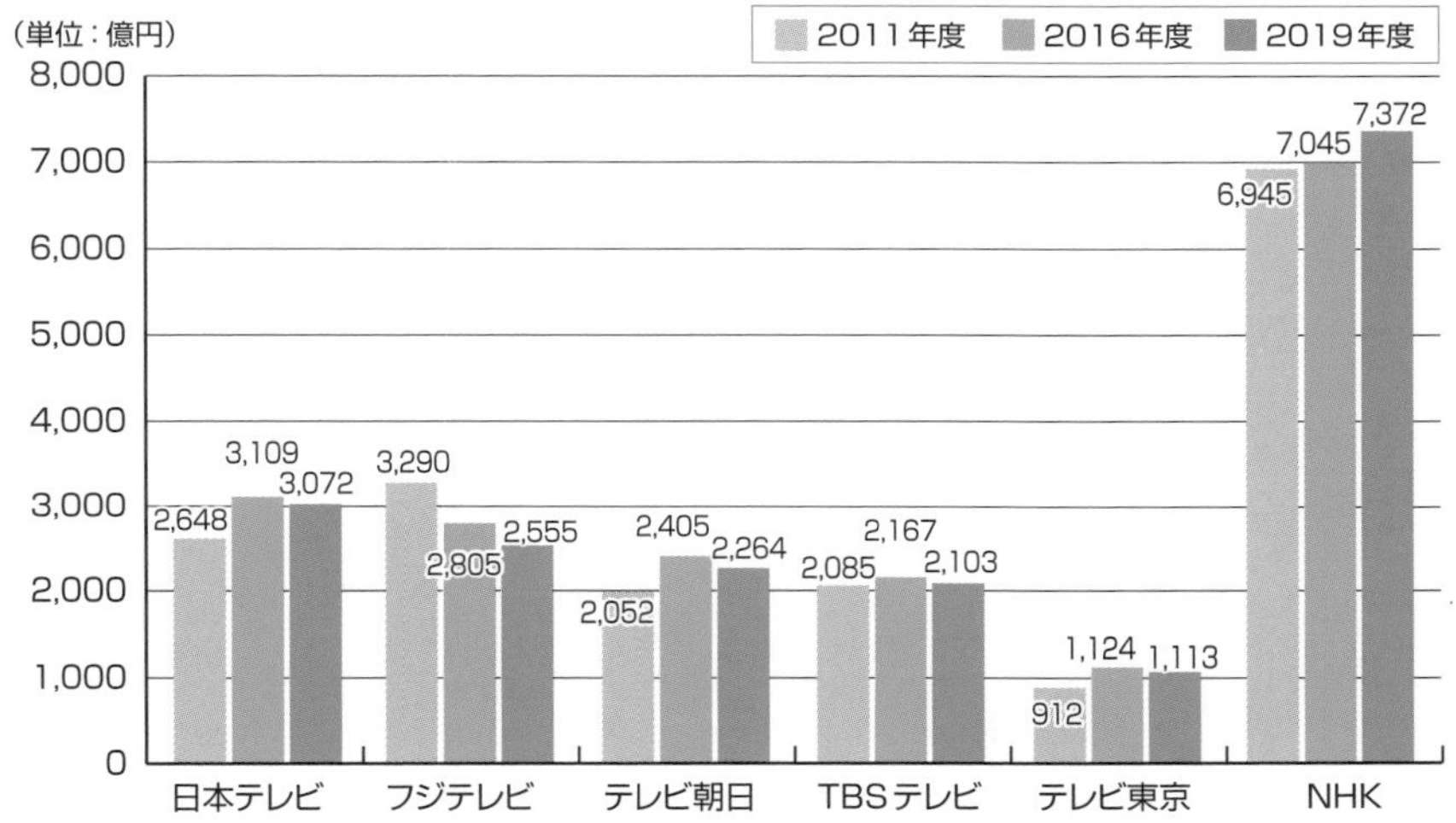
（単位：億円）
2011年度
2016年度
2019年度
8,000
7,000
6,000
5,000
4,000
3,000
2,000
1,000
0
2,648
3,109
3,072
3,290
2,805
2,555
2,052
2,405
2,264
2,085
2,167
2,103
912
1,124
1,113
6,945
7,045
7,372
日本テレビ
フジテレビ
テレビ朝日
TBSテレビ
テレビ東京
NHK

※NHKの数値は協会全体のものを用いた。
出典：各社決算短信各年度、NHK公開資料を基に作成

テレビ放送局の経常利益推移（図 3.5.2）

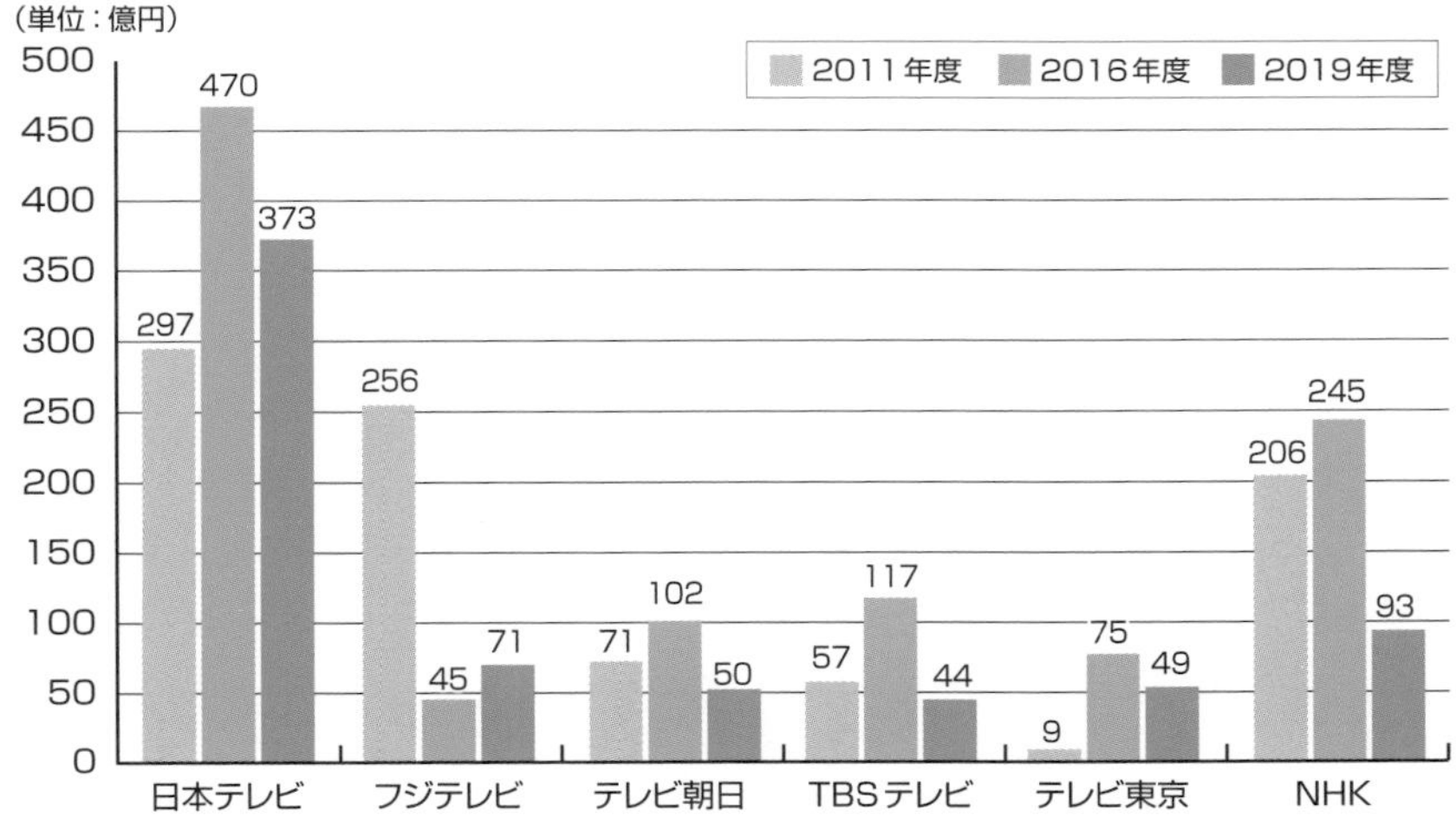
（単位：億円）
2011年度
2016年度
2019年度
500
450
400
350
300
250
200
150
100
50
0
297
470
373
256
45
71
71
102
50
57
117
44
9
75
49
206
245
93
日本テレビ
フジテレビ
テレビ朝日
TBSテレビ
テレビ東京
NHK

出典：各社決算短信各年度、NHK公開資料を基に作成

用語解説

＊**経常事業収入**　受信料収入のほか、国際放送業務や選挙放送業務に対する国からの交付金、付帯業務による収益を合算したもの。
＊**…NHKだけです**　もちろん11年度、16年度、19年度についてのみの話である。
＊**NHKの経常利益**　厳密には経常収支差金。

6 テレビ番組の制作とそのお値段

テレビ番組の制作には大きなお金がかけられています。しかし、このお金から広告会社やテレビ局、番組制作会社などの利益を差し引いていくと、純粋に番組にかけられる費用は激減します。

「あるある大事典」の番組制作費

　かつて**関西テレビ**で放送された「**発掘！あるある大事典Ⅱ**」において、**科学的データ捏造《ねつぞう》**＊の事件が起こりました。この事件に関連して、関西テレビの調査委員会が報告書を提出しています。

　この報告書の中に「発掘！あるある大事典Ⅱ」の**番組制作費**が掲載されています。これによると、番組が始まった当時、関西テレビの「発掘！あるある大事典」に対する番組一本あたりの制作費予算は三二〇〇万円でした。その後、テレビ広告の低迷や業績の悪化から、捏造時の番組制作費は三一〇五万円になったということです。これらの数字は、一時間もののバラエティ番組制作費の一つの目安になるでしょう。

だんだん小さくなる番組制作費

　番組制作費はスポンサーから支払われますが、このお金は直接テレビ局に入るのではなく、**広告会社**を経由します。したがって、上記の数字は広告会社の営業費を差し引いたあとの数字です。テレビ局では、この番組制作費予算から自社の利益＊をとって**番組制作会社**に渡します。そこから、番組制作会社が利益をとって、残りが純粋な番組制作費にあてられます。

　また、大手番組制作会社から別の番組制作会社が下請けすると、番組制作費はさらに小さくなります。図3・6・1はそうした一般的状況を示したものです。

　なおスポンサーは、こうした番組制作費とは別に**電波料**も支払う必要があります。

用語解説

＊**科学的データ捏造**　2007年1月7日放送。番組で「納豆を食べるとやせられる」という情報を紹介したが、のちに捏造であったことが判明した。

スポンサーからのお金の流れ（図 3.6.1）

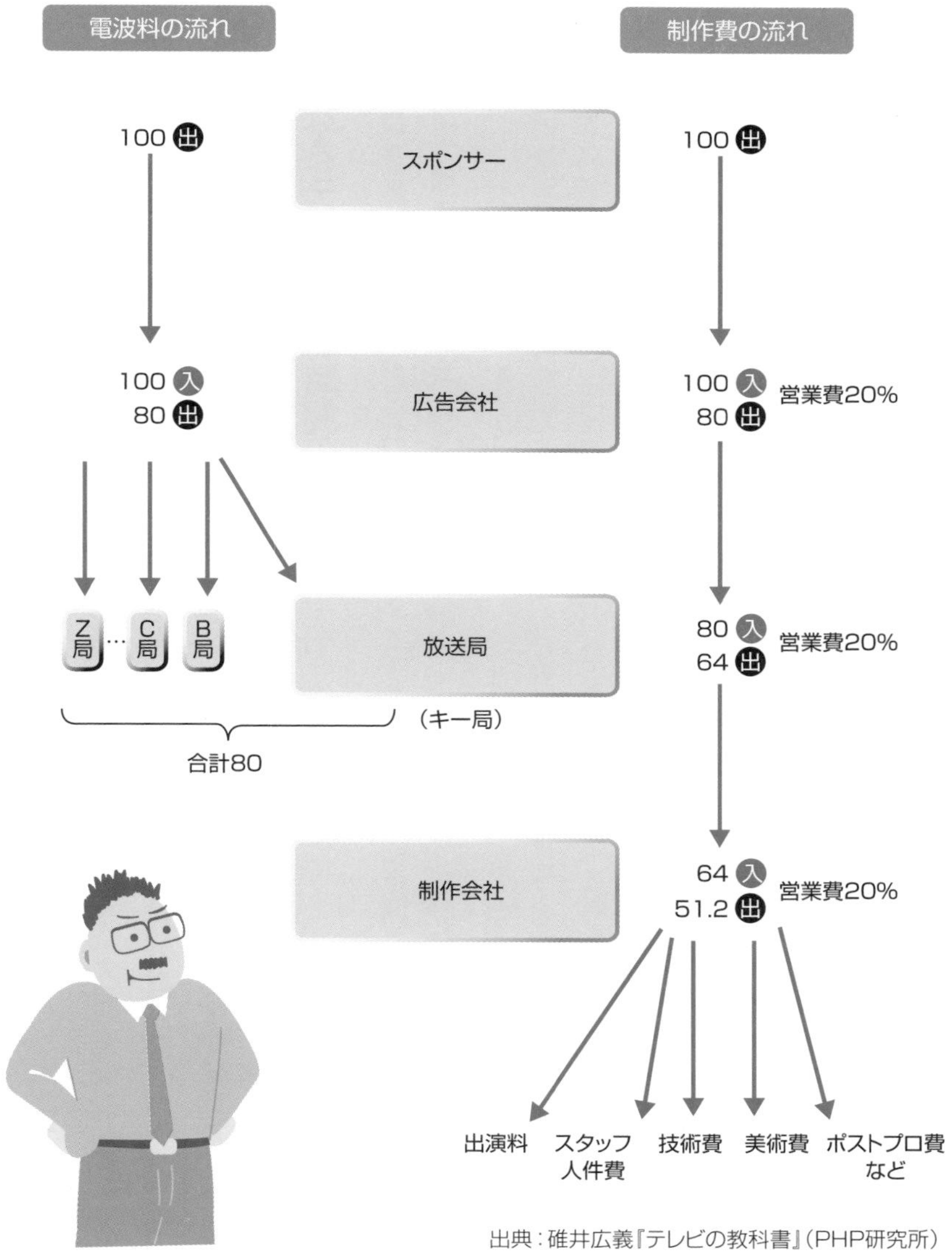
電波料の流れ
制作費の流れ
100 出
スポンサー
100 出
100 入
80 出
広告会社
100 入
80 出
営業費20%
Z局
C局
B局
放送局
（キー局）
合計80
80 入
64 出
営業費20%
制作会社
64 入
51.2 出
営業費20%
出演料
スタッフ人件費
技術費
美術費
ポストプロ費など

出典：碓井広義『テレビの教科書』（PHP研究所）

用語解説

＊**自社の利益**　「発掘！あるある大事典Ⅱ」において関西テレビは、プロデューサー経費として、1回あたり43万円から100万円しか利益を得ていなかったという。電波料を含めても粗利益率は約3.7%であり、これは報告書にも「相当に低い」収益率だと明記されている。

7 テレビ離れが進む若年世代

テレビ視聴者の高齢化が進んでいます。テレビ離れの傾向が比較的若い世代で目立つ一方、高齢者のテレビ視聴時間は国民平均より長く、これが日本人のテレビ平均視聴時間を底上げしているのが現状です。

世代で異なるテレビ視聴時間

総務省の「令和元年度情報通信メディアの利用時間と情報行動に関する調査報告書＊」（二〇年九月）によると、一九年度に国民全体が平日にテレビをリアルタイム視聴した平均時間は**一六一・二分**（二時間四一・二分）となりました（図3・7・1）。

ただし、このテレビ視聴時間は、世代によって大きな違いがあるのが特徴です。

同図では一九年度における主なメディアの利用時間を世代別に示していますが、リアルタイムのテレビ視聴時間に注目してください。一〇代が**六九・〇分**（一時間九分）と全世代平均を大きく下回っています。同じく二〇代から四〇代も平日におけるテレビの視聴時間は平均を下回る結果となっています。

これに対して六〇代は、**二六〇・三分**（四時間二〇・三分）と平均を大きく上回り、一〇代の三・八倍もの時間、テレビを見ていることがわかります。

また、同調査では**行為者率**についても公表しています。行為者率とは、一日に一五分以上何かに接触した人の割合を示しています。これを見ると、平日のテレビ視聴の行為者率（リアルタイム視聴）は全体平均で**八一・六％**でした。これに対して一〇代を見ると、テレビ視聴の行為者率は**六一・六％**となっています。

つまり一〇代では残りの**三八・四％**、**五人に二人近く**が、平日はまったくテレビを見ていないことになります。このように、若者のテレビ離れは予想以上に進んでいるのがわかります。

用語解説

＊…**に関する調査報告書**　総務省のウェブサイトから各年版の報告書を入手できる。

3-7　テレビ離れが進む若年世代

主なメディアの平均利用時間（平日１日）（図 3.7.1）

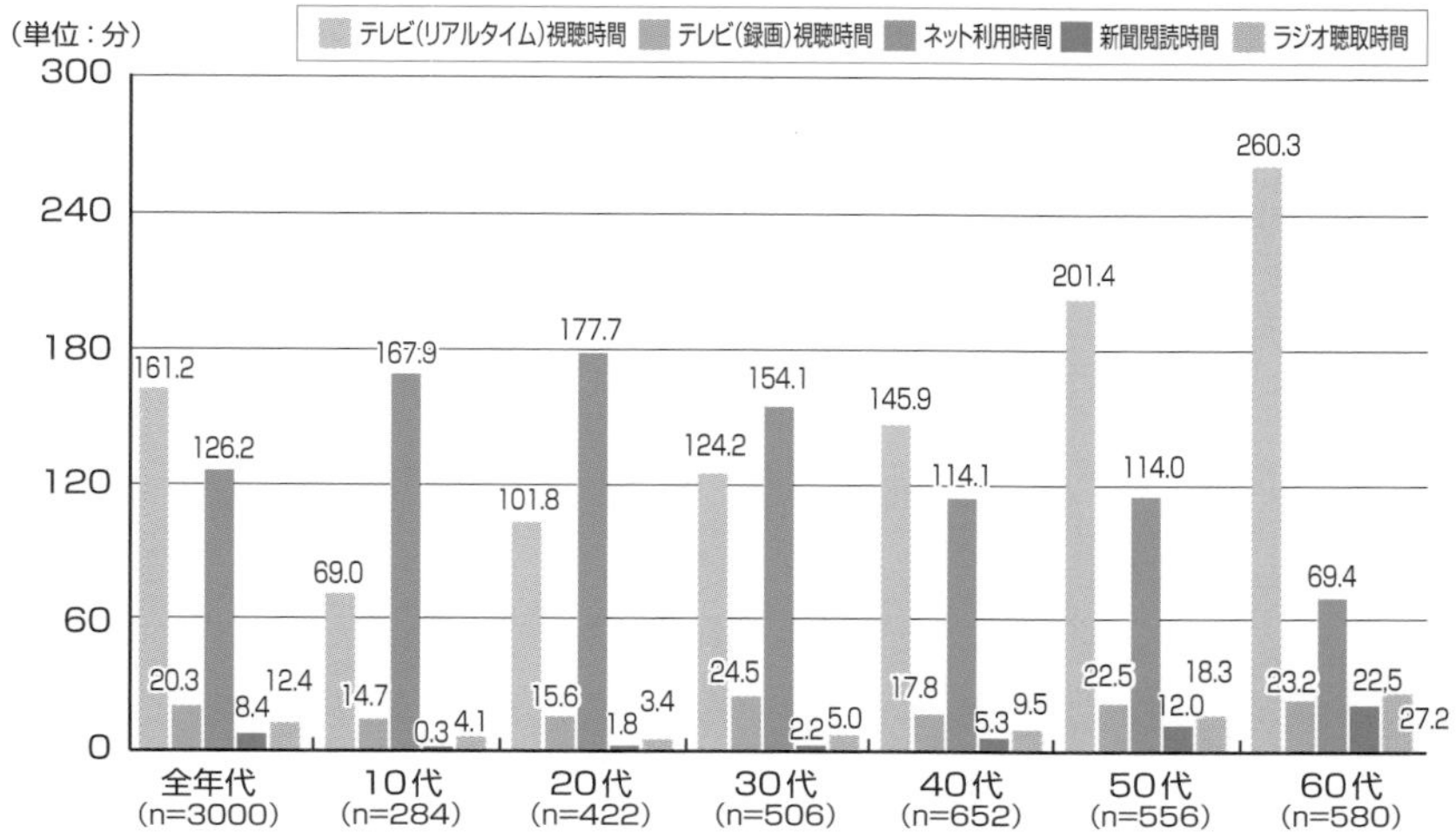

出典：総務省「令和元年度情報通信メディアの利用時間と情報行動に関する調査報告書」

主なメディアの平均利用時間（休日１日）（図 3.7.2）

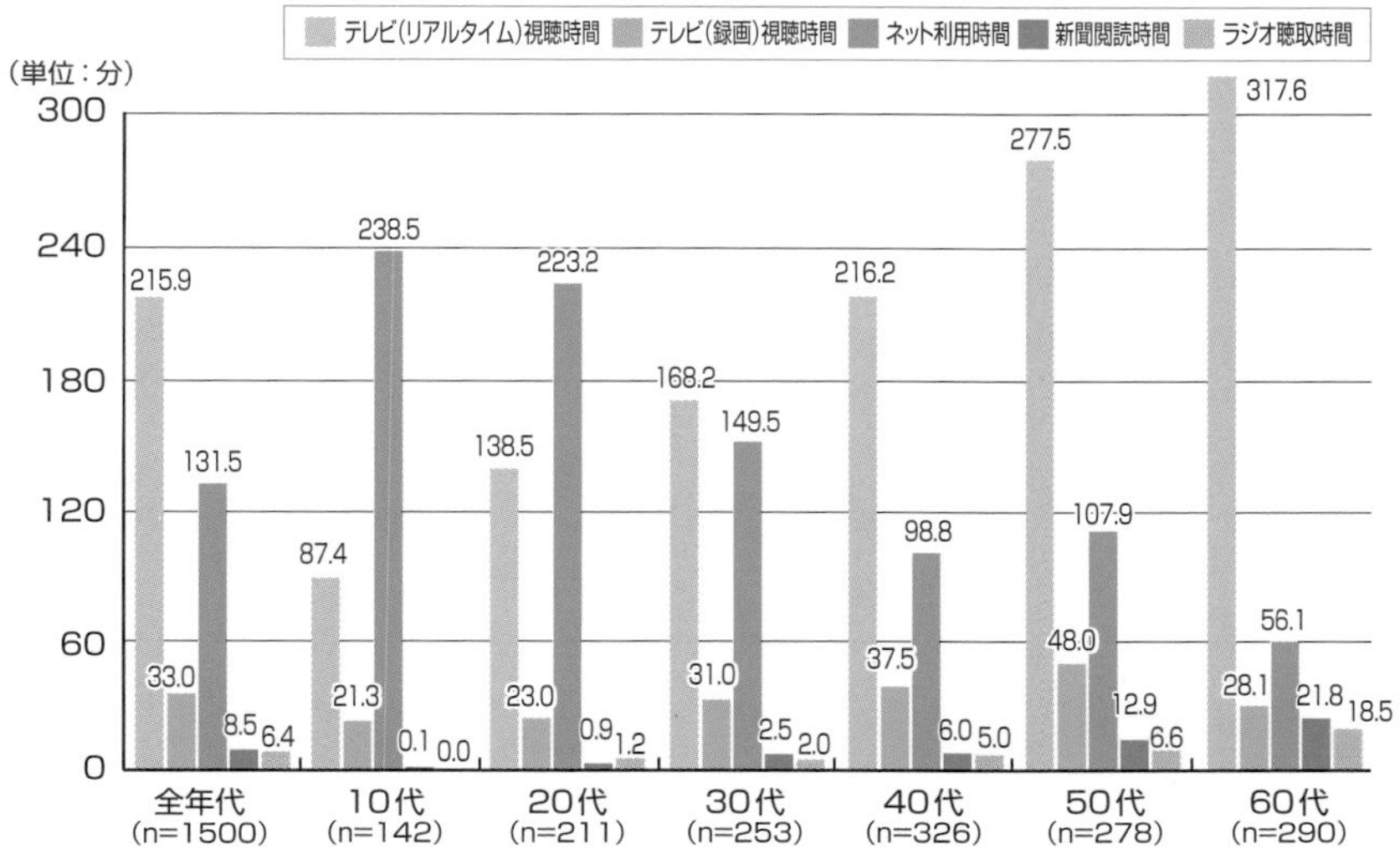

出典：総務省「令和元年度情報通信メディアの利用時間と情報行動に関する調査報告書」

8 4K8Kとは何か

ハイビジョン(2K)の上をいく画質をもつスーパー・ハイビジョンの放送が行われています。また、新4K8K衛星放送もスタートし、高品質の映像を存分に楽しめます。

新4K8K時代の到来

〇六年、**国際電気通信連合(ITU*)**では、従来のハイビジョンを超える画質をもつテレビ放送、いわゆる**スーパー・ハイビジョン**の規格を標準化しました。この規格には**4Kと8K***の二種類があります。

かつてのハイビジョンは2Kに相当し、その画質(解像度)は約二〇〇万画素です。これに対して4Kの画質は2Kの四倍で、**約八〇〇万画素**となっています。2Kが三二インチ程度の画面サイズを想定しているのに対して、4Kでは五〇インチ程度の画面サイズでも美しい映像を表現できます。また、4Kのさらに上をいく8Kでは、2Kの一六倍の画質をもち、画素数は**約三三〇〇万画素**にもなります。これほどの画素数であれば、一〇〇インチの画面にも美しい映像を表示できます。

一五年にはスカパーJSATやNTTぷらら「ひかりTV」、ケーブルテレビ局などにおいて4Kの実用放送が始まりました。また、一六年にはNHKがBS放送による4K8Kの試験放送を実施し、リオデジャネイロ・オリンピック・パラリンピックの映像を提供しました。さらに一八年にはBS右旋、一一〇度CS左旋*で4Kの実用放送、BS左旋で4K8Kの実用放送が始まりました。これらを**新4K8K衛星放送**といいます。

延期になった東京オリンピック・パラリンピックは、無観客での開催もあり得ます。仮にそうなれば、競技を高画質で視聴するために4K8Kテレビの購入が進むでしょう。皮肉なことですが、テレビメーカーにとってはまたとない機会になりそうです。

用語解説

＊**ITU**　International Telecommunication Unionの略。国際電気通信連合。国際連合の下部機関で、電気通信技術に関する世界標準の策定を行う。

＊**4Kと8K**　規格名につく「K」は「キロ」のことで「1000」を意味する。

4K8K 推進のためのロードマップ（図 3.8.1）

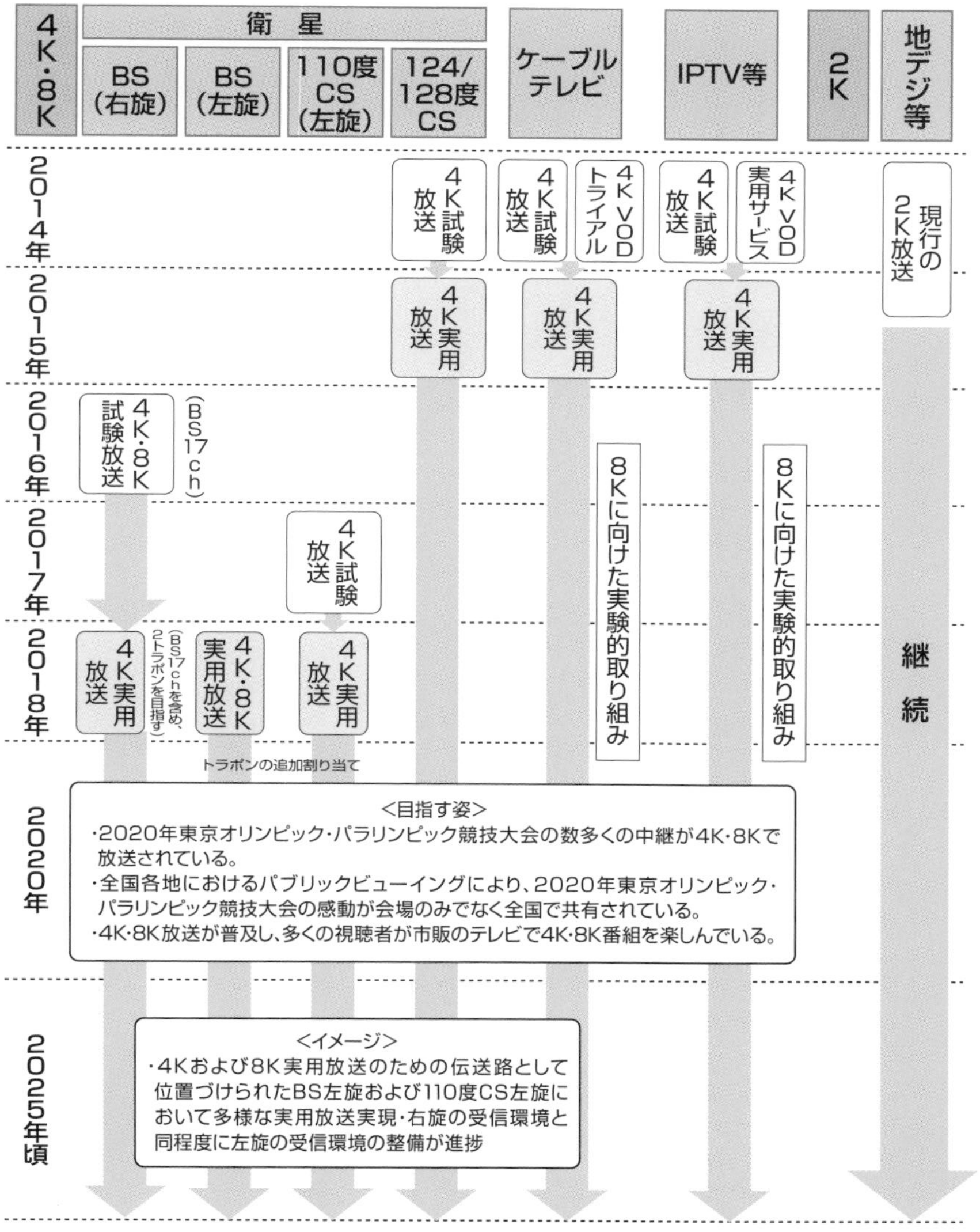
4K・8K
衛星
BS（右旋）
BS（左旋）
110度CS（左旋）
124/128度CS
ケーブルテレビ
IPTV等
2K
地デジ等
2014年
2015年
2016年
2017年
2018年
2020年
2025年頃
4K試験放送
4K試験放送
4K VODトライアル
4K試験放送
4K VOD実用サービス
現行の2K放送
4K実用放送
4K実用放送
4K実用放送
4K・8K試験放送
（BS17ch）
8Kに向けた実験的取り組み
8Kに向けた実験的取り組み
4K試験放送
4K実用放送
（BS17chを含め、2トラポンを目指す）
4K・8K実用放送
4K実用放送
継続
トラポンの追加割り当て
<目指す姿>
・2020年東京オリンピック・パラリンピック競技大会の数多くの中継が4K・8Kで放送されている。
・全国各地におけるパブリックビューイングにより、2020年東京オリンピック・パラリンピック競技大会の感動が会場のみでなく全国で共有されている。
・4K・8K放送が普及し、多くの視聴者が市販のテレビで4K・8K番組を楽しんでいる。
<イメージ>
・4Kおよび8K実用放送のための伝送路として位置づけられたBS左旋および110度CS左旋において多様な実用放送実現・右旋の受信環境と同程度に左旋の受信環境の整備が進捗

出典：総務省『平成28年版情報通信白書』（オリンピックの箇所は当時の表記のままにしている）

用語解説

＊**左旋**　従来のBSと110度CSは右旋（右回り）で電波を送っていた。これを左旋（左回り）で送出すると、右旋と同じ帯域を新たに使用できる。

9 競争激化の定額動画配信サービス

定額動画配信サービスの競争が激しさを増しています。アメリカから上陸したネットフリックス、安さが際立つアマゾン・プライム・ビデオ、古参フールーなどが覇権を競っています。

一五年は定額動画配信元年

日本で定額動画配信が本格的に始まったのは一五年のことです。ネットフリックスやアマゾン・プライム・ビデオのサービスが始まったこの年は、**定額動画配信サービス元年**と位置づけられています。

総務省『令和2年版情報通信白書』によると、世界の**定額動画配信サービス**（ＳＶＯＤ＊）、いわゆる**サブスクリプション型動画配信サービス**の一九年の売上高は**四九八・四億ドル**、契約数は一五・七億契約にのぼったと推定されます＊（図3・9・1）。この数字は二〇年以降も右肩上がりで推移するものと考えられており、二三年には売上高九二四・四億ドル、契約数は二二・七億契約に達すると推定されています。

一九年の日本における動画配信市場は**二四〇四億円**＊へと急拡大し、コロナ禍の巣ごもり消費により、事業者間の競争も激化しています（図4・14・1）。

大幅に利用者を増やした**ネットフリックス**は、二〇年末の有料契約者数が全世界で二億人を突破しています。日本の会員も五〇〇万人を超えました。アマゾンでは、翌日配送サービスのアマゾン・プライム会員になると、**アマゾン・プライム・ビデオ**が提供する動画を追加料金なしで視聴できます。年会費は四九〇〇円で月額に換算すると四〇八円という安さが魅力になっています。

また、この二社よりも先に日本上陸を果たした**フールー**（Ｈｕｌｕ）は、一四年に日本テレビが同社の日本事業を継承しています。フールーはドラマに強いのが特徴です。

用語解説

＊**SVOD**　Subscription Video on Demandの略。

＊**…推定されます**　Informaを典拠とする。

＊**二四〇四億円**　電通メディアイノベーションラボ編『情報メディア白書2021』による。4-14節参照。

世界の動画配信売上高・契約数の推移および予測（図 3.9.1）

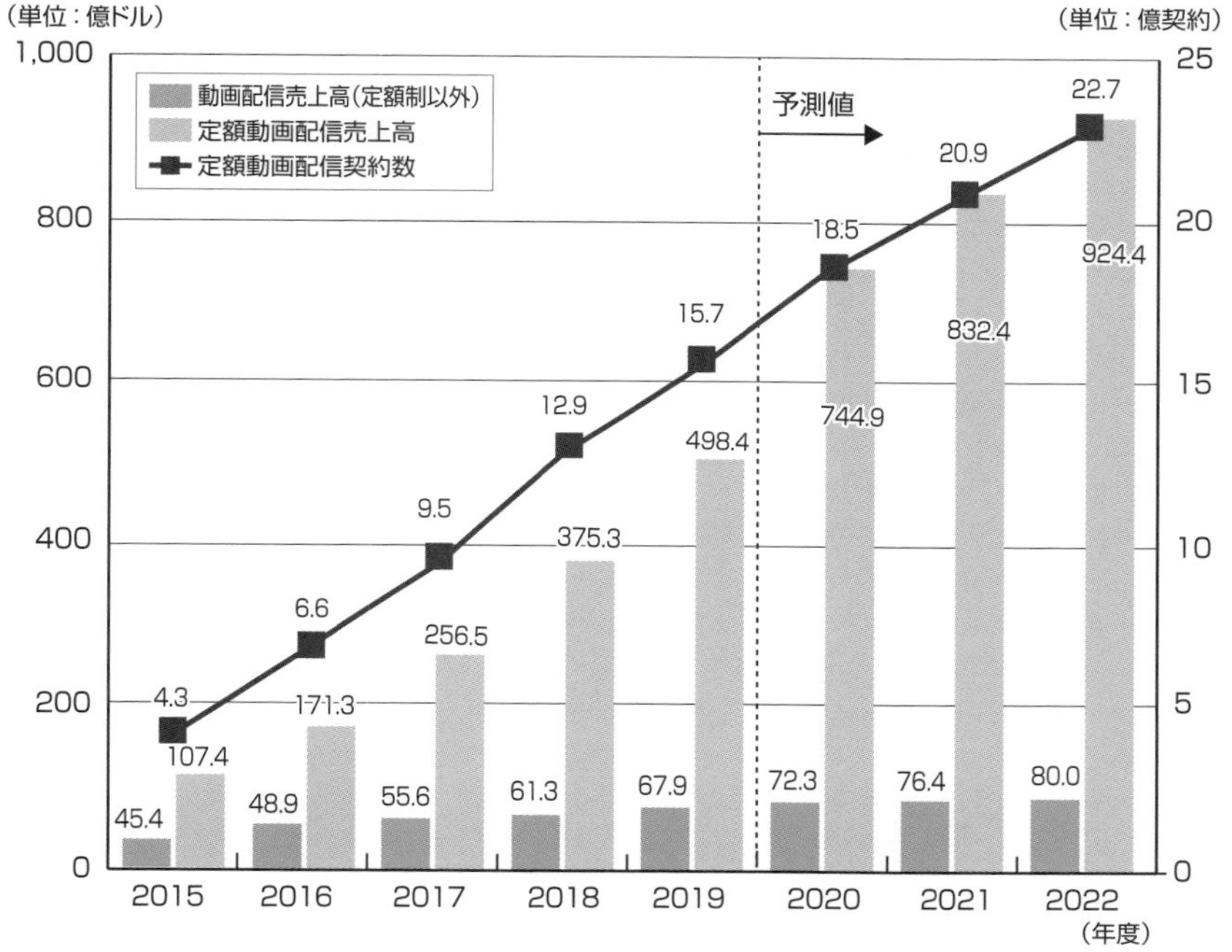
（単位：億ドル）
（単位：億契約）
1,000
800
600
400
200
0
25
20
15
10
5
0
動画配信売上高（定額制以外）
定額動画配信売上高
定額動画配信契約数
予測値
4.3
6.6
9.5
12.9
15.7
18.5
20.9
22.7
107.4
171.3
256.5
375.3
498.4
744.9
832.4
924.4
45.4
48.9
55.6
61.3
67.9
72.3
76.4
80.0
2015
2016
2017
2018
2019
2020
2021
2022
（年度）

出典：総務省『令和２年版情報通信白書』

主な定額動画配信サービス（図 3.9.2）

サービス名	事業者	概要
Netflix	ネットフリックス	月額990円(税込)～。DLあり。アメリカ最大手のSVOD事業者。2020年の新型コロナの巣ごもり消費で、会員を大幅に伸ばす。
Amazon prime video	アマゾン	年額4900円(税込)。DLあり。アマゾンのプライム会員になると、動画配信サービスを受けられる。年会費払いだと月額400円程度になる。
Hulu	HJホールディングス	月額1026円(税込)。DLあり。日本での事業は日本テレビグループの企業が運営する。そのため日本や海外のテレビドラマに強い。

10 定額動画配信は淘汰《とうた》が進むか？

いまや多様な定額動画配信サービスが日本市場でしのぎを削っています。しかしながら、日本発のサービスはいまひとつ力不足の模様です。乱立する定額動画配信サービスは今後、合従連衡《がっしょうれんこう》や淘汰が進みそうです。

トップはアマゾン・プライム・ビデオ

前節では外資をルーツとする定額動画配信について見ましたが、日本勢もこの状況を黙って見ているわけではありません。テレビ局各社や通信系の企業が独自サービスを展開して、外資系を迎え撃っています。しかしながら、いまひとつ力不足なのは否めないようです。

インプレス総合研究所では、有料の動画サービスを見る人についての調査を行っています*。これによると、サービスを利用している人の割合は全体の**一二・一%**でした（二〇年時点、図3・10・1）。また、利用する有料動画配信サービスについて調べたところ、**アマゾン・プライム・ビデオ**が**六七・九%**でトップになりました（図3・10・2）。二位はネットフリックスの**一九・五%**ですから、その差はなんと五〇ポイント近くもあります。

その一方で、日本発の有料動画配信サービスはあまり利用されていません。日本テレビの定額動画配信**フールー**が三位にランクインしてはいるものの、利用率は**一二・四%**で、前年の一四・七%から二・三ポイント落ちています。

また、U-NEXTはUSEN系の定額動画配信サービスです。四位と健闘はしていますが、利用率は九・五%と一〇%を下回ります。またドコモが展開するdTVも五・七%と意外に振るいません。

このように定額動画配信は乱立気味ですが、事業者によって明暗が分かれています。激しい競争の中、今後はサービスの合従連衡や淘汰が進むのではないでしょうか。

用語解説

*…**行っています**　インプレス総合研究所「動画配信に関する調査結果2020」(https://research.impress.co.jp/topics/list/video/608)

有料動画配信サービスの利用率（図 3.10.1）

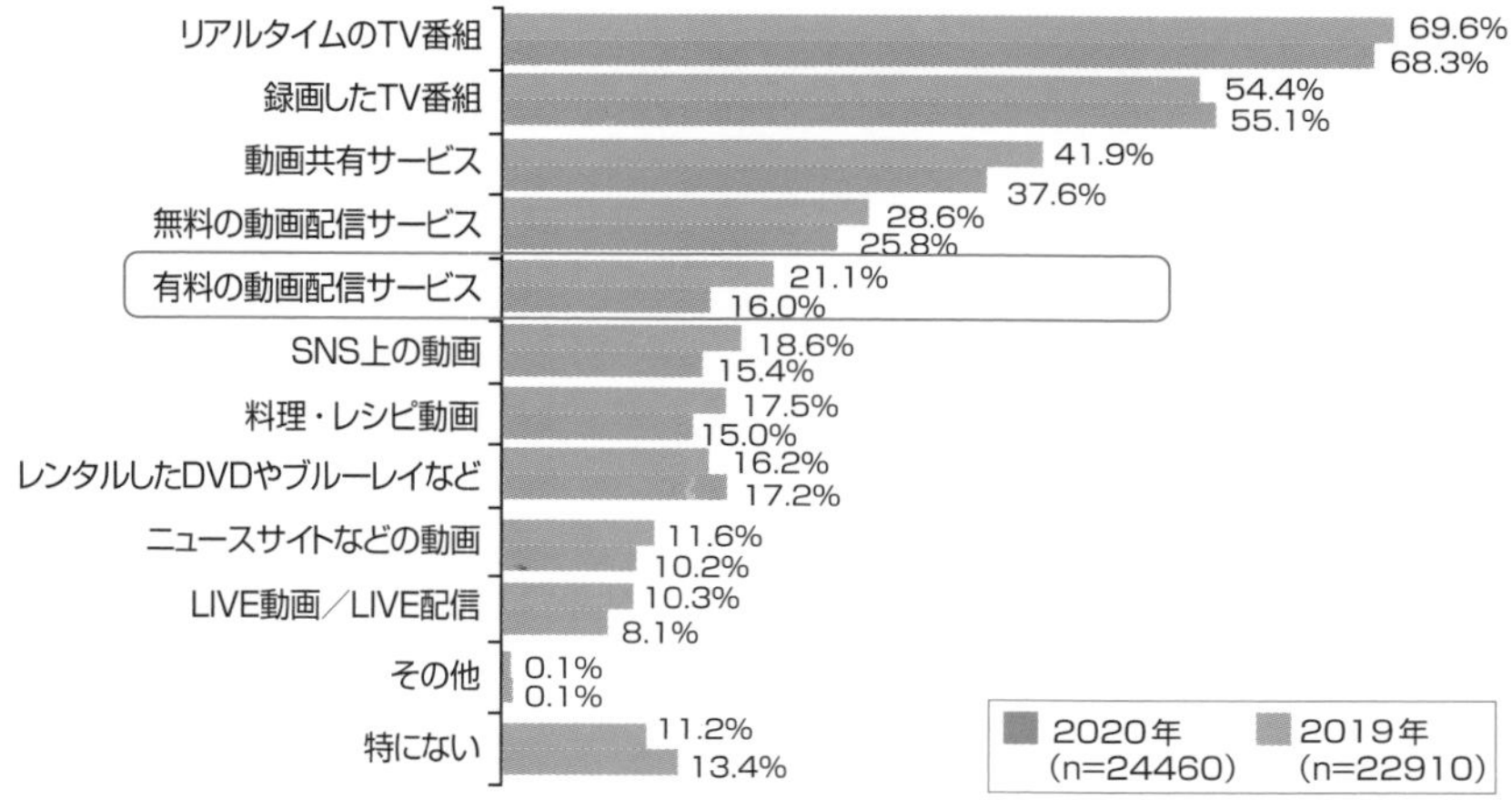

出典：インプレス総合研究所「動画配信に関する調査結果2020」

利用している有料動画配信サービス TOP 10（図 3.10.2）

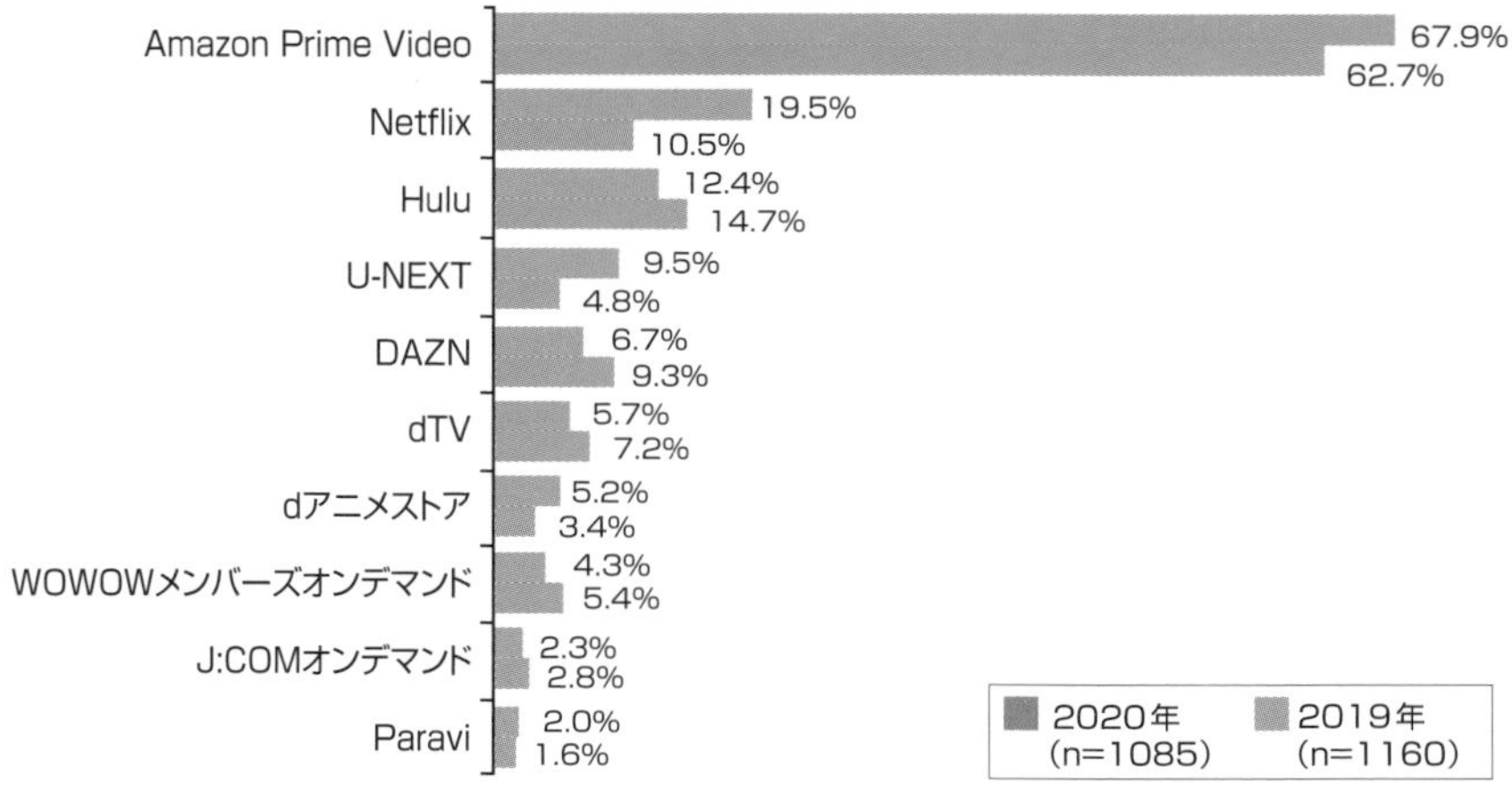

出典：インプレス総合研究所「動画配信に関する調査結果2020」

11 NHKによるインターネット同時配信

NHKは、改正放送法で可能となった番組のインターネット同時配信と見逃し配信サービスを二〇年に始めました。これに対して民間テレビ局でも、NHKに対抗した取り組みを始めています。

ネットでの番組同時配信の波

NHKでは二〇〇〇年のはじめからインターネット配信に取り組んできました。同年、**NHKオンライン**をスタートしてニュースクリップなどの提供を行い、〇八年には放送した番組を有料で配信する**NHKオンデマンド**を開始しました。

さらに、一四年成立の改正放送法により、NHKは過去に放送した番組のみならず、放送中や放送前の番組についてもインターネットを通じて配信できるようになりました。そこで二〇年に、**インターネット同時配信**および見逃した番組を期間限定で視聴できる**見逃し配信**を提供する「**NHKプラス(＋)**」のサービスを始めました。

NHKプラスを利用できるのは、放送受信契約のある世帯*に限られています。利用申込みのあと、NHKから送られてくる葉書に記してある確認コードを入力すれば視聴できます*。

このようなNHKの動きに対して、民間テレビ局では当初、出演者や番組の権利処理など課題が多いため、テレビ放送の同時配信には消極的でした。しかしここにきて風向きは変わっています。

例えば日本テレビ、読売テレビ、中京テレビの三局では、在京民放各社が運営する**TVer**(3-12節)を利用して、プライムタイムの番組をインターネットで同時配信する実証実験を行いました。

かつてはインターネットと一定の距離を置いていたテレビ局各社ですが、NHKの動きにより、通信と放送の融合はスピードを増しそうです。

用語解説

*…**のある世帯**　契約者と生計を同一にする人は追加料金なしで視聴できる。1つのIDで5画面同時に視聴できる。

*…**視聴できます**　ただし、実際には利用申込みをした直後から視聴が可能で、受信契約が確認できない場合、画面にメッセージが表示されるようになっている。

NHKプラスの視聴方法（図3.11.1）

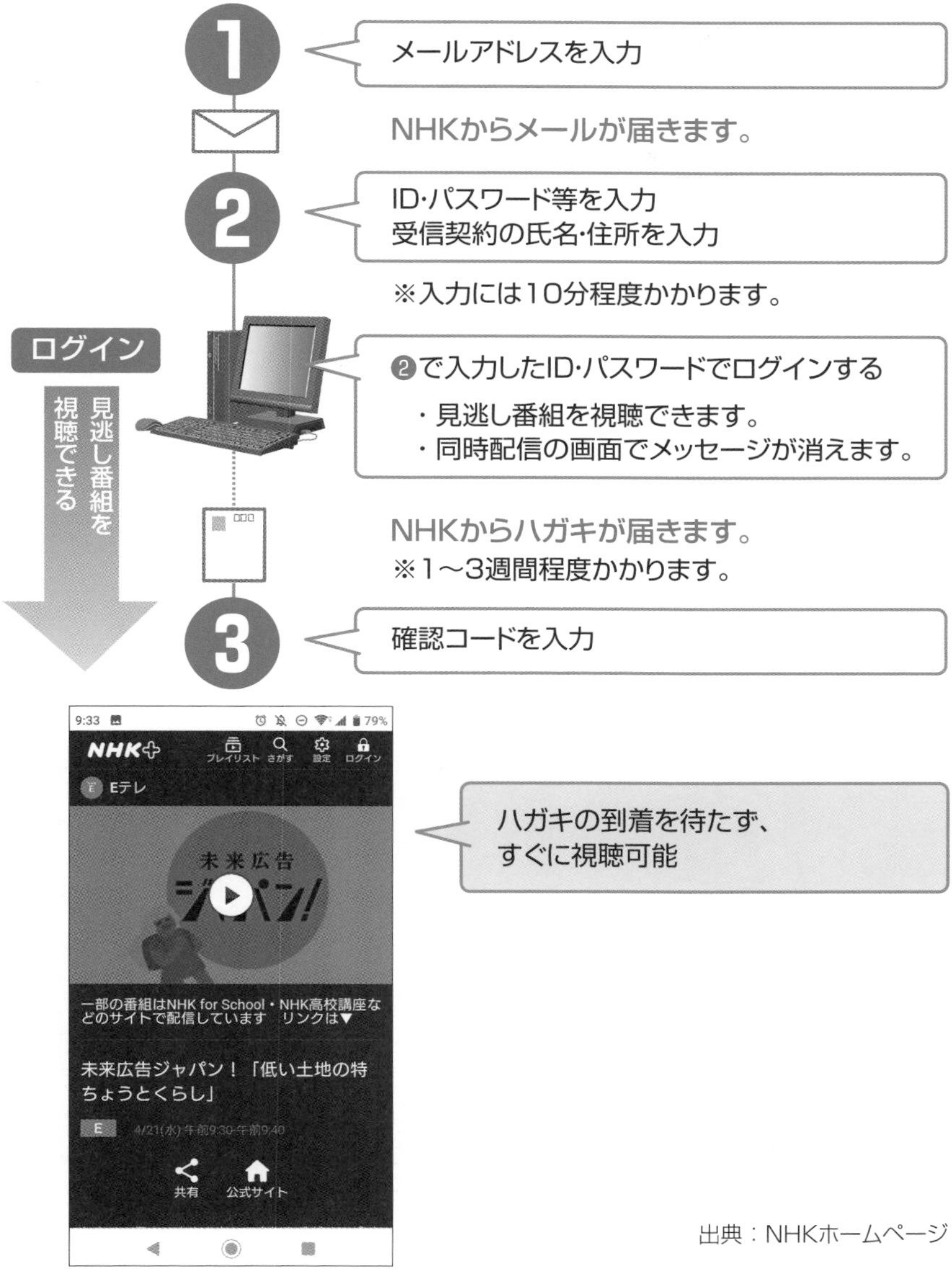
メールアドレスを入力
NHKからメールが届きます。
ID･パスワード等を入力
受信契約の氏名･住所を入力
※入力には10分程度かかります。
ログイン
見逃し番組を視聴できる
❷で入力したID･パスワードでログインする
・見逃し番組を視聴できます。
・同時配信の画面でメッセージが消えます。
NHKからハガキが届きます。
※1〜3週間程度かかります。
確認コードを入力
NHK+
プレイリスト
さがす
設定
ログイン
Eテレ
未来広告
一部の番組はNHK for School・NHK高校講座などのサイトで配信しています　リンクは▼
未来広告ジャパン！「低い土地の特ちょうとくらし」
共有
公式サイト
ハガキの到着を待たず、
すぐに視聴可能

出典：NHKホームページ

12 キャッチアップ・サービスとは何か

在京キー局五局は共同でポータルサイト「TVer」を立ち上げました。TVerは放送終了後の番組を配信するサービスで、いわゆる見逃し視聴に対応しています。専用のスマホアプリも人気です。

見逃し配信のポータルサイト

キャッチアップ・サービスとは、見逃してしまったテレビ番組を放送終了後に見られるようにするサービスです。**見逃し配信**とも呼びます。

大容量のハードディスクをもつ高性能テレビを所有していれば、すべての番組を自動的に保存できるので、見たい番組を見逃しても安心です。しかし、誰もが高性能テレビを所有しているわけではありません。

そこで、在京キー局五局は共同で「**TVer（ティーバー）**」を立ち上げて、見逃した番組を放送終了後にインターネット経由で視聴できるサービスを一五年より開始しました。図3・12・1はTVerのトップ画面です。

サービス開始当初、提供されているのは五〇番組程度でした。しかしその後は番組の数も増え、提供する放送局も在京キー局だけではなく、在阪の準キー局からの番組も一部視聴できるようになっています＊。動画は無料ですが**広告**が流れます。この広告はテレビ局の新しい収益源として期待されています。

視聴者の人気も上々であり、二〇年三月時点で、全国の一五～六九歳の男女におけるTVerの認知度は五六・九%、女性のティーン層では六六・六%という非常に高い数字になっています。また、同月には月間動画再生数が**一億四一九六万回**と過去最高を記録しました＊。さらに、サービス開始から五周年を迎える直前の二〇年九月、専用アプリのダウンロード数が**三〇〇〇万ダウンロード**を突破しました。

用語解説

＊…**なっています**　NHKの人気番組「チコちゃんに叱られる！」「ハートネットTV」なども視聴可能となっている。

＊…**記録しました**　TVer「2020年1-3月期ユーザー利用状況」による。

PC向けとスマホ向けのTVer（図3.12.1）

●PC

●スマホアプリ

13 タイムシフト視聴率と総合視聴率

テレビ視聴率に、タイムシフト視聴率と総合視聴率という新しい指標が加わりました。背景には、テレビ視聴のスタイルが従来とは大きく変わったことがあります。タイムシフト視聴ではドラマが断然人気です。

テレビドラマはタイムシフトで見る?

一六年一〇月、東京の九〇〇世帯を対象に行われたテレビの視聴率調査は、従来の調査と大きな違いがありました。従来の調査はリアルタイムでのテレビ視聴を対象とするものでしたが、今回の調査ではこの従来の調査に加えて、放送後に視聴した**タイムシフト視聴率**も調査対象に入れることになったからです。

タイムシフト視聴率調査とは、放送から七日(一六八時間)以内に視聴したテレビ番組について調査するものです。具体的には、調査対象世帯が、例えば**TVer**(3-12節)を通じて番組を七日以内に視聴したら、タイムシフト視聴率のポイントが加算されるというわけです。

また、タイムシフト視聴率が加わることで、新たに**総合視聴率**も公表されることになりました。こちらは、リアルタイム視聴率とタイムシフト視聴率から重複分を差し引いた視聴率です(図3・13・1)。

一例になりますが、図3・13・2は、ビデオリサーチ調べによる二一年二月一〜七日におけるタイムシフト視聴率のトップ10です。注目すべきは、トップ10すべてが**ドラマ**だということです。

スポーツや報道ではリアルタイム性が重視されます。一方、ドラマの場合は自分の好きな時間に視聴したいものです。ランクインしたドラマの中には、リアルタイム視聴率よりタイムシフト視聴率のほうが高いものもあり、タイムシフト視聴に対するニーズの高さがうかがわれます。タイムシフト視聴を加味した視聴率は、実態をより正確に反映したものになるように思います。

視聴率、タイムシフト視聴率、総合視聴率の関係（図 3.13.1）

総合視聴率 ＝ 視聴率 ＋ タイムシフト視聴率 － 重複視聴

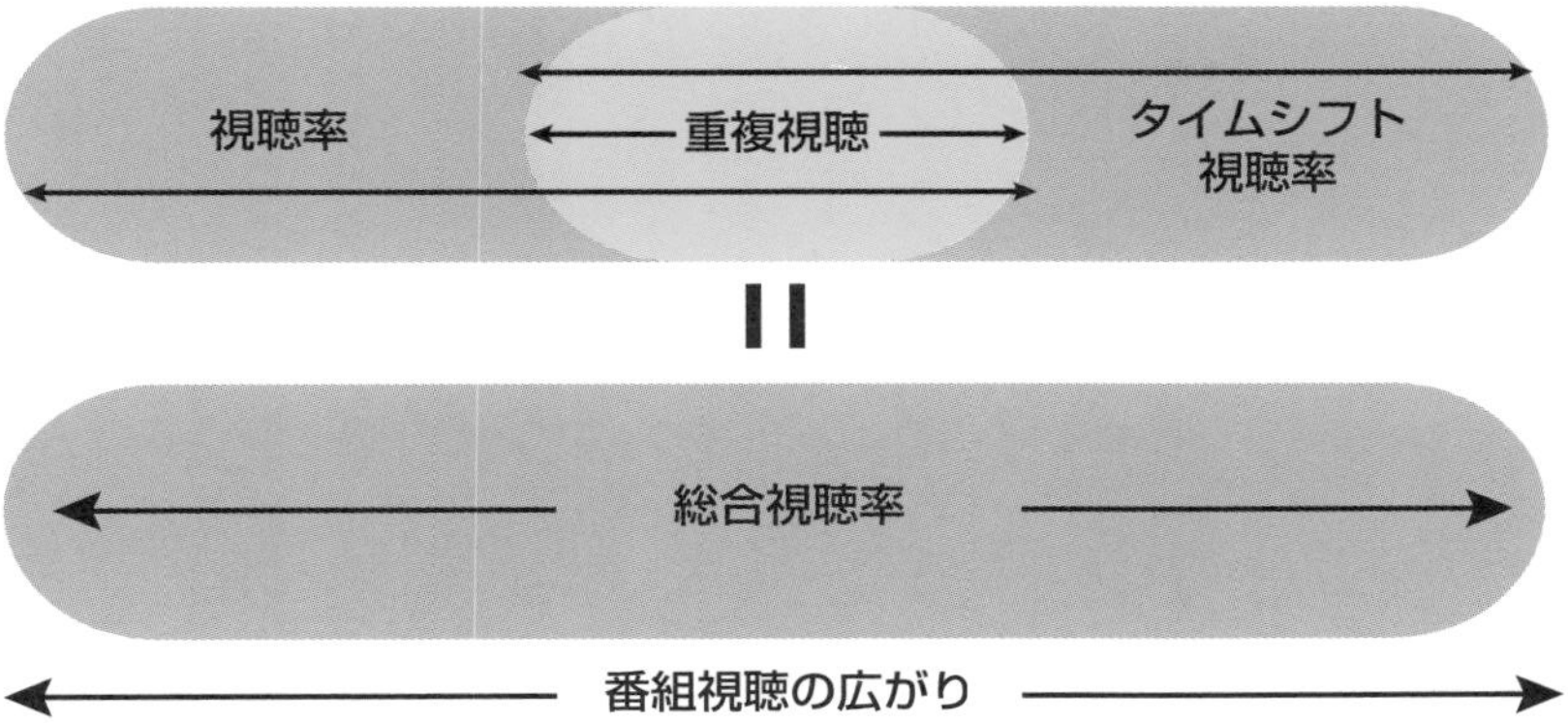

出典：中奥美紀「タイムシフト視聴率と総合視聴率」（「電通報」2017年5月26日）

タイムシフト視聴率（世帯）上位 10 番組（図 3.13.2）

■ドラマ　2021年2月1日（月）～7日（日）

順位		番組名	視聴率(%)	タイムシフト視聴率(%)	総合視聴率(%)	放送日	放送局	曜日	放送開始	放送分数
1	■	火曜ドラマ・ オー！マイ・ボス！恋は別冊で	11.6	9.5	19.9	2021年 2月2日	TBS	火	22：00	57
2	■	日曜劇場 天国と地獄・サイコな2人	13.4	9.4	21.7	2021年 2月7日	TBS	日	21：00	54
3	■	監察医 朝顔	12.6	9.1	20.7	2021年 2月1日	フジテレビ	月	21：00	54
4	■	金曜ドラマ・ 俺の家の話	8.9	8.8	16.9	2021年 2月5日	TBS	金	22：00	54
5	■	ウチの娘は、彼氏が出来ない !!	8.2	8.2	15.5	2021年 2月3日	日本テレビ	水	22：00	60
6	■	木曜劇場・ 知ってるワイフ	7.8	8.0	15.1	2021年 2月4日	フジテレビ	木	22：00	54
7	■	レッドアイズ 監視捜査班	9.9	7.4	16.7	2021年 2月6日	日本テレビ	土	22：00	54
8	■	木曜ドラマ にじいろカルテ	10.8	7.0	17.2	2021年 2月4日	テレビ朝日	木	21：00	54
9	■	麒麟がくる・最終回	18.4	6.6	23.7	2021年 2月7日	NHK総合	日	20：00	58
10	■	連続テレビ小説・おちょやん	17.9	6.5	23.4	2021年 2月2日	NHK総合	火	08：00	15

出典：ビデオリサーチ

14 テレビがネットにつながると

インターネットにつながったテレビが徐々に増えてきたため、視聴データのネット経由での取り込みが可能になりつつあります。視聴率調査も大きく進化するのではないでしょうか。

ネット端末化するテレビ

デジタル時代のバズワードの一つに**IoT***があります。これは「インターネット・オブ・シングス」の略で、あらゆるモノがインターネットにつながることを意味します。しかし、ＩｏＴのかけ声とは裏腹に、早期にインターネットにつながると考えられていたテレビ端末が、意外に接続されないままです。野村総合研究所によると、一九年度におけるインターネット接続可能テレビの保有世帯数は二二五六万（推計）で、実際にインターネットに接続している世帯数は**一三一八万**と推計しています（図3・14・1）。もっとも同社では、今後ネット接続型テレビの増加が進み、二六年度の保有世帯数は**三一七九万**、接続済みの世帯数も**二七四六万**にまで増えると予想しています。

インターネット接続可能テレビの普及と並行して、視聴者の視聴履歴を収集する試みが進められています。**「オプトアウト方式で取得する非特定視聴履歴」**と呼ばれものがそれです。従来、視聴履歴の利用は課金などの場合に限り認められていました。しかし、一七年の個人情報保護法改正により、特定の個人・世帯と紐《ひも》づかない視聴履歴について利用が解禁されました*。

これを受けて民放キー局五社では、二〇年一月一四日～二月四日に、関東地区のインターネット接続テレビを対象として、視聴履歴の収集実験が行われました。このように、テレビがインターネットにつながると視聴率調査の精度が高まります。これらのデータは早晩、広告配信にも活用されることになるでしょう*。

用語解説

* **IoT**　Internet of Thingsの略。モノのインターネットともいう。
* …**解禁されました**　解禁にあたり、一般財団法人放送セキュリティセンターによりガイドライン「オプトアウト方式で取得する非特定視聴履歴の取扱いに関するプラクティス（Ver.1.0）」がとりまとめられた。現在はVer.2.0。

インターネット接続可能テレビの保有世帯数予測（図 3.14.1）

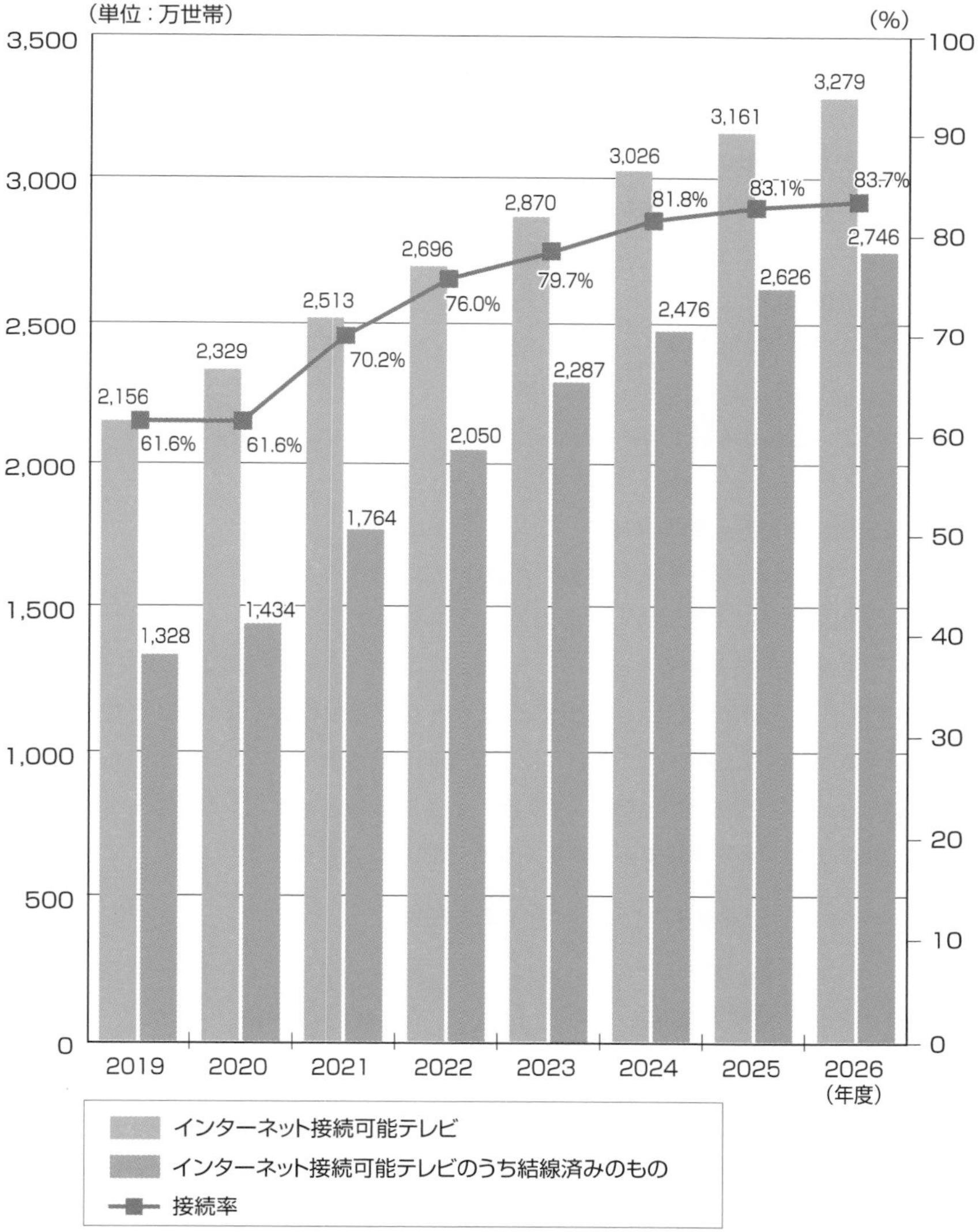

出典：野村総合研究所『IT ナビゲーター 2021 年版』を基に作成

用語解説

＊…**なるでしょう**　このように、テレビのIoT化とは、個々の視聴履歴がクラウド側に蓄積される可能性が生じることを意味している。

column

厳しい環境の番組制作会社

●放送番組制作会社の現況

図に示したグラフは、放送番組制作会社の売上推移と1企業あたりの売上推移を見たものです。18年度の業界全体の売上高は3413億円（前年比5.1%増）、1社あたりの売上高は10.1億円でした。

しかしながら、番組制作会社の売上高規模別の事業者構成を見ると、10億円など夢のような話で、売上高5000万円未満の事業者が全体の29.4%とほぼ3割を占めます＊。このように、放送番組制作会社には小規模な事業者が多いことがわかります。

●立場の弱い放送番組制作会社

3-6節では、テレビ局から大手番組制作会社が番組制作を請け負い、それをさらに下請けの番組制作会社に請け負わせる点についてふれました。

テレビ番組の供給の中心となっているのは東京のキー局です。これに準キー局（近畿圏）や中京局を加えたとしても、その数はせいぜい15社程度です。これが番組制作の発注権をもつ企業の数です。それに対して番組制作会社は、グラフに示した統計調査の対象企業だけでも300社を超え、規模の小さな会社ほど立場は弱くなります。結果、発注側に強い権限が集まるのが番組制作の現場だといえます。

▼番組制作会社の売上高推移と１企業あたりの売上高推移

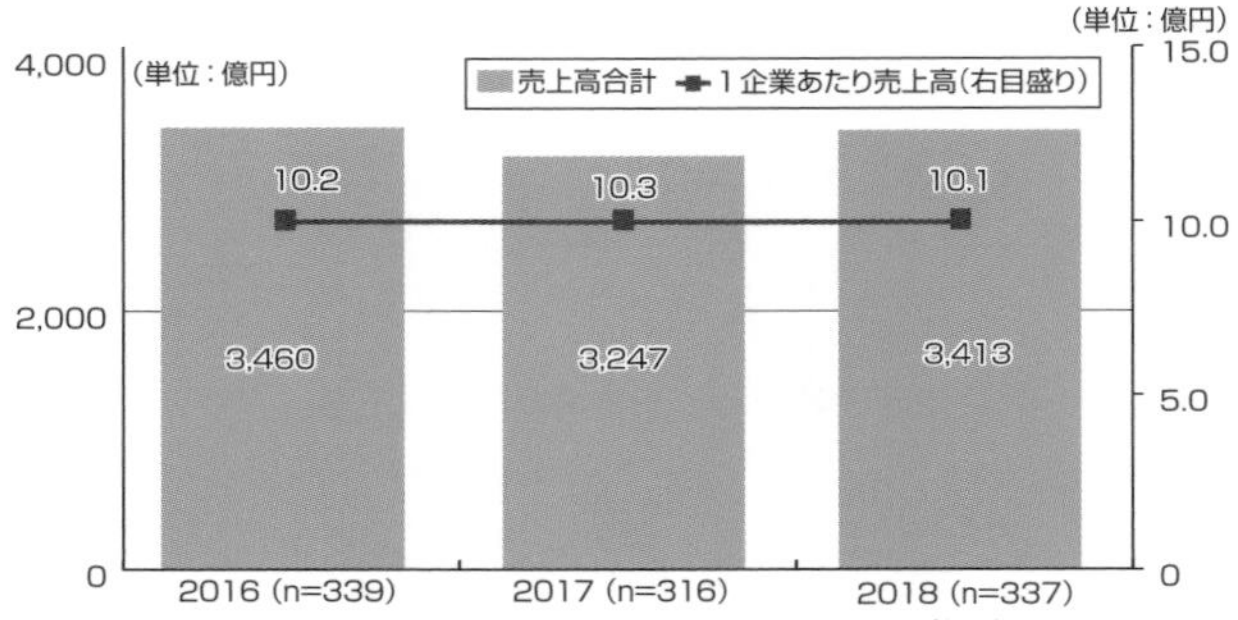

出典：総務省「2019年情報通信業基本調査（2018年度実績）」

＊…**ほぼ３割を占めます**　総務省「2019年情報通信業基本調査（2018年度実績）」（2020年3月26日）による。対象企業数は337社。

第4章

映画

映画業界もコンテンツ産業の花形です。国内映画興行市場はここ5年間、2000億～2600億円台を上下していましたが、そこに今回のコロナ禍が降りかかりました。本章では、大きな打撃を受けた映画業界の現在について解説します。

How-nual
図解入門
業界研究

1 映画業界の市場構造

テレビ放送と同様、映画も映像コンテンツを扱う有力な業界です。制作サイドには映画製作会社、流通サイドには配給会社や映画興行会社、放送局やビデオショップ、レンタルショップなどが存在します。

映画業界の制作と流通

映画業界の中心に位置するのが**映画製作会社**です。東宝、松竹、東映が国内大手三社として君臨しています。また海外では、ウォルト・ディズニー・カンパニーやワーナー・ブラザース、ソニー・ピクチャーズエンタテインメントなど、多数の映画製作会社があります。

これらの映画製作会社が制作サイドとすると、流通サイドは**配給会社**と**映画興行会社**、それにテレビ放送やビデオ関連ショップ、動画配信事業者などが主要プレイヤーになります。配給会社は、映画製作会社が制作した作品を、映画館を経営する映画興行会社に配給する会社です。配給会社には大手三社の配給部門や洋画系配給会社、独立系配給会社などがあります。

作品の配給を受けた映画興行会社は、自社が所有する映画館で作品を上映して**興行収入**を得ます。映画興行会社には、映画製作会社直営・系列の映画館のほか、独立系映画館、外資・量販店系映画館があります。

興行以外で収益をはかる

映画館での興行収入は一般的に、五〇%が映画興行会社、残り五〇%が配給会社と映画製作会社に分配されます。また昨今の映画は、作品に投資した資金を興行収入だけで回収するのは困難*です。そこで、作品のビデオソフト化やテレビ放送、インターネット配信などからの二次利用料を加算し、トータルで投資を上回る収益を狙います*。したがって、放送やビデオショップなども、映画業界の流通経路の一つとして位置づけられます。

用語解説

＊…**回収するのは困難**　映画製作会社も、すべてのリスクを負うのは危険度が非常に高いので、近年は作品ごとに**映画製作委員会**を作り、ここに映画製作会社のほか、広告会社、テレビ放送事業者などが参加するのが一般的になってきている。詳細は4-10節参照。

映画業界の構造（図 4.1.1）

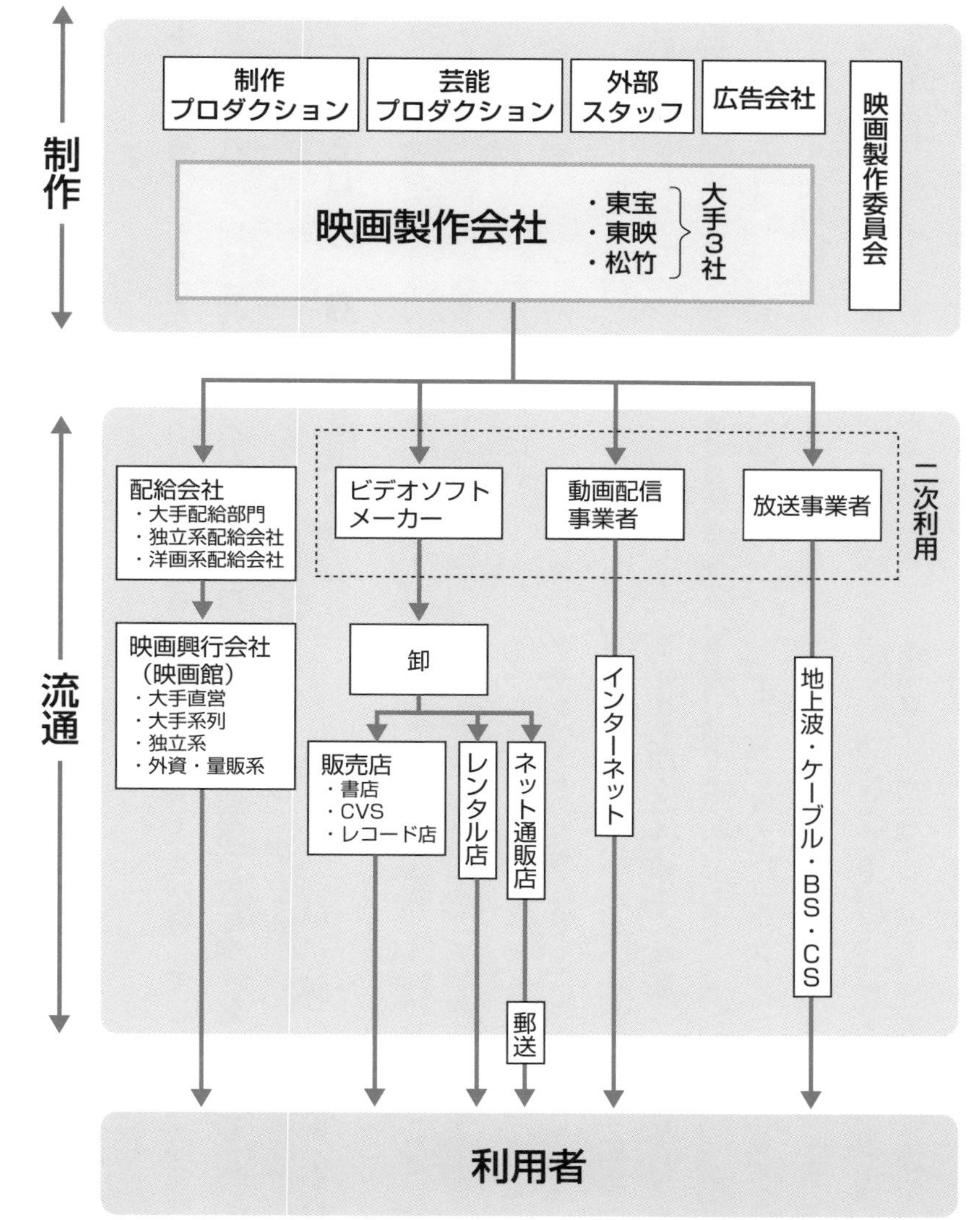

制作
制作
プロダクション
芸能
プロダクション
外部
スタッフ
広告会社
映画製作委員会
映画製作会社
・東宝
・東映
・松竹
大手3社
流通
配給会社
・大手配給部門
・独立系配給会社
・洋画系配給会社
ビデオソフト
メーカー
動画配信
事業者
放送事業者
二次利用
映画興行会社
（映画館）
・大手直営
・大手系列
・独立系
・外資・量販系
卸
インターネット
地上波・ケーブル・BS・CS
販売店
・書店
・CVS
・レコード店
レンタル店
ネット通販店
郵送
利用者

用語解説

＊…**狙います**　多様な画面に映画を露出させて収益を得ることから、これを**マルチウィンドウ戦略**（4-7節）とも呼ぶ。

2 一四三三億円に急落した映画の興行収入

一九年の映画興行収入は二六一一億円、入場者数も一億九四九一万人を記録しました。翌二〇年もこの好結果が維持されると期待されたのもつかの間、コロナ禍が業界を奈落の底に突き落としました。

二六一一億円から一四三三億円へ

図4・2・1は、映画の興行収入の推移を二〇〇五年から見たものです。一一年に大きく落ち込んだあと、各年の上下はあるものの、映画興行収入はほぼ右肩上がりとなってきました。

中でも一九年は**二六一一億円**、前年比**一一七・四%**という好結果を残しました。

この勢いは翌二〇年も続くものと、業界では大きな期待を寄せていました。しかし、そこへ突如降って湧いたかのように発生したのが新型コロナウイルス感染症の流行です。四月一六日には全国を対象とした緊急事態宣言が発出され、ほぼすべての映画館がやむなく休業に追い込まれました。

さらに問題となったのが**ハリウッド映画の配給延期**です。アメリカでも映画館の閉鎖が続き、新作の公開が見合わされました。当然、本国で封切りされていない作品が日本に配給されるはずがありません。こうして緊急事態宣言が解除されたあとも、提供する作品が払底するという未曽有の経験を映画館は味わうことになりました。その結果、二〇年の興行収入は**一四三三億円**、前年比**五四・九%**（**四五・一%減**）という最悪の落ち込みとなりました。

また、興行収入のうち、邦画は一〇九二億円、洋画は三四〇億円となり、構成比は邦画が七六・三%、洋画が二三・七%でした（図4・2・2）。従来は邦画が六、洋画が四ほどの割合でしたから、洋画の落ち込みが目立っていることがわかります*。

用語解説

***…がわかります** 配給が延期になっているので、当然といえば当然だ。

映画興行収入の推移（図4.2.1）

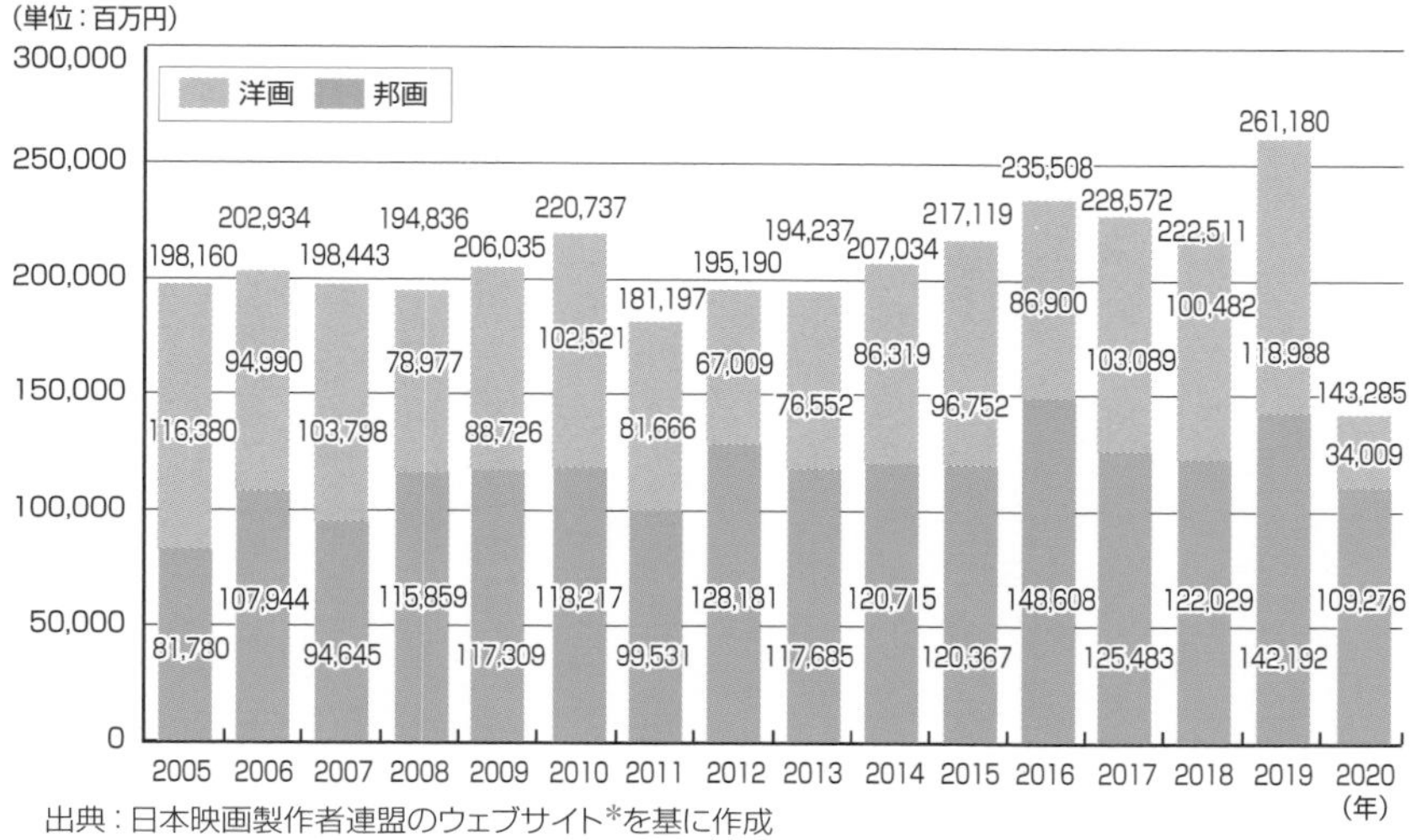

出典：日本映画製作者連盟のウェブサイト*を基に作成

洋画と邦画の比率（2020年）（図4.2.2）

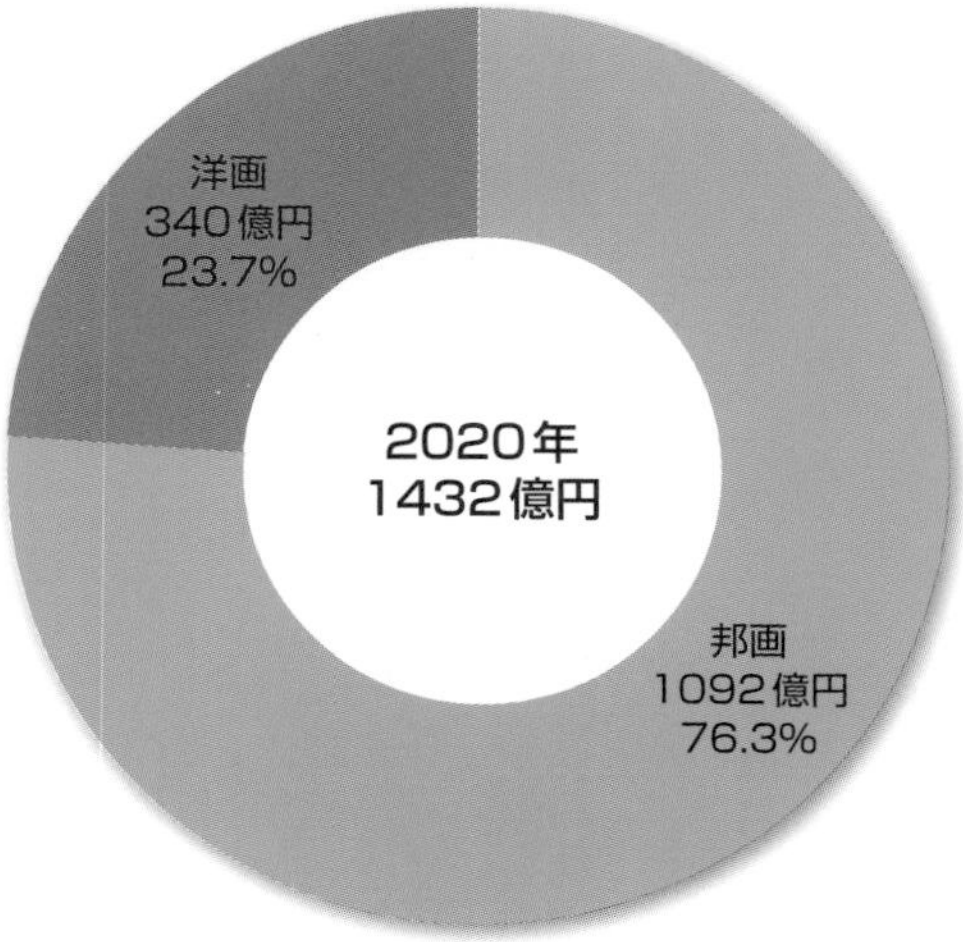

出典：日本映画製作者連盟のウェブサイトを基に作成

用語解説

*日本映画製作者連盟のウェブサイト　同サイトの「日本映画産業統計」(http://www.eiren.org/toukei/data.html)で各種データを参照できる。

3 入場者数は二億人を目前に激減

二〇年の映画館の入場者数は一億六一三万人でした。その前年は一億九四九一万人でしたから、入場者数は前年比五四・五％という未曽有の結果となりました。二一年も予断を許さぬ状況が続いています。

映画参加人口は一億六一三万人

映画興行収入は、映画館に足を向ける観客の数に左右されます。業界にとってその動向は気になるところです。そこで図4・3・1を見てください。これは映画館の入場者数の推移を表したものです。

〇五～二〇年の長期推移を見ると、映画館への入場者数は上昇と下降を繰り返しており、そこに三つの山があることがわかります。最初は一〇年の一億七四三五万人、次に一六年の一億八〇一八万人、そして一九年の**一億九四九一万人**です。

一九年の好結果は、上映作品全体の質的レベルの高さが原因だったようです。映画市場では、一本のメガヒットが市場全体を牽引することがよくあります。しかし、一九年は興行収入一〇〇億円超が四本、一〇億円超が六六本と、多くの秀作がまんべんなくヒットしました。そのことが一九年の映画市場を力強く牽引したわけです。

一九年の好成績を受け、また、入場者数の山もおよそ**六年ごとの周期**＊になっていることから、二〇年は二億人を軽く突破するだろうと予想されていました。それがコロナ禍により一転します。二〇年の入場者数は**一億六一三万人**、前年比**五四・五％**（四五・五％減）という散々な結果になりました。

そのような中、一縷《いちる》の光となったのが次節でふれる劇場版「**鬼滅の刃**」の大ヒットです。ただ、せっかく一九年は多くの作品が市場を盛り上げたのに、二〇年は一作品に頼る状況に舞い戻り、市場の不安定さを浮き彫りにした格好です。

用語解説

＊**六年ごとの周期**　余談ながら、経済理論には景気循環の周期仮説がいくつかある。代表的なものに**キッチン循環**（約40カ月）、**ジュグラー循環**（7年から10年）、**コンドラチェフ循環**（約50年）がある。

劇場入場者数の推移と前年比（図 4.3.1）

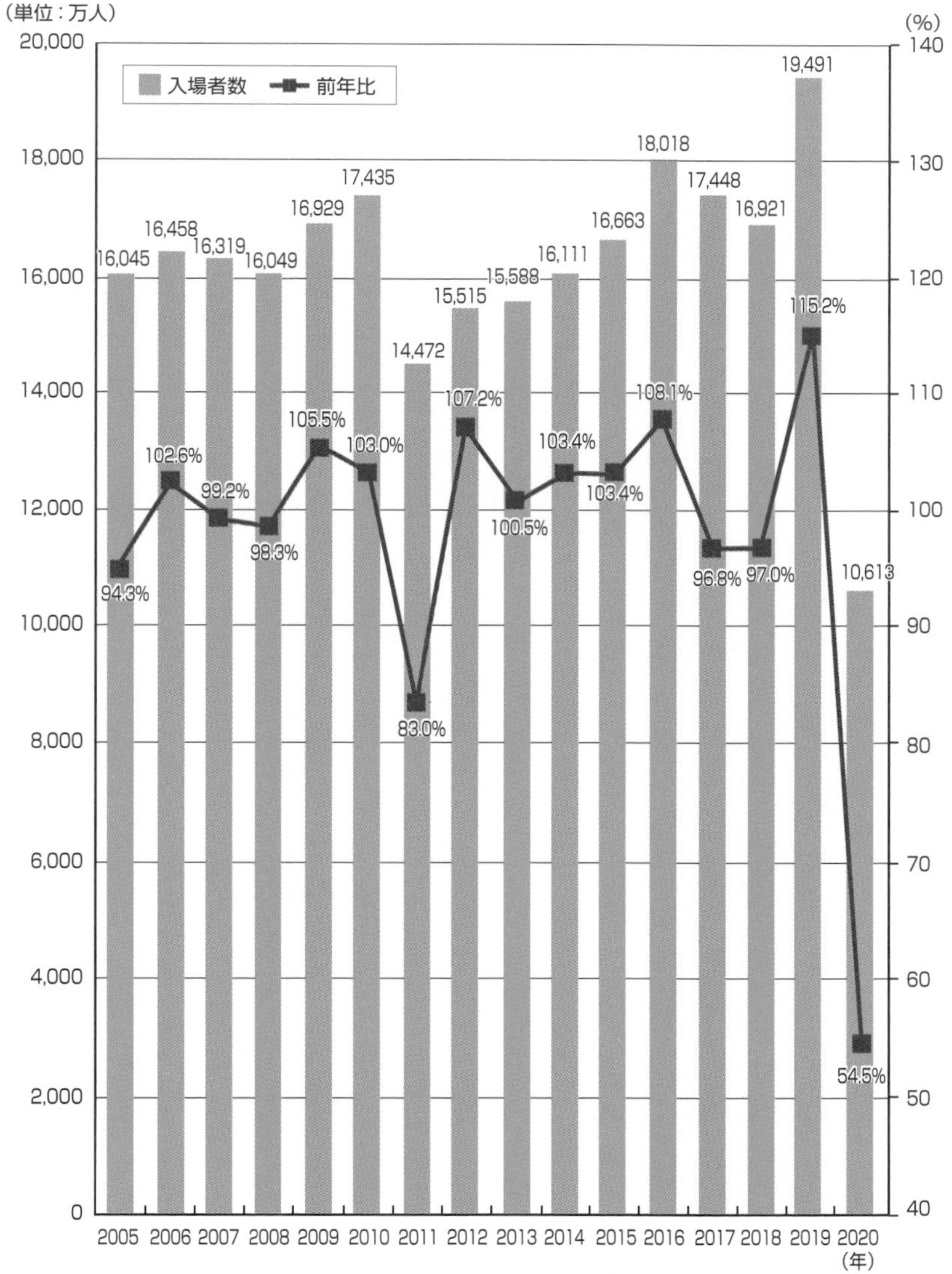
（単位：万人）
(%)
入場者数
前年比
20,000
18,000
16,000
14,000
12,000
10,000
8,000
6,000
4,000
2,000
0
140
130
120
110
100
90
80
70
60
50
40
16,045
16,458
16,319
16,049
16,929
17,435
14,472
15,515
15,588
16,111
16,663
18,018
17,448
16,921
19,491
10,613
94.3%
102.6%
99.2%
98.3%
105.5%
103.0%
83.0%
107.2%
100.5%
103.4%
103.4%
108.1%
96.8%
97.0%
115.2%
54.5%
2005
2006
2007
2008
2009
2010
2011
2012
2013
2014
2015
2016
2017
2018
2019
2020
（年）

出典：日本映画製作者連盟のウェブサイトのデータを基に作成

4 興行収入で「鬼《き》滅《めつ》の刃《やいば》」が歴代トップに

過去の映画の興行収入を見ると、「千《せん》と千尋《ちひろ》の神隠し」が三一六億円を記録する大ヒットを達成していました。しかし、この記録を「鬼滅の刃」が追い抜いて、歴代トップに立ちました。

一九年・二〇年のヒット作品

空前のヒット作が次々に生み出された一九年、興行収入一〇〇億円超えの作品は、ディズニーの「アナと雪の女王2」(一三三・七億円)、「アラジン」(一二一・六億円)、「トイ・ストーリー4」(一〇〇・九億円)、それに新海誠監督の「天気の子」(一四一・九億円)でした＊。先にもふれたように、一九年は興行収入一〇億円を超えた作品が六六にものぼり、かつてないほどの豊作の年でした。

これに対して二〇年は、同年一〇月一六日に公開された「**劇場版『鬼滅の刃』無限列車編**」がメガヒットとなり、一二月二八日時点で**三二四億円**の興行収入を達成して、歴代トップだった「千と千尋の神隠し」の三一六億円を抜き去りトップに立ちました＊。七三日間の観客動員数は**二四〇四万人**にのぼりました。「鬼滅の刃」の二〇年の最終的な興行収入は**三六五・五億円**で、いまなお記録を更新中です(二一年三月現在)。

図4・4・1は、「鬼滅の刃」を筆頭にした、二〇年のヒット映画を一覧にしたものです。一〇〇億円超えは「鬼滅の刃」のみで、一〇億円超えは**二五作品**にとどまりました。秀作が目白押しだった一九年とは打って変わった様相です。また、ディズニーが公開を予定していた「ブラック・ウィドウ」「ゴーストバスターズ／アフターライフ」などは軒並み公開延期となりました。

その中で「ＴＥＮＥＴ テネット」のように、複数回の延期のあと公開に踏み切った話題作もありましたが、興行的にはあまり振るいませんでした。まさに映画業界にとっては試練の一年だったといえます。

用語解説

＊…**でした** 日本映画製作者連盟(http://www.eiren.org/toukei/img/eiren_kosyu/data_2019.pdf)による。

興行収入10億円超えの作品（2020年）（図4.4.1）

[邦画]

順位	公開月	作品名	興収(単位:億円)		配給会社
1	10月	劇場版「鬼滅の刃」無限列車編	365.5	※	東宝/アニプレックス
2	7月	今日から俺は!!劇場版	53.7		東宝
3	7月	コンフィデンスマンJP　プリンセス編	38.4		東宝
4	8月	映画ドラえもん　のび太の新恐竜	33.5		東宝
5	8月	事故物件　恐い間取り	23.4		松竹
6	8月	糸	22.7		東宝
7	9月	劇場版　ヴァイオレット・エヴァーガーデン	21.3	※	松竹
8	1月	カイジ　ファイナルゲーム	20.6		東宝
9	8月	劇場版Fate/stay night [Heaven's Feel] III. spring song	19.5		アニプレックス
10	19/12月	僕のヒーローアカデミアTHE MOVIEヒーローズ:ライジング	17.9		東宝
11	19/12月	男はつらいよ　お帰り寅さん	14.7		松竹
12	2月	犬鳴村	14.1		東映
13	2月	ヲタクに恋は難しい	13.4		東宝
14	10月	罪の声	12.2	※	東宝
15	10月	浅田家！	12.1		東宝
16	2月	スマホを落としただけなのに　囚われの殺人鬼	11.9		東宝
17	9月	映画クレヨンしんちゃん　激突！ラクガキングダムとほぼ四人の勇者	11.8		東宝
18	19/12月	午前0時、キスしに来てよ	11.7		松竹
19	19/12月	ルパン三世THE FIRST	11.6		東宝
20	19/12月	屍人荘の殺人	10.9		東宝
21	1月	AI崩壊	10.0		WB

「※」印は2021年1月現在上映中

[洋画]

順位	公開月	作品名	興収（単位:億円）	配給会社
1	19/12月	スター・ウォーズ/スカイウォーカーの夜明け	73.2	WDS
2	1月	パラサイト　半地下の家族	47.4	ビターズ・エンド
3	9月	TENET テネット	27.3	WB
4	1月	キャッツ	13.5	東宝東和

（番組興収は2021年1月の記者発表時点のデータ）

用語解説

＊…**に立ちました**　日本経済新聞電子版「映画『鬼滅の刃』、興行収入324億円 国内歴代首位に」（2020年12月28日）

5 国内映画会社のトップを走る東宝

一九年度の国内映画会社では、東宝のトップは揺るがず、映画事業で一七二九億円の売上を達成しています。以下、東映の九三八億円、松竹の五四九億円が続いています。

トップは東宝の一七二九億円

図4・5・1は、国内系大手映画会社の連結売上高と映画・映像部門に関する業績を見たものです*。一九年度のトップは**東宝**で連結売上高は二六二七億円でした。うち映画事業の営業収入は**一七二九億円**、営業利益は五二八億円です。**東映**は連結売上高が一四一三億円、うち映像関連事業部門の売上高は**九三八億円**、営業利益は二二〇億円となりました。また、**松竹**は連結売上高が九七四億円、うち映像関連事業の売上高は**五四九億円**、営業利益は四六億円でした。

一九年に各社が配給した興行収入五〇億円以上の作品を見ると、「天気の子」(興行収入一四一・九億円)、「名探偵コナン 紺青《こんじょう》の拳《フィスト》」(九三・七億円)、「キングダム」(五七・三億円)、劇場版「ワンピース スタンピード」(五五・五億円)、「映画ドラえもん のび太の月面探査記」(五〇・二億円)となっています。このうち「ワンピース」を除く四作品が東宝の配給*であり、その強さを見せつけています。

洋画系も大きな力を有す

なお右記の邦画系に加え、洋画系映画会社や配給専門の企業も大きな存在感を示しています。

洋画系映画会社としては、ウォルト・ディズニー・ジャパン、ワーナーブラザースジャパン、ソニー・ピクチャーズエンタテイメントなどがあります。配給専門の企業としては、クロックワークスやギャガ、東宝東和、KADOKAWAなどが著名です。

用語解説

＊…**業績を見たものです**　本節では、各社の決算短信から連結売上高と映画・映像部門の売上、営業利益を示している。

＊**東宝の配給**　「キングダム」については東宝とソニー・ピクチャーズエンタテインメント(SPE)の共同配給。

国内大手映画会社の映画・映像事業の売上と営業利益（19 年度）（図 4.5.1）

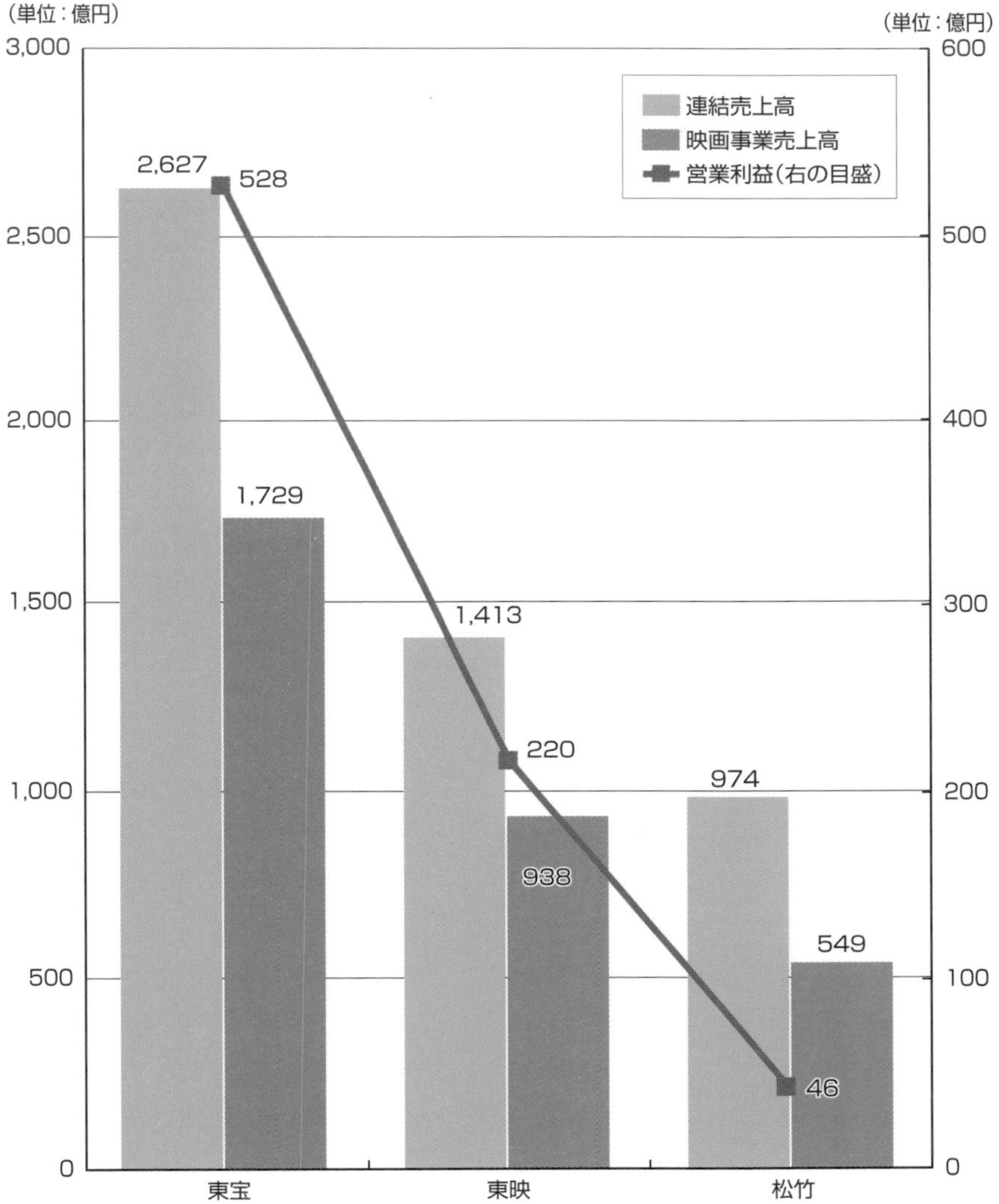
（単位：億円）
（単位：億円）
3,000
2,500
2,000
1,500
1,000
500
0
600
500
400
300
200
100
0
連結売上高
映画事業売上高
営業利益（右の目盛）
2,627
528
1,729
1,413
220
974
938
549
46
東宝
東映
松竹

出典：各社決算短信を基に作成

6　ハリウッドの一強ディズニー

世界の映画業界でディズニーの影響力が増しています。一九年には20世紀フォックスの買収を完了し、北米映画市場全体の三分の一を超えるシェアを誇ります。ただし、二〇年はコロナ禍で減益でした。

多角的なディズニーの事業

ハリウッド映画界で一強ともいえるポジションを構築しているのが**ウォルト・ディズニー・カンパニー**です。一九年には**20世紀フォックス**の買収を完了し、これにより傘下のピクサー、ルーカスフィルム、マーベルらを合わせ、その地位を盤石なものとしました。

図4・6・1はここ五年間のディズニーの売上と当期利益の推移を見たものです。業績は順調に推移し、一九年には**六九六億ドル**（約七兆六二〇〇億円*）と、前年比一七・一%増の大飛躍を遂げています。当期利益も一〇八億ドルありました。

しかし、ディズニーも新型コロナウイルスの影響から逃れることはできません。二〇年は売上高が**六五三億ドル**、当期利益は**マイナス二四億ドル**となりました。

一方、図4・6・2は、ディズニーのセグメント別売上構成について見たものです。映画事業はスタジオ・エンターテインメントで、売上は一九年の一一一億ドル（構成比一五・五%）から二〇年は**九六億ドル（一三・五%）**に縮小しました。また、それ以上に売上減少となったのがテーマパーク事業です*。両事業がコロナ禍の影響をもろに受けたことがわかります。

これに対して「メディア・ネットワーク」が好調で、こちらはアメリカの三大民間放送ネットワークの一つである**ABC**やケーブルテレビ事業、動画配信事業が該当します。同セグメントは一九年の二四八億ドル（三四・七%）から二〇年には**二八三億ドル（三九・七%）**と最も大きな比率を占めるようになっています。

用語解説

*** 約七兆六二〇〇億円**　19年末の為替相場1ドル109円56銭で計算。

*** …事業です**　グラフの「パーク・エクスペリエンス・プロダクツ」が該当する。

ウォルト・ディズニー・カンパニーの売上推移（図 4.6.1）

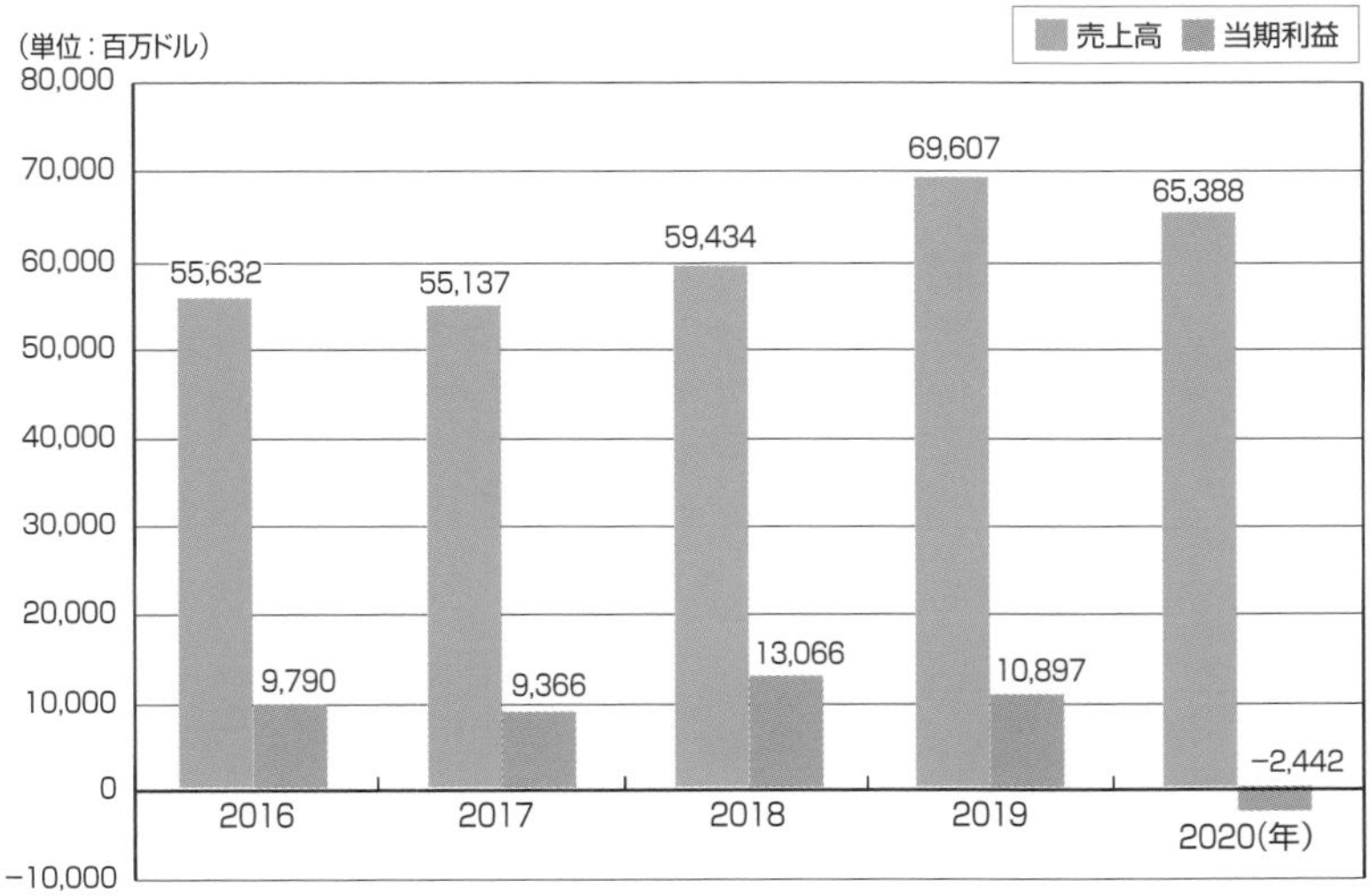

出典：The Walt Disney Company「Fiscal Year 2020 Annual Report」を基に作成

ディズニーの売上構成（図 4.6.2）

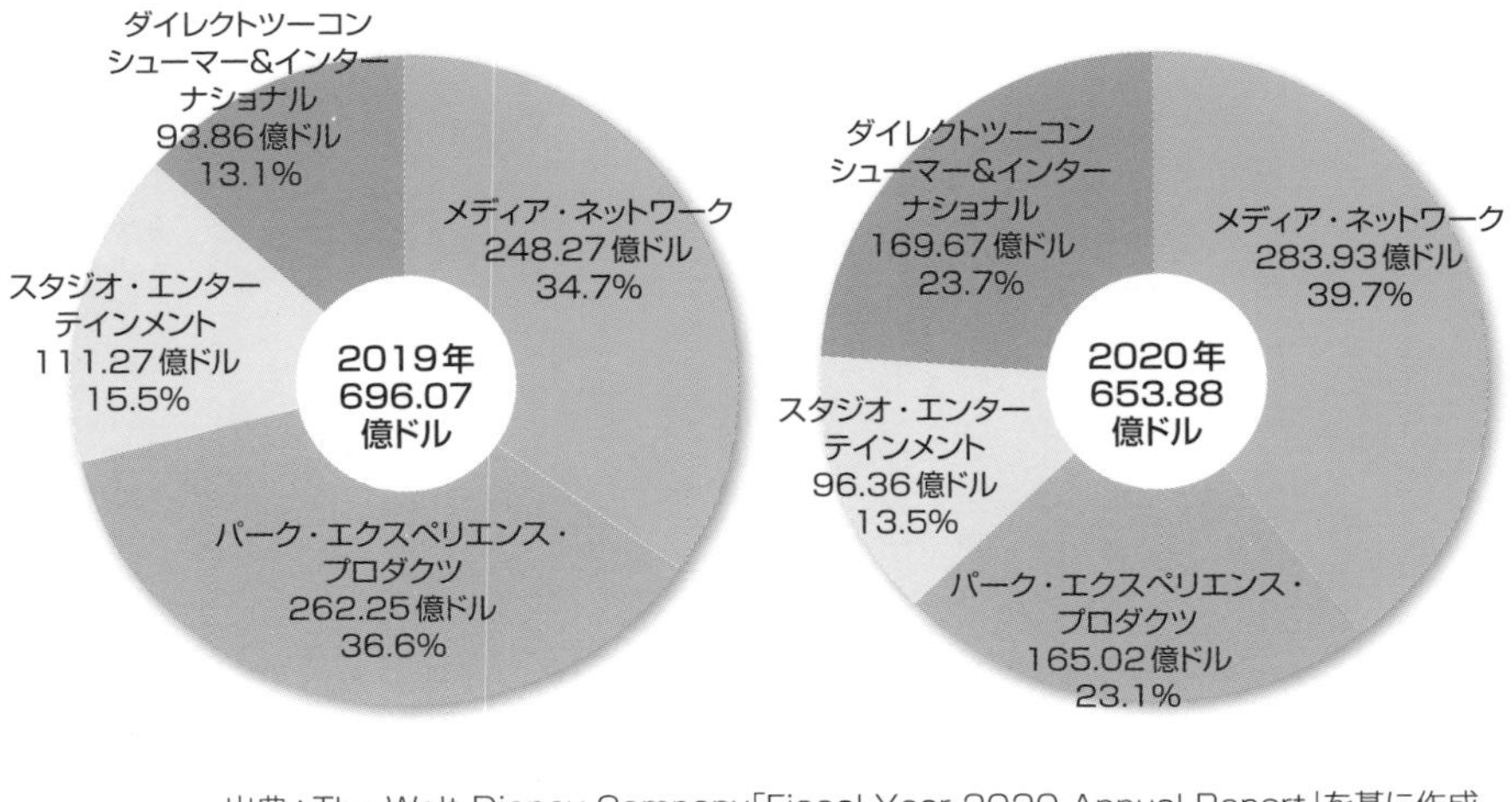

出典：The Walt Disney Company「Fiscal Year 2020 Annual Report」を基に作成

7 映画作品のマルチウィンドウ戦略

映画作品は、劇場の上映からビデオソフト化、衛星放送、地上放送などを多様に活用して総合的に収益を上げます。このような手法をマルチウィンドウと呼びます。この手法は業界の常套《じょうとう》手段になっています。

マルチウィンドウ戦略とは何か

4-1節でもふれたように、映画に投資した資金を興行だけで回収するのは困難になってきています。そこで映画会社では、作品を劇場で上映するだけではなく、多様な形式で利用者に提供することで、収益の最大化をはかろうとします。この戦略を**マルチウィンドウ**や**マルチユース**と呼びます*。

映画作品の場合、一般的には、劇場で上映された映画は、約一年後にビデオソフト化されます。その後、半年ほどしてケーブルテレビなどのペイ・チャンネル、さらに衛星放送などの有料チャンネル、そして最後に地上テレビ放送で放映されます。

また、近年は**定額動画配信**（**SVOD**）の人気が高まっています。そのため、どのようなタイミングで作品を動画配信するか、ということが戦略的に重要な意味をもつようになっています。

次に、大手映画会社に見る映像関係の事業比率配分について見てみましょう。

図4・7・2は東宝の二〇年二月期の決算を基にした部門別営業収益比率です。同社では、映画事業が一七二九億円で全体の六五・八%を占めます*。そのうちレンタル／セルビデオ、出版、版権などの映像事業は**三二八億円**で、映画事業の**一九・〇%**を占めます。これがマルチウィンドウによる収益というわけです。

また、同社では演劇事業や不動産事業など、事業の多角化を行っています。この点が同社の経営の強みの一つになっているようです。

用語解説

*…**呼びます**　映画作品の場合はマルチウィンドウ、コンテンツ全般の場合はマルチユースと呼ぶことが多い。

*…**を占めます**　同社の映画事業は、①映画製作と配信、②劇場での興行、③映像事業の3領域からなる。

マルチウィンドウ戦略（図 4.7.1）

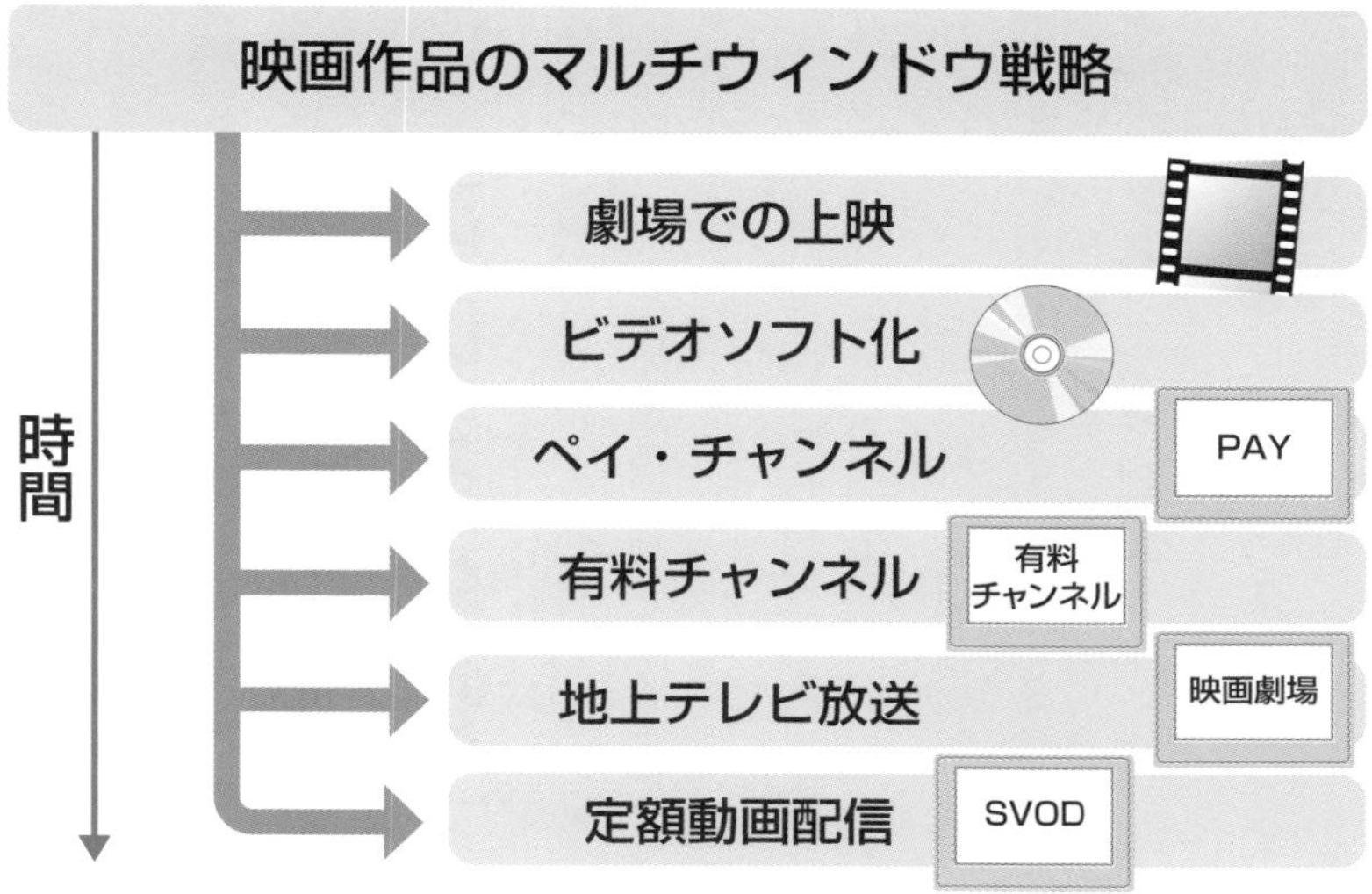
映画作品のマルチウィンドウ戦略
時間
劇場での上映
ビデオソフト化
ペイ・チャンネル
PAY
有料チャンネル
有料
チャンネル
地上テレビ放送
映画劇場
定額動画配信
SVOD

東宝の映画事業収入の内訳（図 4.7.2）

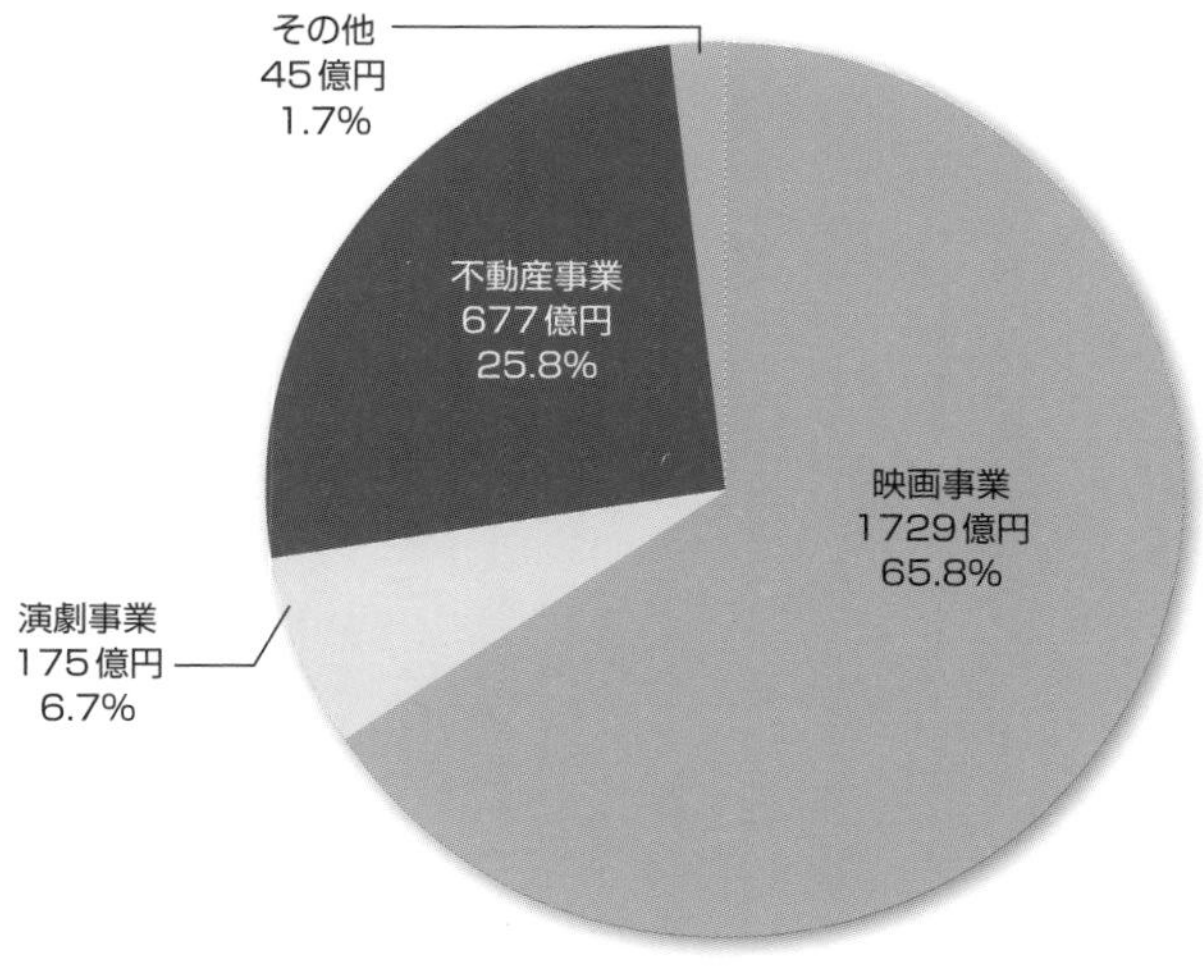
その他
45億円
1.7%
不動産事業
677億円
25.8%
映画事業
1729億円
65.8%
演劇事業
175億円
6.7%

出典：東宝株式会社「FACT BOOK 2020」を基に作成

8 シネマ・コンプレックスの隆盛

映画興行市場の中で気を吐くのがシネマ・コンプレックス(シネコン)です。日本最大のシネコン事業者イオンエンターテイメントが保有する劇場は全国に九二カ所、スクリーン数七八五にも及びます。

シネマ・コンプレックスとは何か

シネマ・コンプレックス、略称**シネコン**＊とは、もともと映画館を中心とした複合施設を指します。ただし日本では、一施設に五〜一〇以上のスクリーンをもち、同一組織によって運営されている映画館のことを、シネコンと呼ぶ場合が多いようです。また日本のシネコンは、ショッピング・センターやその他の大型商業施設に併設されることが多いのも特徴です＊。

気を吐くシネコン事業者

日本最大のシネコン事業者は**イオンエンターテイメント(イオンシネマ)**＊で、劇場数は全国に九二カ所、スクリーン数は七八五にも及びます＊。

一般社団法人日本映画製作者連盟によると、全国の映画館のスクリーン数の総計は**三六一六**です(図4・8・1)＊。単純比較すると全スクリーンに占めるイオンシネマの割合は**二一・七%**になります。

また、イオンシネマ以外には東宝系のTOHOシネマズ＊や松竹マルチプレックスシアターズ、ユナイテッド・シネマなどが著名です。これらを合わせると、シネコンのスクリーン数は大幅に増加しています。二〇年のシネコンのスクリーン数は**三一九二**で、全体の**八八・三%**を占めています(図4・8・2)。

かつて日本では、同一資本による映画の製作・配給・興行が一般的でした。それがいまや外資も交えたシネコンの隆盛という状況です。シネコンの進出は、過去の業界慣行を打ち砕くパワーがあったともいえます。

用語解説

＊**シネコン**　**複合映画館**とも呼ばれることがある。

＊**…特徴です**　従来の映画館にしばしば見られた暗く汚れたイメージがないのも、シネコンの大きな特徴だ。シネコンが大きな力をつけてきた要因の1つといえよう。

＊**イオンエンターテイメント**　2013年に改称。旧名はワーナー・マイカル。

スクリーン数の推移（図 4.8.1）

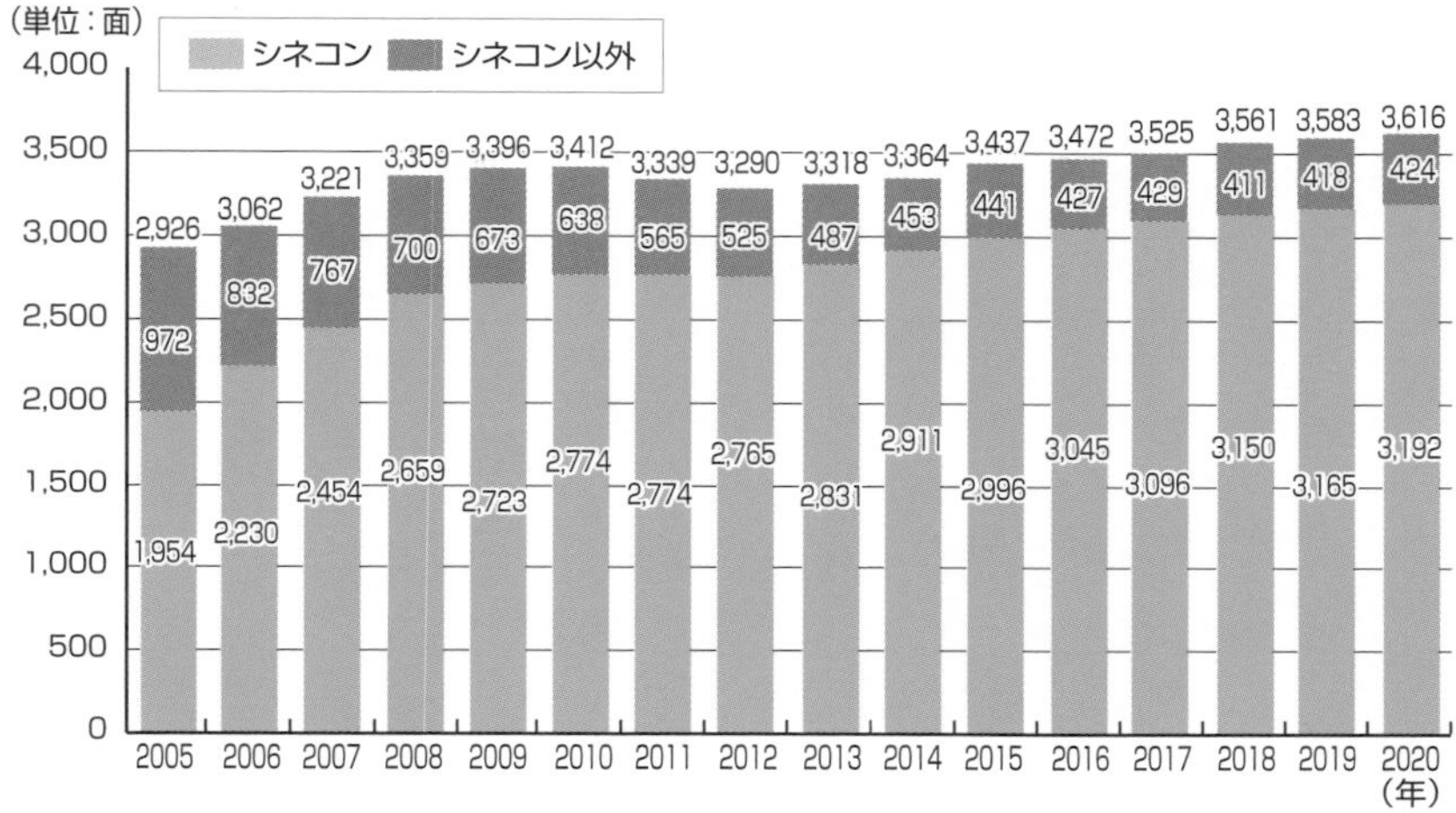

出典：日本映画製作者連盟のウェブサイトを基に作成

第4章　映画

シネコンとそれ以外のスクリーン数比（図 4.8.2）

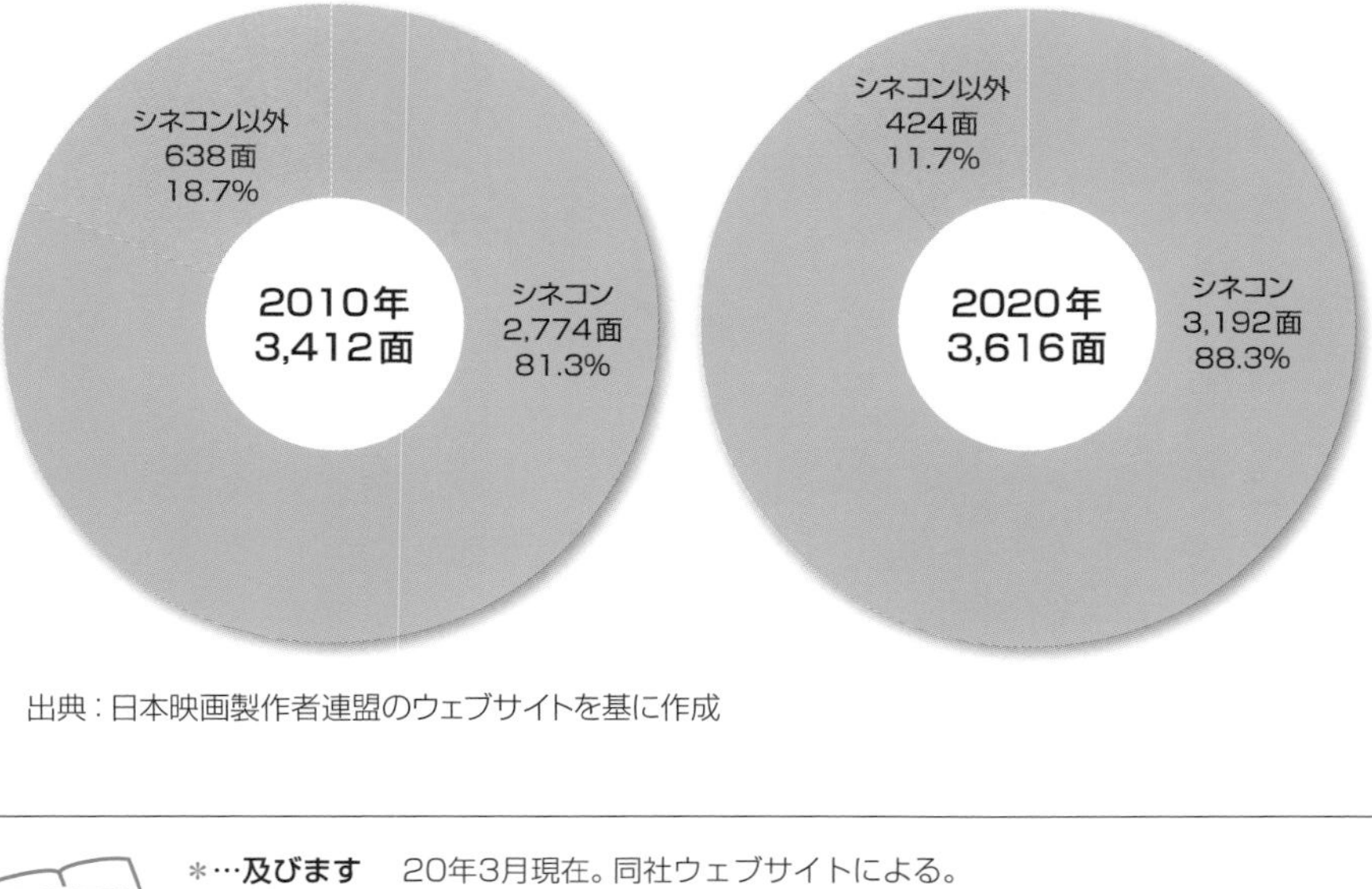

出典：日本映画製作者連盟のウェブサイトを基に作成

用語解説

＊…**及びます**　20年3月現在。同社ウェブサイトによる。
＊…**三六一六です**　20年12月現在。一般社団法人日本映画製作者連盟による。
＊**TOHOシネマズ**　シネコンではなく単独館もある。

デジタル・シネマの進展

デジタル化の波は社会全般に及んでいますが、映画もその例外ではありません。デジタル・シネマが映画の新たな標準として定着しました。

デジタル・シネマとは何か

デジタル・シネマとは、従来のフィルムを使わず、撮影から配信、上映まですべてデジタル・データで対応する映画のことです。

昨今の映画撮影現場ではデジタル機器の利用が拡大しています。ところが、映像をデジタル・データとして収録していても、上映する劇場側の機器が対応していないと、デジタル・データを従来のフィルムに記録し直さなければなりませんでした。これでは、デジタル技術がもつ特長を十二分に活かしているとはいえません。

そこで、映画の撮影から配信、上映まですべてデジタル・データで対応するデジタル・シネマの規格が構想されるようになりました。

規格策定のための取り組み

〇二年には、ハリウッド・メジャーが共同で**デジタル・シネマ・イニシアティブ（DCI）***を設立し、デジタル・シネマの規格、ビジネスプラン、映画館への導入戦略などを立案しました。そして、〇五年には二〇〇〇万画素の**2K**および八〇〇〇万画素の**4K**が標準規格*として策定されました。

さらに同年一〇月からは、この方式に準拠した実証実験が日本でも行われ、「ハリー・ポッターと炎のゴブレット」が4K版として一部劇場で公開されました。

また、デジタル技術を最大限に活用した3D映画もすでに一定の支持を得ています。〇九年に公開された「アバター」はその火つけ役でした。

用語解説

＊**デジタル・シネマ・イニシアティブ（DCI）**　DCIはDigital Cinema Initiativesの略称。ディズニー、フォックス、ソニー・ピクチャーズエンタテインメント、ユニバーサル、ワーナー・ブラザースのジョイント・ベンチャーとして設立された。

デジタル・シネマ・システムのワークフロー（図4.9.1）

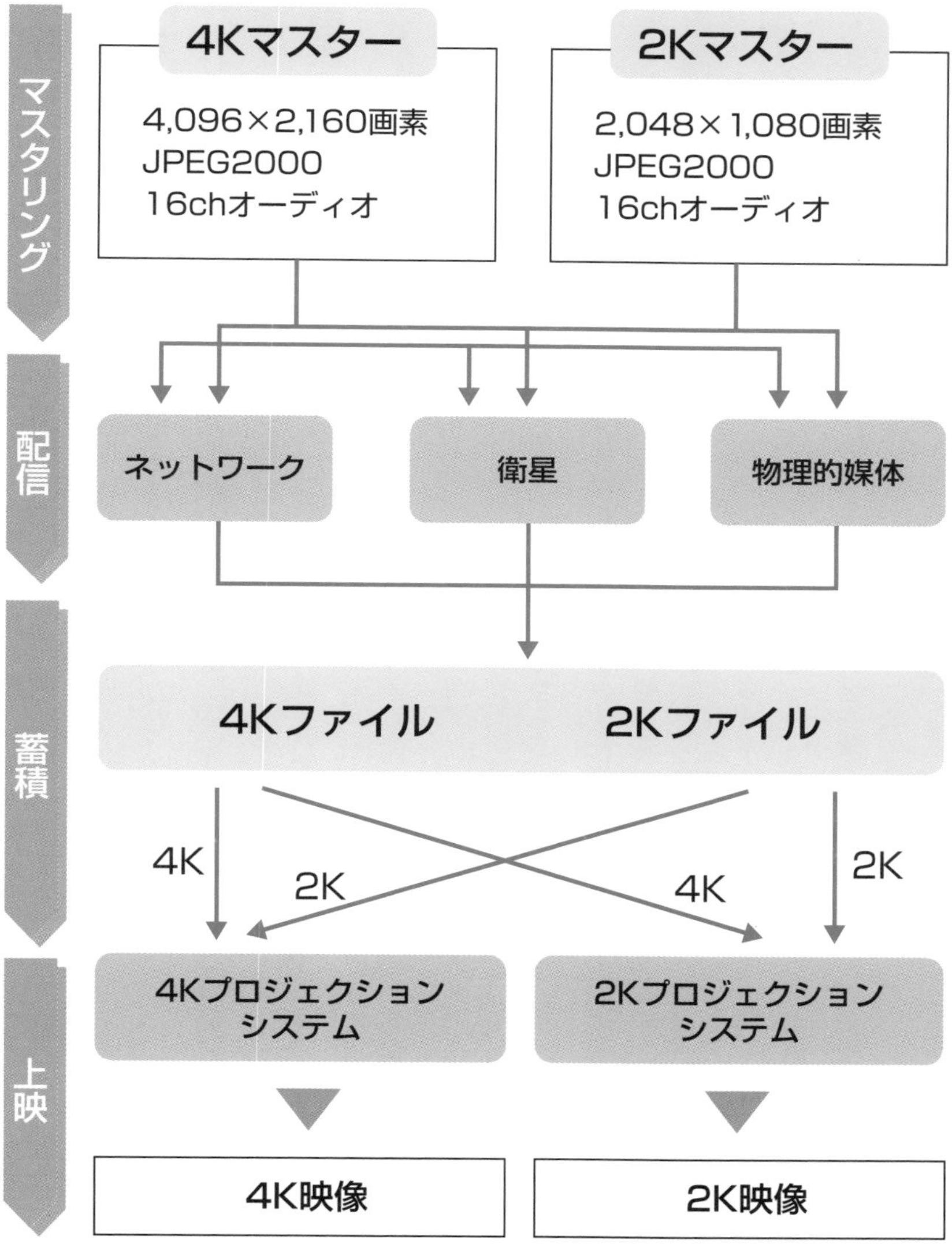
マスタリング
4Kマスター
4,096×2,160画素
JPEG2000
16chオーディオ
2Kマスター
2,048×1,080画素
JPEG2000
16chオーディオ
配信
ネットワーク
衛星
物理的媒体
蓄積
4Kファイル
2Kファイル
4K
2K
2K
4K
上映
4Kプロジェクションシステム
2Kプロジェクションシステム
4K映像
2K映像

出典：Digital Cinema Initiatives, LLC「Digital Cinema System Specification Version1.2」（March, 2008）を基に作成

用語解説

＊**標準規格**　4Kは4,096×2,160画素、2Kは2,048×1,080画素。スーパー·ハイビジョンとは微妙に値が異なる。

映画製作委員会の一般化

映画製作には多大な費用が必要です。また、映画は水もので、ヒットする保証はありません。そこで、映画製作のリスクを分散するため、複数の企業が参加する映画製作委員会方式が一般的になってきました。

映画製作のリスクを分散するために

映画製作には多大な費用が必要で、その映画がヒットするかどうかもわかりません。特に大作の場合、このリスクを映画製作会社一社で負うのは、あまりにも負担が大きいといわざるを得ません。

そこで複数の企業が集まって、特定の映画作品に投資して映画を製作する、**映画製作委員会**の設立が目立つようになりました。

映画製作委員会の仕組み

映画製作委員会には、一般に映画会社、民間テレビ局、広告会社、商社、映像プロダクションなどが名を連ねます。そして、それぞれが資本を投入するとともに、投資に応じて作品収益から利益の分配を受けます。また、利益のみならず、その作品の二次利用についての権利を取得*したりもします。

また、これら以外にも、それぞれの出資者が得意分野で作品に携わり、作品のプロモーションにあたります。広告会社が出資するケースが多いのは、作品のプロモーションに広告のノウハウが不可欠だからです。

例えば、一六年の興行収入がトップだった「**君の名は。**」では、東宝、コミックス・ウェーブ・フィルム、ＫＡＤＯＫＡＷＡ、アミューズ、ローソンＨＭＶエンタテイメントらとともに、広告会社のジェイアール東日本企画が委員会に名を連ねています。

なお、同じく一六年にヒットした「**シン・ゴジラ**」は東宝の単独制作で、近年では特殊な事例でした。

用語解説

＊…**権利を取得**　地上テレビ放送事業者が、後日、作品をテレビ放送する権利などは、これに該当する。

製作委員会方式による映画製作（図4.10.1）

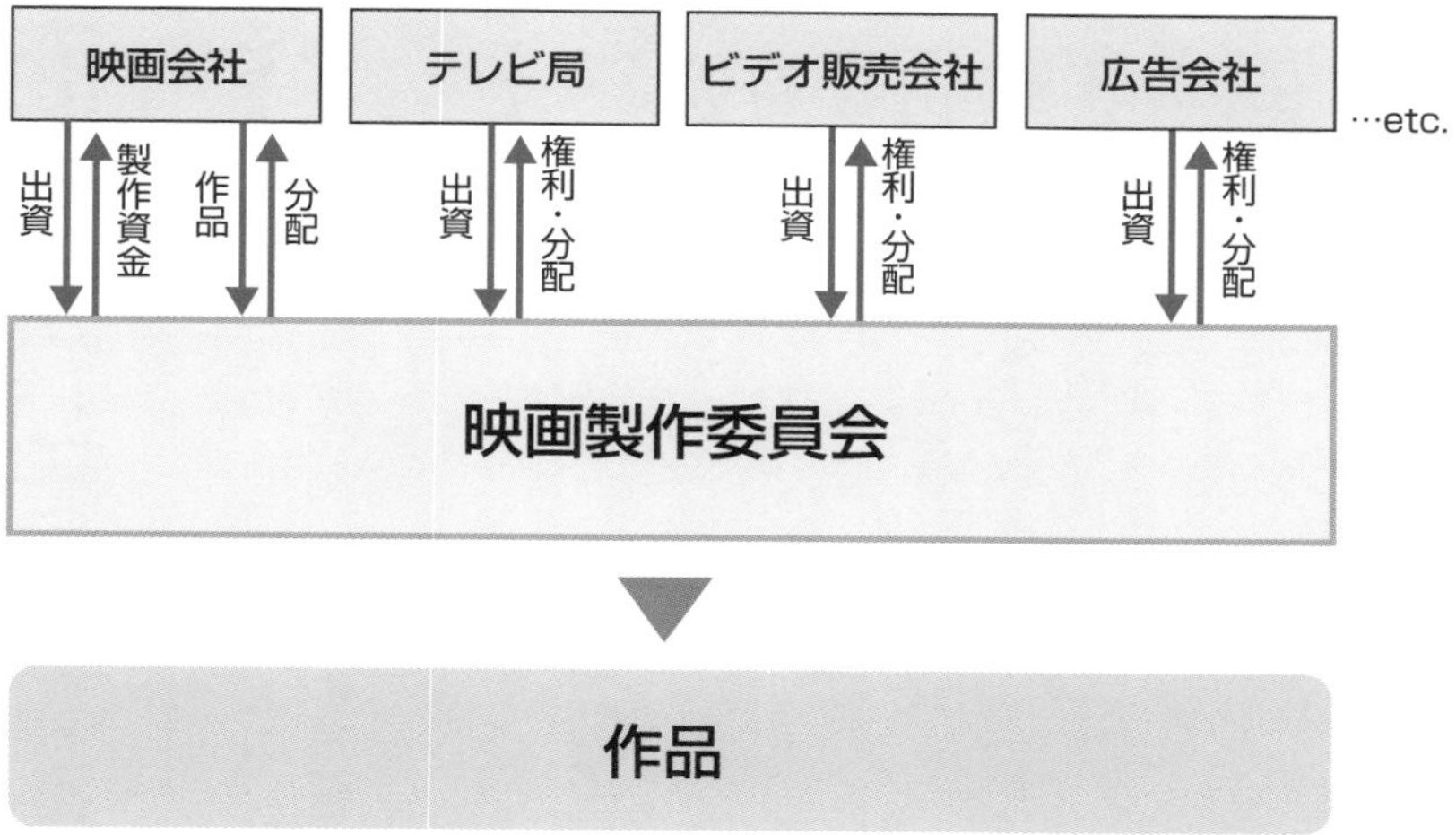
映画会社
テレビ局
ビデオ販売会社
広告会社
…etc.
出資
製作資金
作品
分配
出資
権利・分配
出資
権利・分配
出資
権利・分配
映画製作委員会
作品

映画製作委員会の参加企業例（図4.10.2）

君の名は。
東宝、コミックス・ウェーブ・フィルム、KADOKAWA、ジェイアール東日本企画、アミューズ、ローソンHMVエンタテイメント

名探偵コナン　純黒《じゅんこく》の悪夢《ナイトメア》
小学館、讀賣テレビ放送、日本テレビ放送網、小学館集英社プロダクション、東宝、トムス・エンタテインメント

劇場版「鬼滅の刃」無限列車編
ufotable、アニプレックス、集英社

出典：各ウェブサイトなどより

11 映画製作資金調達の多様化

前節の製作委員会方式は、大きな費用がかかる映画作品の資金をいかに手当てするか、つまり、資金調達の一手法です。近年の映画作品では、この資金調達手法がここで述べるように多様化*してきています。

ファンド方式

映画作品を**商品ファンド**として販売する手法です。商品先物や金融先物に投資する金融商品を、一般に商品ファンドと呼びます。この投資対象商品が映画になったものが、このファンド方式です。

ファンドを販売できるのは、**商品投資販売業者**として一定期間の実績がある事業者に限られます。一般向けに販売可能で、投資家として個人や法人が広く参加できる点が大きな特徴です。

信託方式

映画を**信託会社**に託し、信託会社から得た**受益権***を一般投資家に販売して資金を得る方式です。

映画を信託会社に託すと、映画の所有権は信託会社に移ります。一般投資家は、映画から上がった収益の一部を配当として受け取ります。

特別目的会社（SPC）方式

特別目的会社を設立し、同社が映画作品所有者から作品を譲り受けます。そして特別目的会社は、譲り受けた作品を基に、株式や債券を発行してこれを販売します。販売は民間テレビ局や広告会社のほか、一般投資家に対しても行われます。

SPC方式の基本的な仕組みは**製作委員会方式**と変わりません。ただし、出資者がコンテンツの制作や流通、プロモーションなどに関わる関係者だけではない点が大きく異なります。

用語解説

*…**多様化**　本節の解説は、監査法人トーマツTMTインダストリーグループ編『コンテンツ企業のビジネスモデル分析』（中央経済社）を参考にした。

***受益権**　信託会社に託した財産の運用から上がる収益を得る権利。

多様な資金調達方法（図4.11.1）

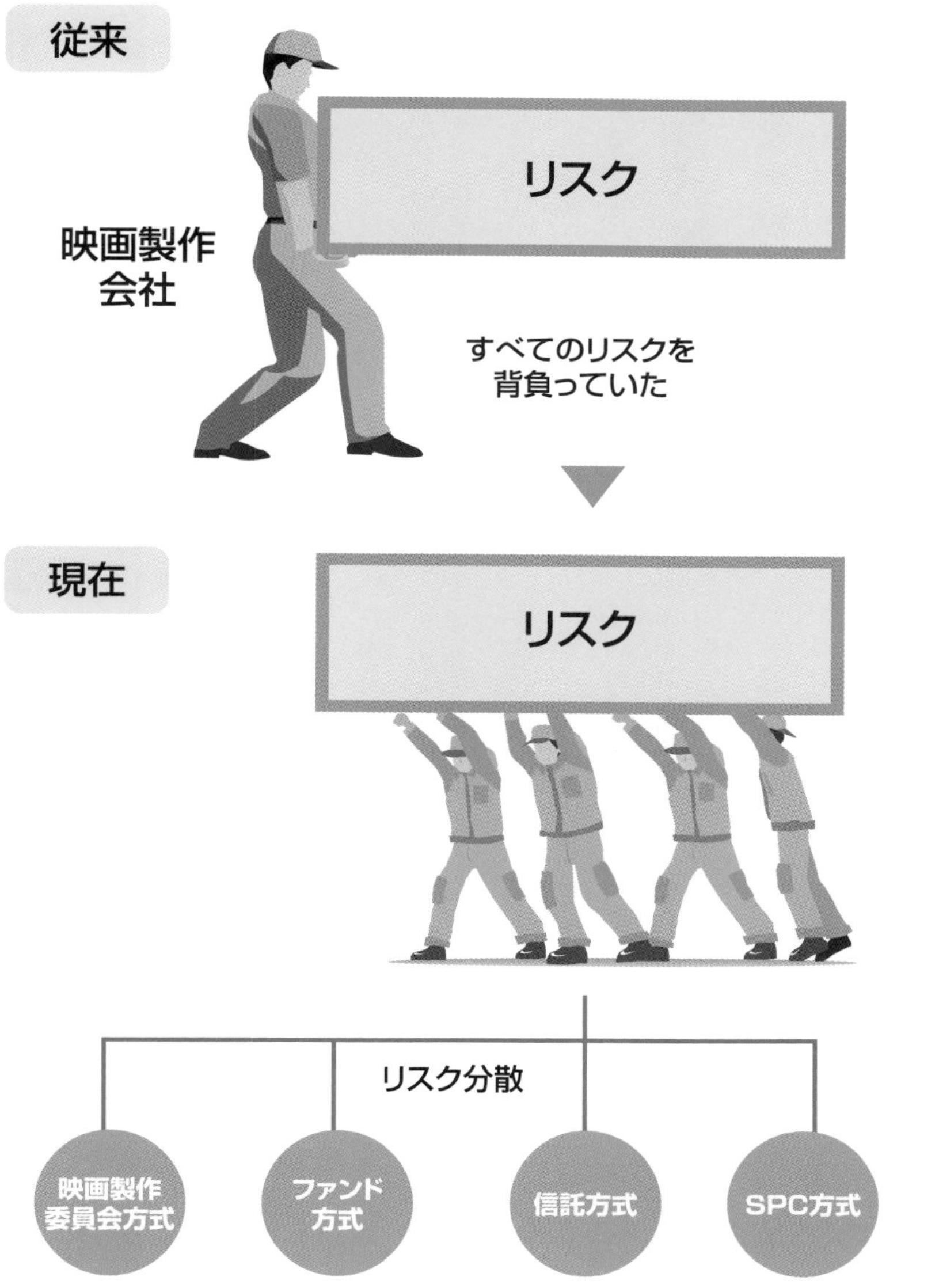
従来
リスク
映画製作
会社
すべてのリスクを
背負っていた
現在
リスク
リスク分散
映画製作
委員会方式
ファンド
方式
信託方式
SPC方式

12 映画産業で力を振るう民間テレビ局

4-10節では、映画製作委員会による映画の製作について見ました。その中でも、民間テレビ局を中心とした映画製作委員会の設立が目立っており、民間テレビ局の存在感が高まっています。

映画作品の利害関係者が多様化

映画作品の資金調達方法が多様化するということは、映画作品に、映画製作会社以外の利害関係者が深く関与することを意味します。つまり、映画作品はかつてのように、映画製作会社のみが扱う業務ではなくなってきたといえるでしょう。このような中で存在感を高めているのが**民間テレビ局**です。

民間テレビ局の映画ビジネス

民間テレビ局の映画ビジネスの基本コンセプトは明快です。地上テレビ放送で話題になった番組を映画化し、さらにビデオソフト化、書籍化などで、一つの素材を徹底的に活用します。そして、これらに加えて、本体であるテレビ番組の人気も高めるという戦略です。

こうした地上テレビ放送事業者の映画ビジネスで著名なのは、フジテレビの「踊る大捜査線 ＴＨＥ ＭＯＶＩＥ」やテレビ朝日の「相棒 劇場版」などでしょう。

第3章で見たように、昨今、民間テレビ局を取り巻く環境は従来と大きく異なってきています。本来、テレビ局が制作する映像コンテンツは、提供される先がテレビの画面でも映画館のスクリーンでも、あるいはパソコンやスマホの画面でも構わないわけです。つまり、ウィンドウをテレビに特化する必要はないわけです。

そういう意味で、テレビ局による映画参入は、今後さらに本格化することも予想されます。そうなれば、映画業界におけるテレビ局の存在感は、さらに高まる*のではないでしょうか。

用語解説

*さらに高まる　ただし、映画興行の市場規模は決して大きくないため、動画配信の展開などマルチユースを視野に入れた展開が不可欠になる。

テレビ局の映画ビジネスの流れ（図 4.12.1）

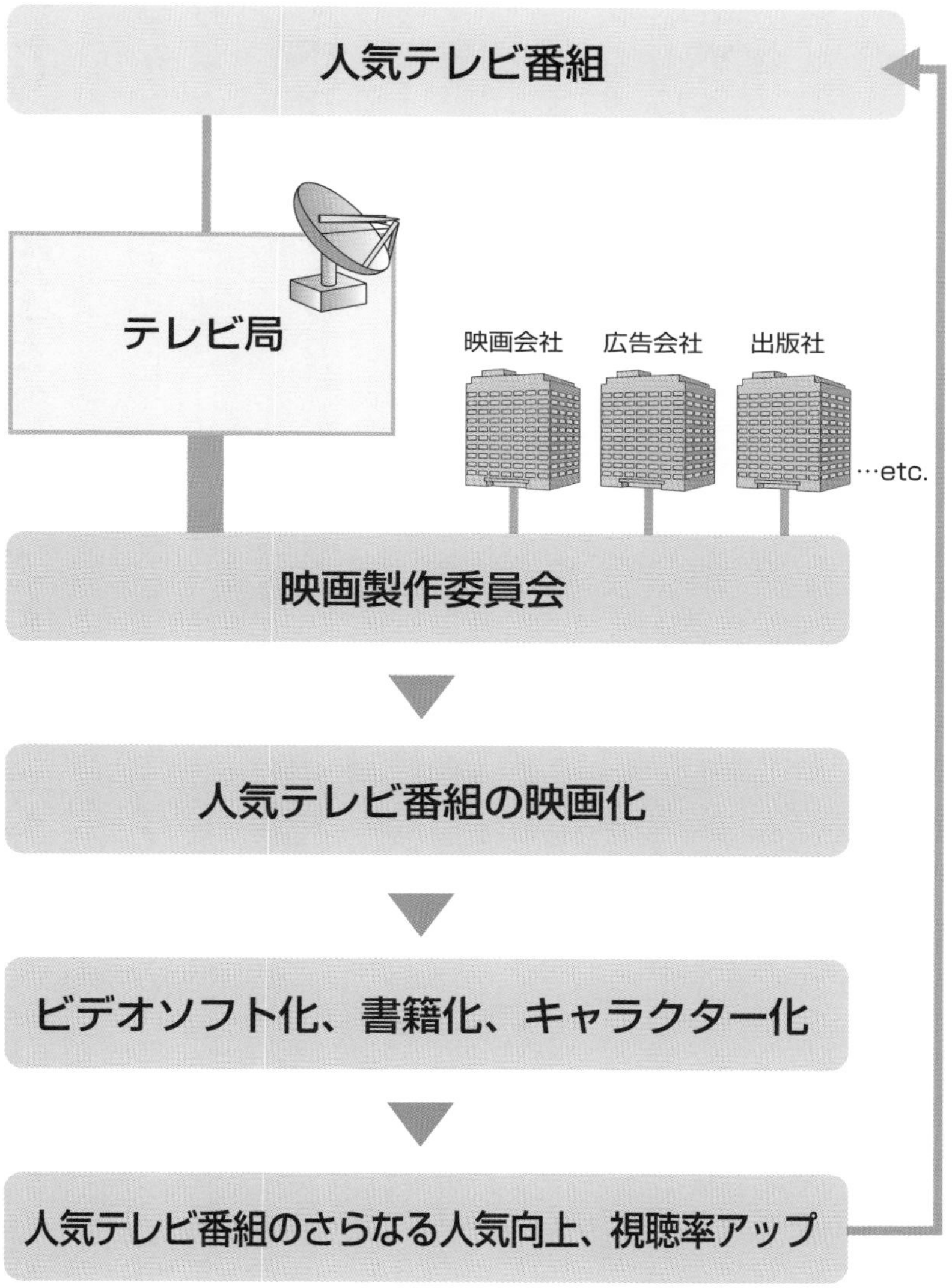
人気テレビ番組
テレビ局
映画会社
広告会社
出版社
…etc.
映画製作委員会
人気テレビ番組の映画化
ビデオソフト化、書籍化、キャラクター化
人気テレビ番組のさらなる人気向上、視聴率アップ

13

息切れ感が漂うビデオソフト市場

映画業界におけるマルチウィンドウ戦略の重要な戦術の一つが、DVDをはじめとしたビデオソフトの販売です。かつて大きく売上を伸ばしたDVDですが、いまやビデオソフト市場は縮小を余儀なくされています。

DVDとブルーレイの出荷・売上状況

ビデオソフトとは、DVDやブルーレイ・ディスクなどのビデオ関連のパッケージソフトの総称です。図4・13・1は、そのビデオソフトの売上状況の推移を見たものです*。二〇年は総売上本数が**三八八〇万本**、金額は**一三七一億円**になりました。

長期推移で見ると、ビデオソフト市場の規模縮小は止まる気配がありません。一〇年には総売上本数が八九八七万本、金額は二六六四億円でした。金額ベースで見ると、一〇年に比較して二〇年の市場規模は**五一・五%**（**四八・五%減**）という結果になっています。

次に種別で見てみましょう。売上本数、金額とも落ち込みが激しいのが**DVD**です。一〇年は七七一九万本、二一九二億円と市場のほとんどを占めていました。ところが、直近の二〇年では、売上本数が**二五九四万本**（一〇年比マイナス六六・四%）、金額が**六六〇億円**（同マイナス六九・九%）と、市場規模は金額ベースで七割減になりました。

〇八年にはDVDに代わるメディアとして**ブルーレイ・ディスク**が登場しました。以後、売上金額、本数とも伸ばしました。しかし、DVDの売上金額を追い越すのはようやく一九年になってからのことです。

一五年以降は売上本数、金額とも停滞し、二〇年のブルーレイの売上本数は前年割れの**一二八六万本**、金額も前年割れの**七一〇億円**でした。

ブルーレイの市場規模がDVDを超えたのは、DVDの規模縮小がブルーレイ以上に進んだからです。

用語解説

＊…**推移を見たものです**　ビデオソフトはビデオカセットから始まり、レーザーディスク、CD関連、DVD、ブルーレイ・ディスクと移り変わってきた。この推移はメディアの変遷が一目瞭然となり興味を引く。

ビデオソフトの売上金額・数量の推移（図 4.13.1）

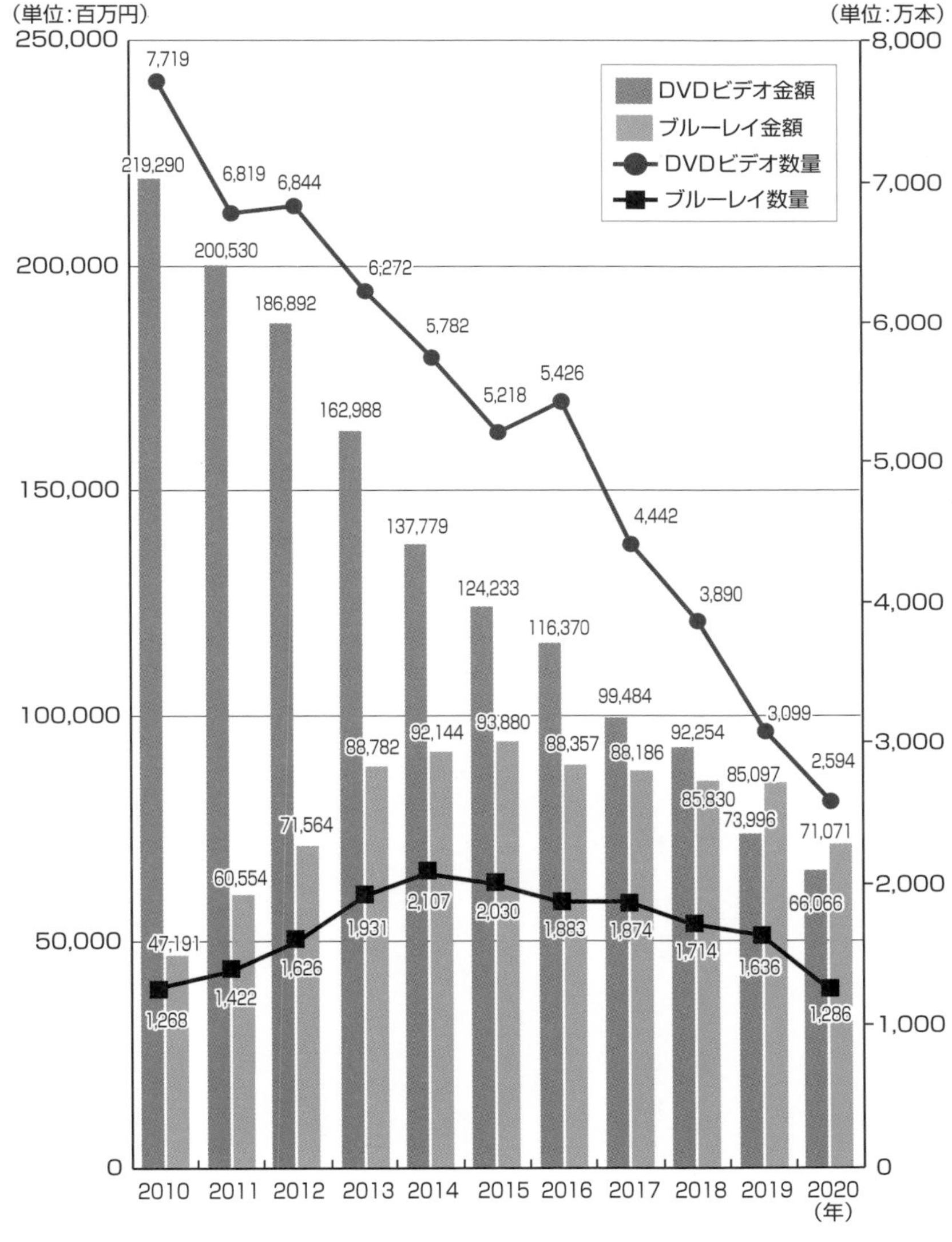

出典：日本映像ソフト協会「ビデオソフト年間売上統計」を基に作成

セルとレンタルvs動画配信

日本の動画配信市場が躍進を続けています。一八年には縮小が続くレンタル市場を上回り、一九年にはやはり縮小が続くセル市場をも追い抜きました。快進撃はまだまだ続きそうです。

動画配信がセル、レンタルを逆転

図4・14・1は一三年から一九年までの有料動画配信市場、ビデオレンタル市場、ビデオセル市場の売上推移を見たものです。一三年はセル市場が二四三二億円、レンタル市場が二一八四億円、動画配信市場が五九七億円、総市場規模は五二一二億円となりました。その後、レンタル市場、セル市場ともに縮小が進みますが、動画配信市場の拡大もあって、総市場規模は停滞を続けていました。

ところが一八年には**動画配信市場**が前年の一五一〇億円から**一九八〇億円**へと四七〇億円も上積みとなり、総市場規模も五六二八億円になりました。動画配信市場の急拡大により、この一八年は動画配信市場がレンタル市場を初めて上回りました。

さらに翌一九年も動画配信市場の勢いは止まらず、約四二〇億円増の**二四〇四億円**になりました。縮小に歯止めがきかないレンタル市場は一一五九億円、セル市場は一九七六億円となり、動画配信市場がセル市場をも追い抜く結果になりました。

市場構成比で見ると(図4・12・2)、一三年はセル市場が四六・六%と最大で、これにレンタル市場の四一・九%、動画配信市場の一一・五%が続きました。

これが一九年には、動画配信市場が**四二・六%**と最大規模になり、これにセル市場の三五・〇%、レンタル市場の二二・三%が続いています。今後ますます、セル市場やレンタル市場は動画配信市場に置き換わっていくものと予想されます。

ビデオソフト市場の推移（図 4.14.1）

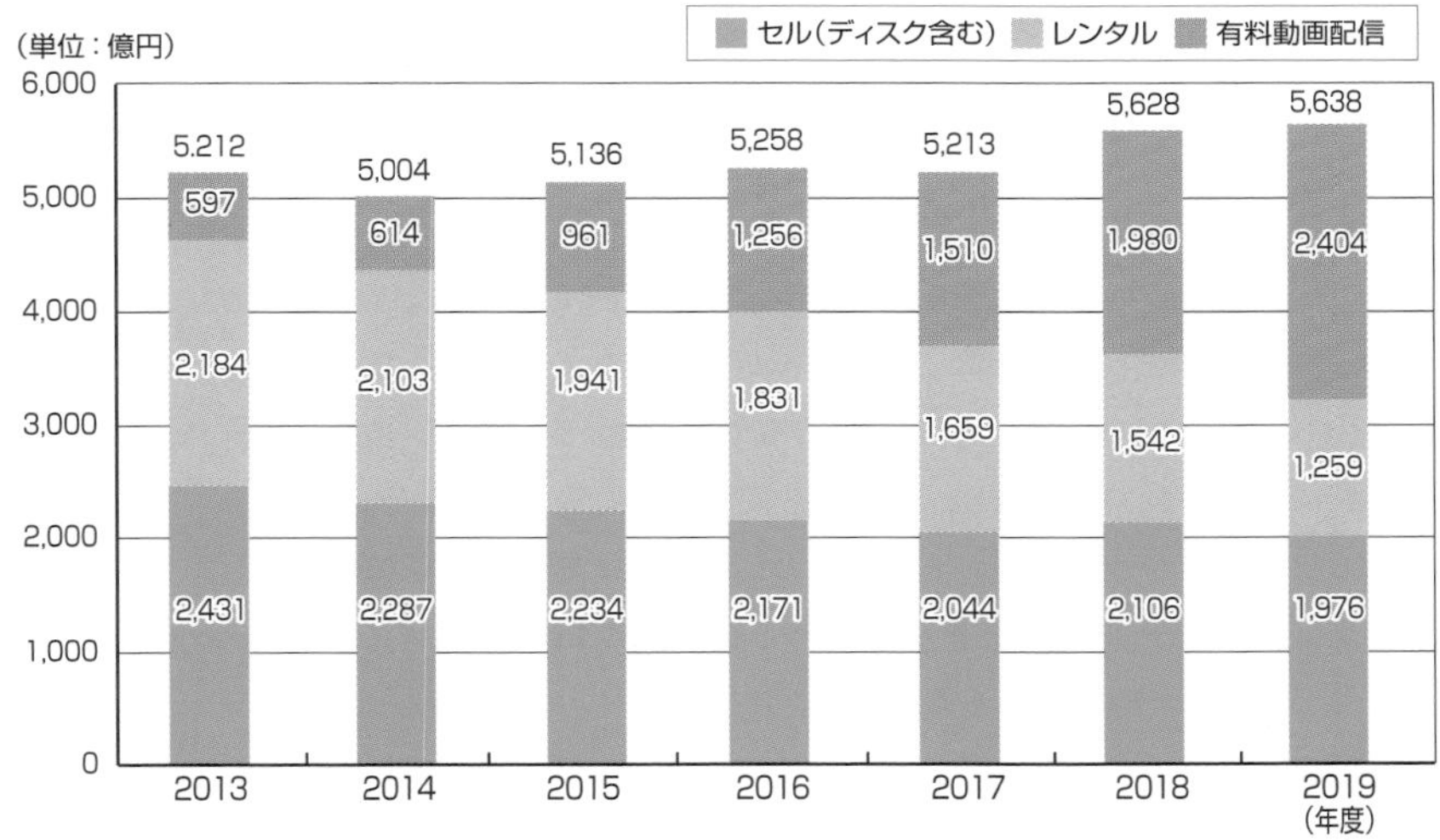
セル（ディスク含む）
レンタル
有料動画配信
（単位：億円）
6,000
5,000
4,000
3,000
2,000
1,000
0
5,212
597
2,184
2,431
5,004
614
2,103
2,287
5,136
961
1,941
2,234
5,258
1,256
1,831
2,171
5,213
1,510
1,659
2,044
5,628
1,980
1,542
2,106
5,638
2,404
1,259
1,976
2013
2014
2015
2016
2017
2018
2019
（年度）

出典：電通メディアイノベーションラボ編『情報メディア白書 2021』を基に作成

ビデオソフト市場の構成（図 4.14.2）

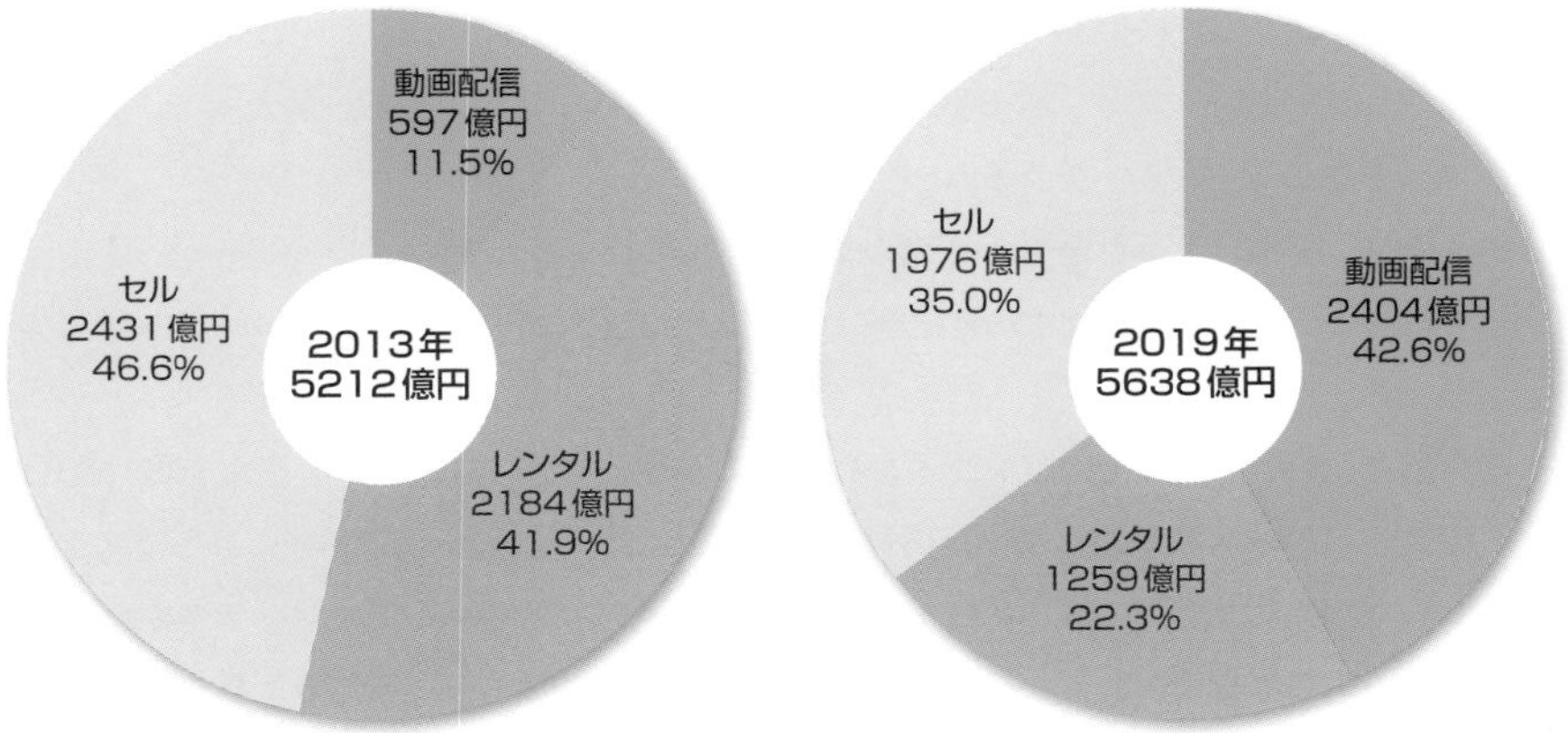
動画配信
597 億円
11.5%
セル
2431 億円
46.6%
2013年
5212億円
レンタル
2184 億円
41.9%
セル
1976 億円
35.0%
2019年
5638億円
動画配信
2404 億円
42.6%
レンタル
1259 億円
22.3%

出典：電通メディアイノベーションラボ編『情報メディア白書 2021』を基に作成

column

テレビ局による動画配信の取り組み

●テレビ局も動画配信に参戦

日本のテレビ局が動画配信に着手したのは05年頃からです。この年に日本テレビが「第2日本テレビ」(13年から「日テレオンデマンド」)、TBSが「TBS BooBo BOX」(08年から「TBSオンデマンド」)、フジテレビが「フジテレビオンデマンド」、06年にはテレビ朝日が「テレ朝bb」(09年から「テレ朝動画」)をスタートさせています。

テレビ局とインターネット企業との協業による無料動画配信サービスにも注目が集まりました。中でも大きな話題となったのは、16年4月にテレビ朝日がサイバーエージェントと共同で始めた**ABEMA**(**アベマ**)でしょう。ニュースやドラマ、アニメ、ドキュメンタリーなど、リアルタイム放映にこだわり、現在26チャンネルを展開しています。

●定額動画配信は不調？

また、無料のみならず、いま流行の定額動画配信(SVOD)にも各テレビ局は参戦しています。ただ、少々気になるのは、テレビ局発の有料動画配信サービスがあまり利用されていない点です。3-10節で定額動画配信のトップテンを紹介しました。トップは断トツのアマゾン・プライム・ビデオでした。

一方、日本のテレビ局発の定額動画配信では、日本テレビ系の**フールー**が3位にランクインしてはいるものの、利用率は12.4%で、前年の14.7%から2.3ポイント落ちています。

また、ぎりぎり10位にランクインしている**パラビ**は、TBSとテレビ東京、WOWOWのほか、日本経済新聞社、電通、博報堂DYメディアパートナーズの6社によってスタートした定額動画配信です。さらにその後、MBSメディアホールディングスや中部日本放送、RKB毎日ホールディングス、北海道放送なども加わり、各局の番組を配信しています。しかし、利用率はわずか2.0%と振るいません。

フジテレビも独自構築の**FODプレミアム**を展開しています。しかしながら、こちらはトップテンにさえランクインしていない状況です。SVODでは外資系の強さが目立っています。

第5章

アニメーション／マンガ

　クール・ジャパン──かっこいい日本。これは日本のポップ・カルチャーに対する諸外国の評価です。そして、そのクール・ジャパンの中心的位置にあるのが、日本のアニメーションとマンガです。この章では、アニメおよびマンガの市場動向について見ていきたいと思います。

How-nual
図解入門
業界研究

1 アニメーション業界の市場構造

アニメーションの制作では、アニメ・プロダクションのほか、映画製作会社やテレビ局、広告会社が重要な役割を担います。制作されたアニメは、劇場やテレビのほか、動画配信としても流通します。

アニメーション・ビジネスの制作サイド

アニメーションには、**劇場用アニメ**や**テレビアニメ**、**OVA***、**インターネット配信用アニメ**などがあります。

劇場用アニメ業界の市場構造は、映画業界とほぼ同様と考えればよいでしょう（4-1節）。アニメでもジブリ作品のようにスケールの大きなものは、**製作委員会方式**（4-10節）が利用されます。

一方、民放のテレビアニメでは、意外ですが広告会社が中心的な役割を果たします。この場合、広告会社が民間テレビ局から放送枠を買い上げて、そこに投入するテレビアニメを企画します。そして、スポンサーを集めると同時に、アニメ・プロダクションに制作を依頼します。

ただし、アニメーションは基本的に子供向けです。よって、どうしてもスポンサーが限定されてしまいます。そこで、テレビを通じてアニメの浸透をはかり、**キャラクター・ビジネス***や二次利用市場で総合的に収益を得るビジネスプランが練られます。こうした総合プロデューサー的役割を、広告会社が担っています。

流通経路も多様化

制作されたアニメは、劇場やテレビ、パッケージソフトなどで流通します。また動画配信もアニメにとって重要な流通経路になっています。

なお、劇場用アニメの予算には、一本数億円を超えるものがあります。一方、テレビアニメは三〇分のもので一千万～一千数百万円見当が相場で、予算には大きな差があります。

用語解説

＊**OVA**　オリジナル・ビデオ・アニメーション。DVDやブルーレイ・ディスクを対象にしたアニメーションを指す。

アニメーション市場の構造（図 5.1.1）

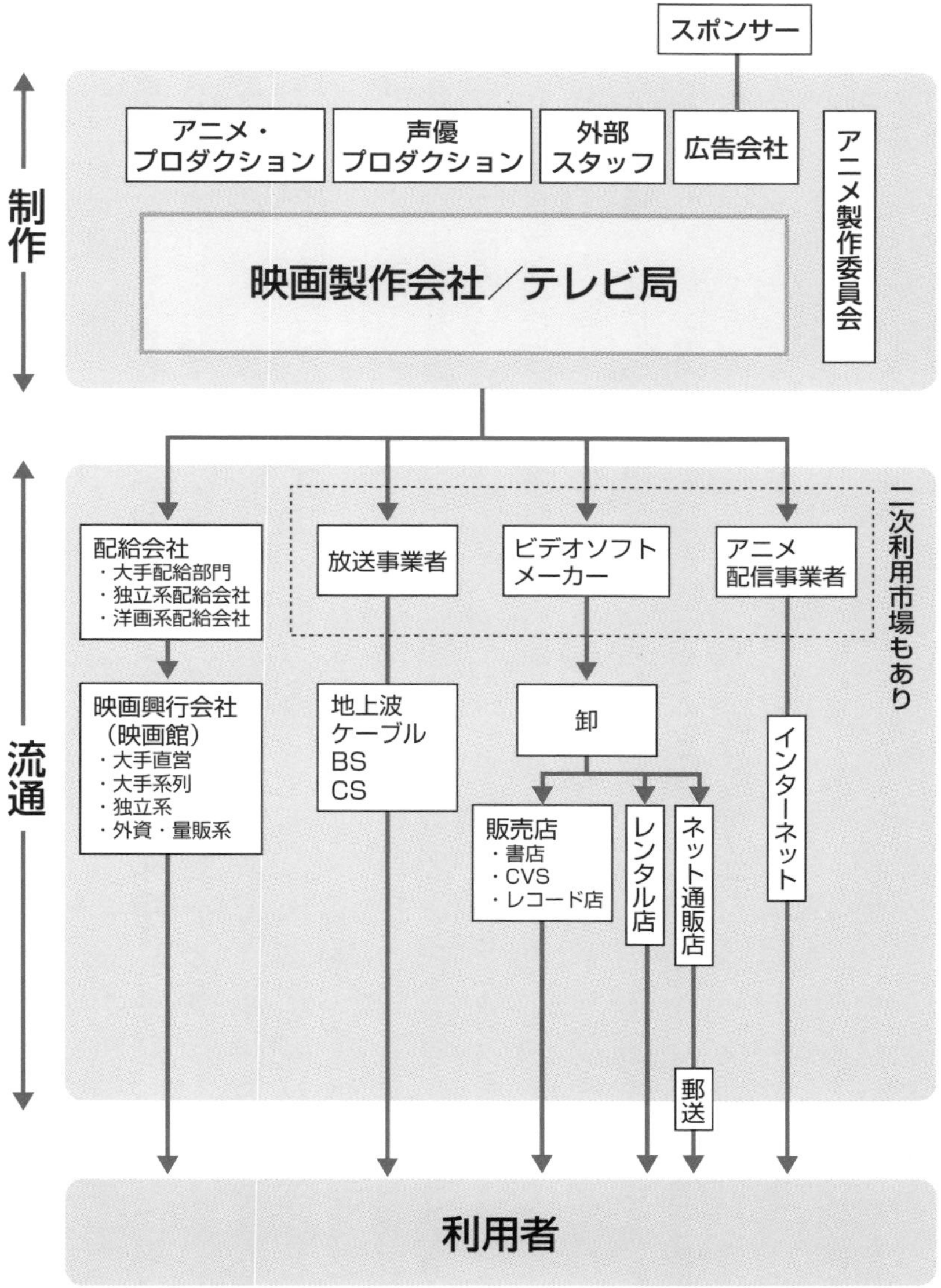
スポンサー
制作
アニメ・プロダクション
声優プロダクション
外部スタッフ
広告会社
アニメ製作委員会
映画製作会社／テレビ局
流通
二次利用市場もあり
配給会社
・大手配給部門
・独立系配給会社
・洋画系配給会社
放送事業者
ビデオソフトメーカー
アニメ配信事業者
映画興行会社（映画館）
・大手直営
・大手系列
・独立系
・外資・量販系
地上波
ケーブル
BS
CS
卸
販売店
・書店
・CVS
・レコード店
レンタル店
ネット通販店
インターネット
郵送
利用者

用語解説

＊**キャラクター・ビジネス**　小説や映画、アニメに登場する人物の利用権を販売して収益を得るビジネス。

2　広義と狭義のアニメーション市場規模

日本動画協会では、ユーザーが支払った金額で推定した広義のアニメ市場を二兆五一一二億円、アニメ制作企業の売上から推計した狭義のアニメ市場を三〇一七億円と見積もっています。

狭義のアニメ市場は三〇一七億円

日本動画協会による「アニメ産業レポート2020」によると、一九年にユーザーが支払った金額で推定したアニメ市場は**二兆五一一二億円**にのぼります（図5・2・1）。同協会では、この市場を**広義のアニメ市場**と呼んでいます。これに対して、アニメ制作企業の売上から算出した**狭義のアニメ市場**の規模は**三〇一七億円**と推計しています。一般にアニメーションの市場規模といった場合、後者の数字を用いるケースが多いようです。

一九年のアニメーション市場は絶好調で、狭義のアニメ市場で見た場合、前年の二六七一億円から三四六億円増、前年比一三・〇%という高い成長率を達成しました。これは「天気の子」や「名探偵コナン　紺青の拳」「キングダム」など、邦画トップ5がすべてアニメだったように、劇場アニメが好調だったことが要因としてあるようです。

アニメ・プロダクションの大手としては、「鬼滅の刃」で一躍有名になった**アニプレックス**があります（2-7節）。同社はソニー・ミュージックエンタテイメントの一〇〇%子会社で、二〇年三月期の売上は一五〇九億円*でした。ほかにも、「ワンピース」や「ドラゴンボールZ」などの**東映アニメーション**、「ポケットモンスター」などの**小学館集英社プロダクション**、「機動戦士ガンダム」などの**創通**、「プリキュア」レギュラーシリーズ映画を手がける**マーベラス**、「クレヨンしんちゃん」などの**バンダイナムコアーツ**といったところがあります。

用語解説

＊**一五〇九億円**　同社はゲームソフトの開発や配信、音楽レーベルの展開も行っている。他のプロダクションの場合、大手の東映アニメーションでも売上は548億円（20年3月期）となっている。

広義と狭義のアニメ市場推移（図 5.2.1）

●広義のアニメ市場

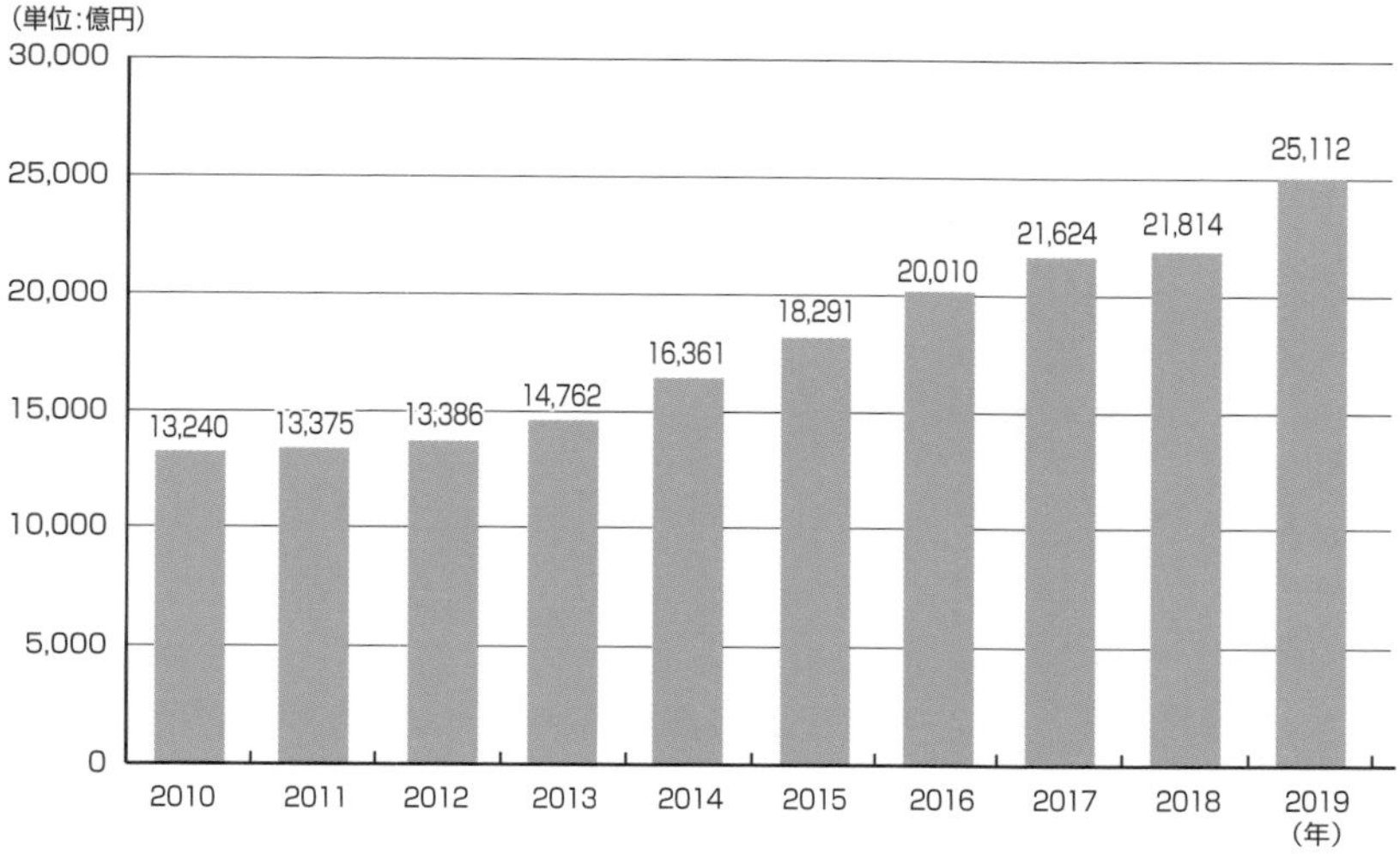
(単位:億円)
30,000
25,000
20,000
15,000
10,000
5,000
0
13,240
13,375
13,386
14,762
16,361
18,291
20,010
21,624
21,814
25,112
2010
2011
2012
2013
2014
2015
2016
2017
2018
2019
(年)

●狭義のアニメ市場

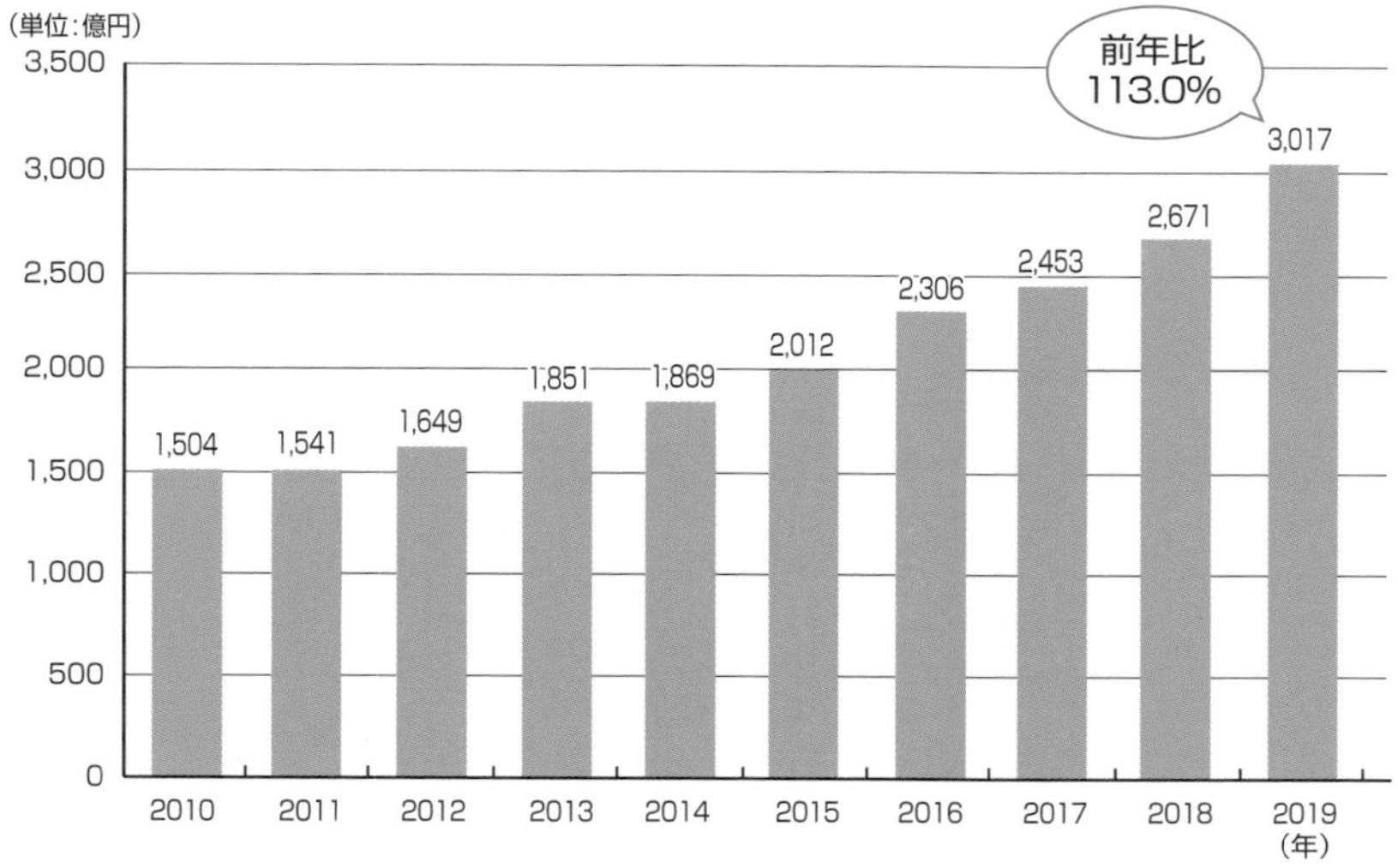
(単位:億円)
3,500
3,000
2,500
2,000
1,500
1,000
500
0
1,504
1,541
1,649
1,851
1,869
2,012
2,306
2,453
2,671
3,017
前年比
113.0%
2010
2011
2012
2013
2014
2015
2016
2017
2018
2019
(年)

出典：日本動画協会「アニメ産業レポート2020 サマリー版」を基に作成

3 急拡大する日本のアニメの海外市場

前節でふれた日本動画協会では、日本アニメの海外市場についても報告しています*。この報告によると、一九年の市場規模は一兆二〇〇九億円（前年比一一九・〇％）で、市場は急拡大しています。

アニメの海外市場は一兆二〇〇九億円

日本のアニメは、政府による**クール・ジャパン戦略**の中でも、最重要の分野として位置づけられています。実際、海外からの日本アニメに対する需要は非常に高く、年々市場も拡大しています。その状況は図5・3・1からも見て取れます。

一〇年の海外市場は二八六七億円でしたが、これが一九年には**一兆二〇〇九億円**と、約**四・二倍**の規模に拡大しています。特に一五年は前年比一七八・七％と驚きの成長率を達成しており、一九年は前年比**一一九・〇％**とほぼ二割増しになりました。このグラフからも、日本のアニメが海外で人気なのがよくわかります。

では、どのような国々に日本のアニメが輸出されているのでしょうか。国・地域別で契約数の多いのは、アメリカ、韓国、台湾、カナダ、中国となっています。そして、この上位五カ国・地域だけで全体の三三・二％を占めます。

一方、図5・3・2は、放送コンテンツについての海外輸出額とその構成比を見たものです（一八年度）。放送に限定していますから、輸出額は**四九九・六億円**と、日本アニメの海外市場よりも小さな数字になっています。このうちアニメが占める割合は**八一・一％**、金額にして**四〇五・三億円**になっています。まさにアニメが一強の状態です。

親しみやすいアニメ・キャラクターに国境はありません。そのためか、のちに見るように、アニメは動画配信のキラーコンテンツの一つになっています。今後も海外における日本アニメの人気に期待が高まります。

用語解説

*…**報告しています**　以下、日本動画協会「アニメ産業レポート2020 サマリー版」による。

日本アニメの海外市場推移（図 5.3.1）

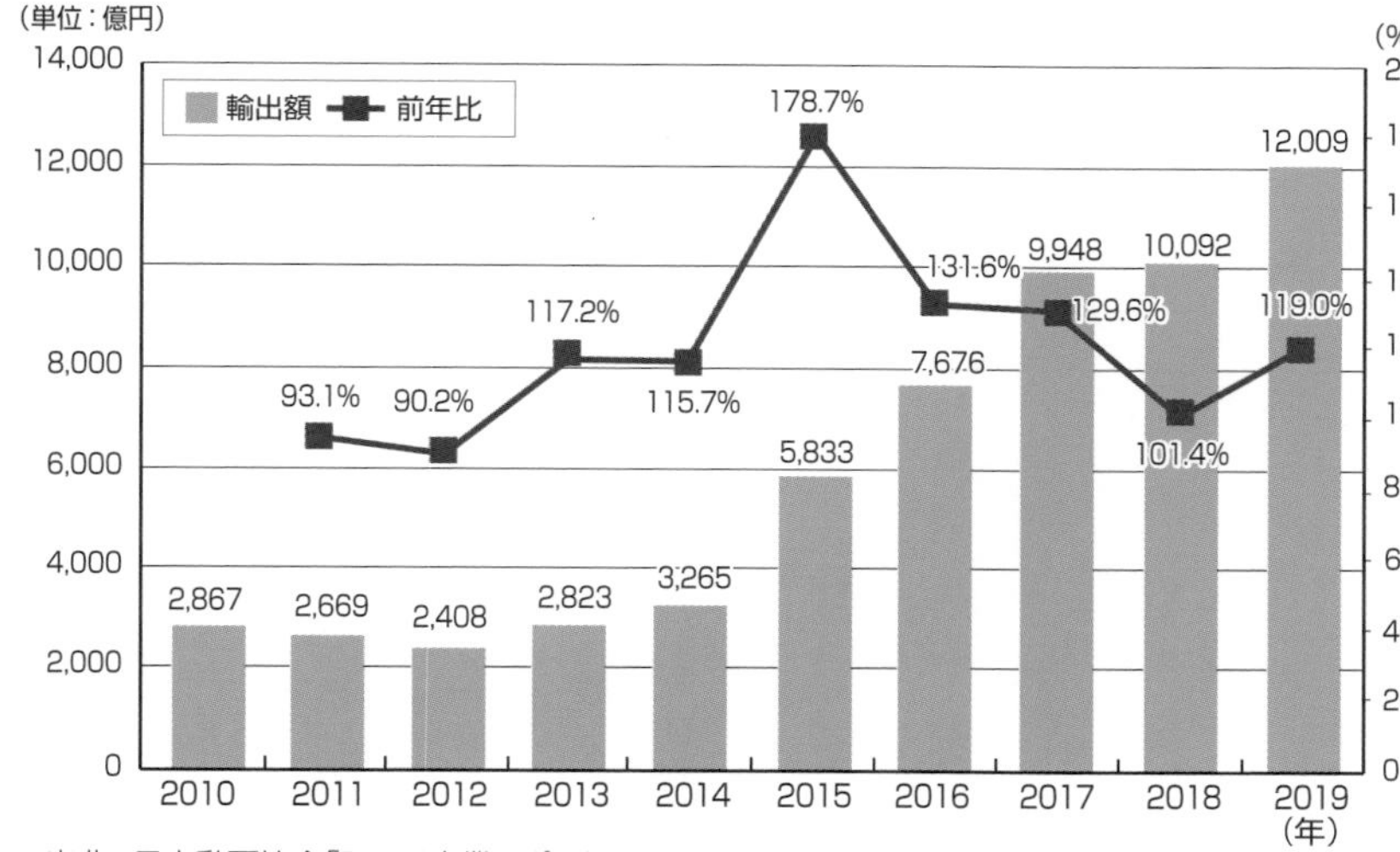

出典：日本動画協会「アニメ産業レポート2020 サマリー版」を基に作成

放送コンテンツのジャンル別海外輸出額（図 5.3.2）

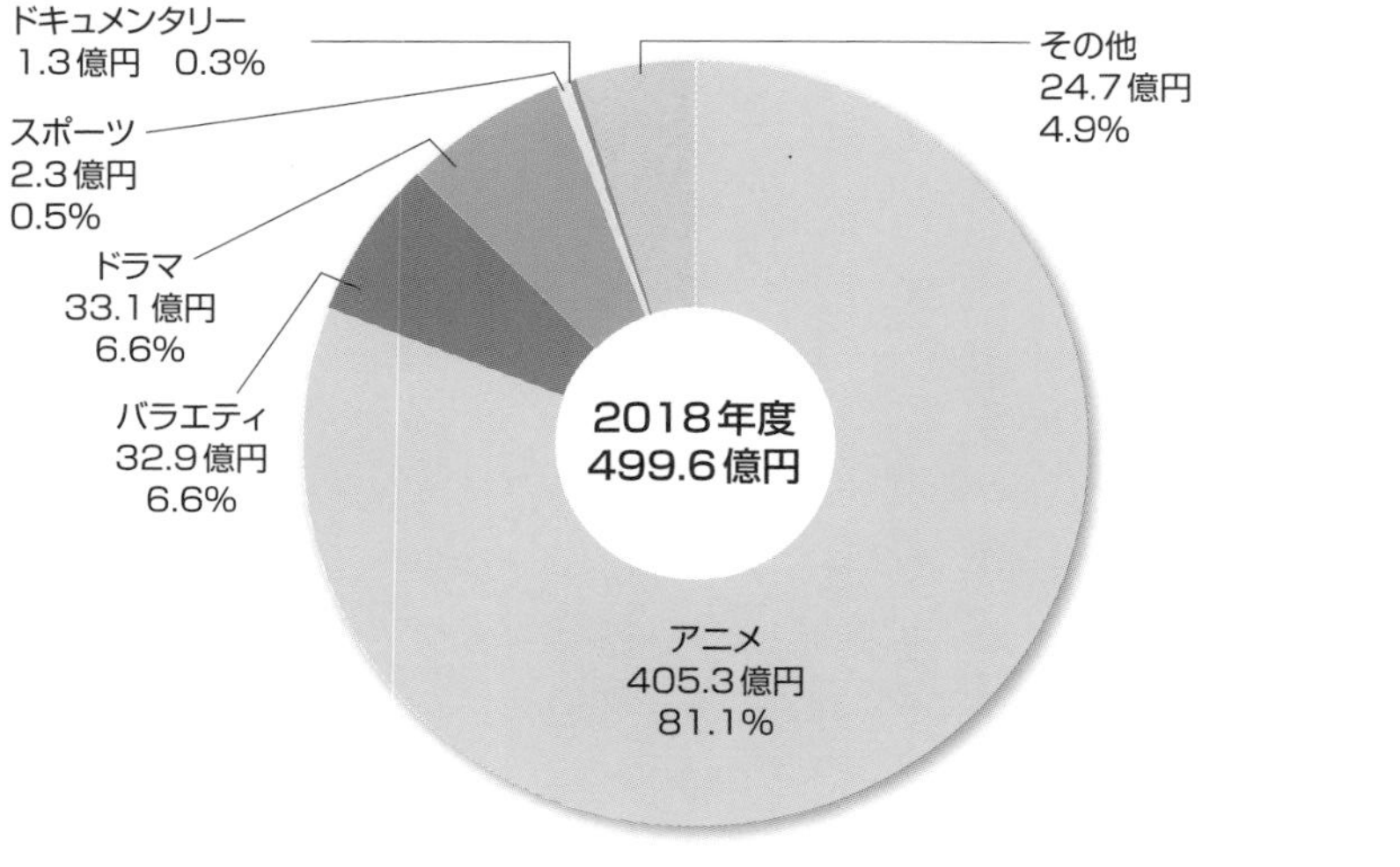

出典：総務省情報通信政策研究所「放送コンテンツの海外展開に関する現状分析（2018年度）」

4 潮目が変わりつつあるテレビアニメ

一九年はテレビアニメにちょっとした事件が起きました。首都圏キー局のゴールデンタイムからアニメ番組枠が消滅したのです。テレビアニメは転換点にあるようです。

テレビとテレビアニメの関係

もしかすると金曜日の七時から「ドラえもん」、続けて七時半から「クレヨンしんちゃん」を視聴する習慣をもっていた人がいるかもしれません。しかし、テレビ朝日でおなじみだったこの金曜日ゴールデンのアニメタイムも一九年春シーズンを最後に終了となり、両アニメは土曜日の一六時半からの枠に移動となりました。これで首都圏キー局におけるゴールデンタイムのアニメ番組は消滅しました。

このように、極めて相性がよかったアニメとテレビの関係に微妙な変化が訪れているようです。図5・4・1は、**テレビアニメ制作分数の推移**を見たものです。一〇年より上昇傾向にあった制作分数は一五年頃から停滞気味となり、一八年には一三万三四七分と大きく伸びたと思ったら、一九年は逆に**一〇万七〇〇六分**と大きく前年割れになりました。

また、**テレビアニメのタイトル数**も、一〇年の二〇〇本から年々増加が続き、一六年には**三六一本**と、過去最高を記録しました（図5・4・2）。しかし、一六年をピークに潮目は変わり、その後は三年連続の前年割れが続き、一九年は**三三四本**となりました。これはピーク時の**八七・〇%**にしか過ぎません。

減少の一要因に、テレビ・ファーストを前提としないアニメ制作者側の対応があるようです。減少トレンドがこのまま続くかどうか現段階では断言しようもありませんが、今後もアニメとテレビが過去と変わらぬ関係を維持できるのか、注視したいところです。

テレビアニメの制作分数の推移（図 5.4.1）

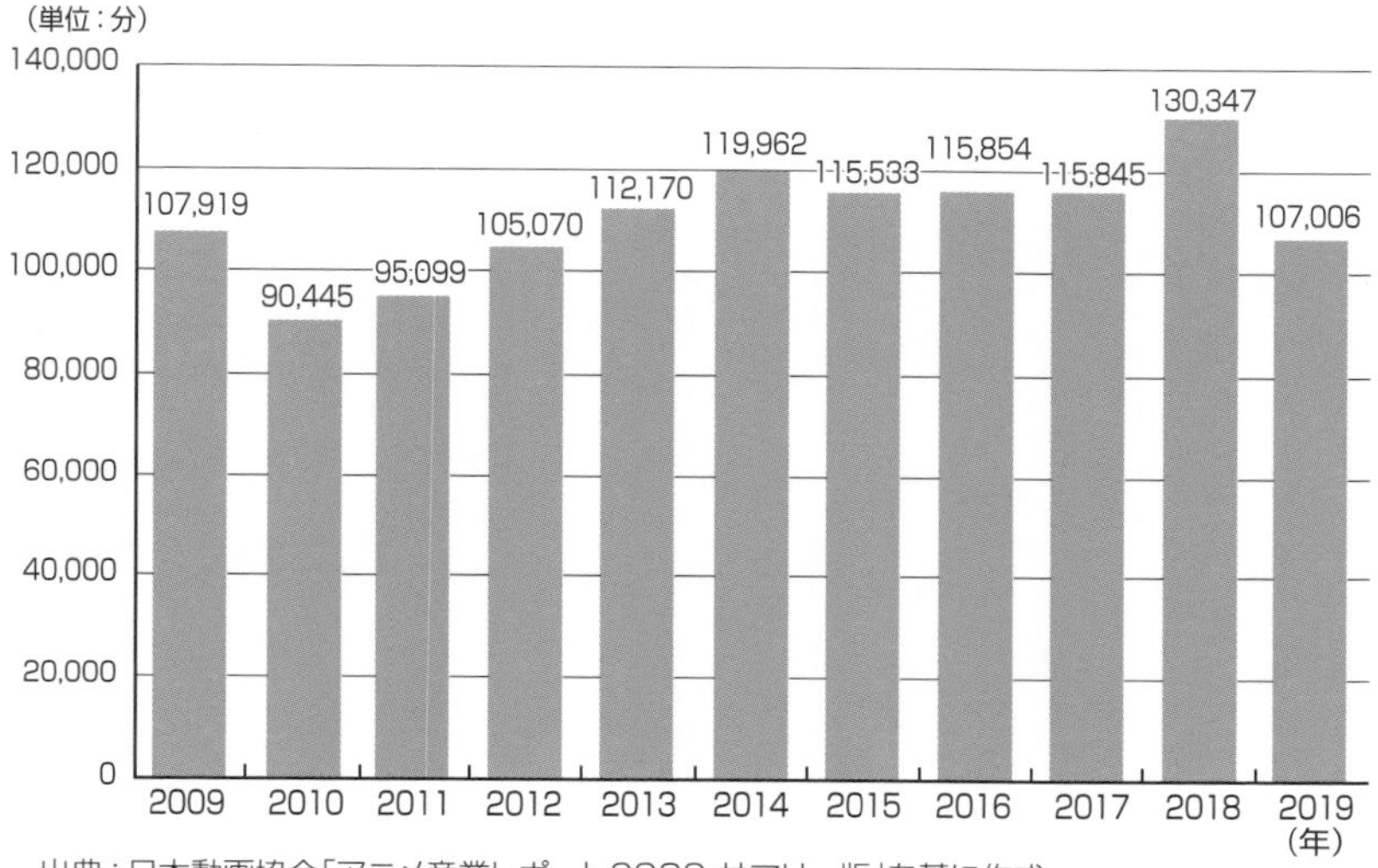

出典：日本動画協会「アニメ産業レポート2020 サマリー版」を基に作成

テレビアニメのタイトル数の推移（図 5.4.2）

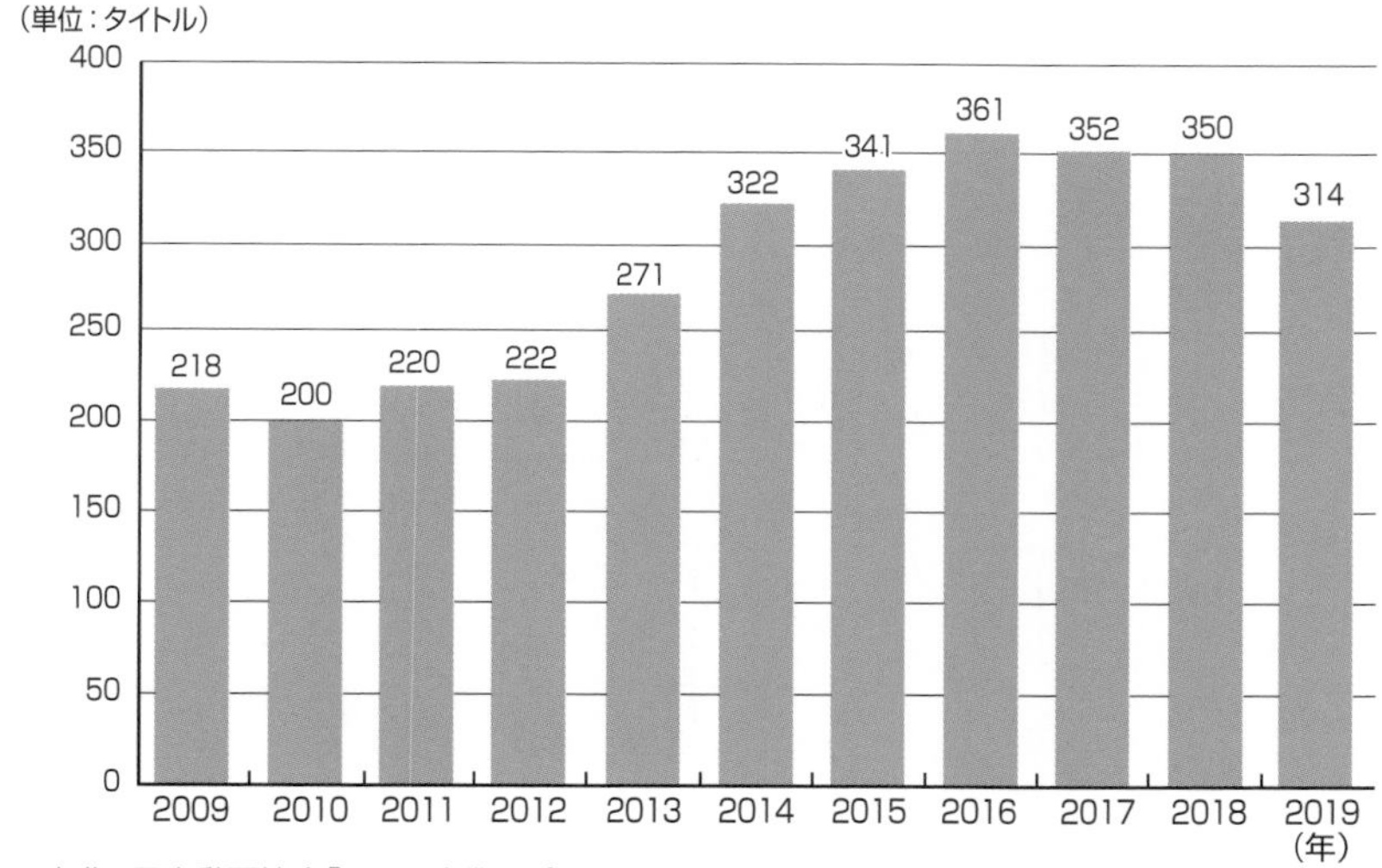

出典：日本動画協会「アニメ産業レポート2020 サマリー版」を基に作成

5 アニメ制作会社を囲い込むネットフリックス

定額動画配信の雄ネットフリックスの一九年の売上高は二〇一億ドルで、日本円に換算すると約二兆二〇〇〇億円にのぼります。このネットフリックスが、日本のアニメ業界に大きな影響力を行使しつつあります。

ネットフリックスの狙い

ネットフリックスは現CEOリード・ヘイスティングスが一九九七年に創業した企業で、当初は宅配によるDVDレンタルサービスを主軸にしていました。〇八年にはインターネットを利用した定額動画配信に軸足をシフトさせ、DX（7-9節参照）を見事に成功させます＊。一九年の全世界の売上高は**二〇一億ドル**、日本円換算で**約二兆二〇〇〇億円**にものぼりました。世界の有料会員数も二〇年末に**二億人**を突破しています。

ネットフリックスの強さの秘密の一つにオリジナル・コンテンツの制作があります。同社が所有する顧客データを分析し、巨額を投じて顧客のニーズに合致する作品をオリジナルで制作し、ネットフリックスの会員に向けて配信します。同社ではオリジナル・コンテンツの制作に年間**五〇〇〇億円**以上を投資しているといわれますが、これは日本のキー局一局が番組制作にかける約一〇〇〇億円をはるかに上回っています。すでに「**ROMA／ローマ**」のように一九年開催のアカデミー賞で監督賞などを受賞した作品もあります＊。

このネットフリックスがオリジナル・コンテンツの強化のため、日本のアニメ業界との連携を進めています。一八年には、人気アニメ「攻殻《こうかく》機動隊」を制作する**プロダクション・アイジー**からの独自作品供給に合意しています。また、二一年にはネットフリックスが提携先のアニメ会社と、アニメーターを育成する事業を立ち上げました。ネトフリ発の日本アニメが世界を席巻《せっけん》する日も近いのではないでしょうか。

用語解説

＊…**成功させます**　この点で日本のTSUTAYAと対照的といえる。

＊…**もあります**　ほかにも、チェスブームを巻き起こした「クイーンズ・ギャンビット」、韓流ブーム再来のきっかけになった「愛の不時着」、日本発で話題をさらった「全裸監督」「今際（いまわ）の国のアリス」など、多数の人気作を配信している。

ネットフリックスの売上と会員数の推移（図 5.5.1）

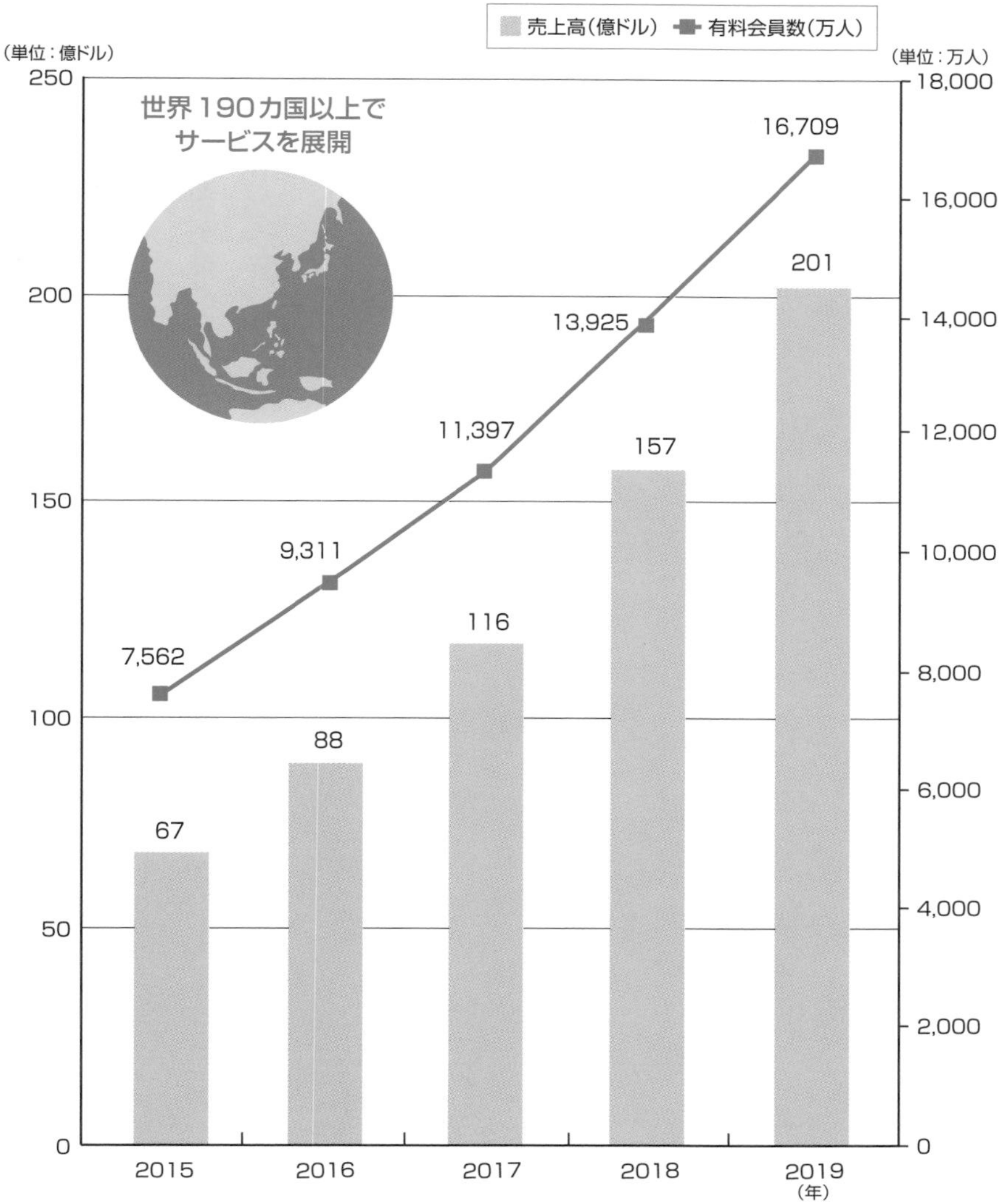
売上高(億ドル)
有料会員数(万人)
(単位：億ドル)
(単位：万人)
世界190カ国以上で
サービスを展開
250
200
150
100
50
0
18,000
16,000
14,000
12,000
10,000
8,000
6,000
4,000
2,000
0
7,562
9,311
11,397
13,925
16,709
67
88
116
157
201
2015
2016
2017
2018
2019
(年)

出典：ネットフリックス決算資料より

6　ディズニーのSVOD戦略

ネットフィリックスの躍進に待ったをかけようとしているのが、ディズニーではないでしょうか。ディズニーは自社所有のコンテンツを配信する独自サービスを着々と構築しています。

ディズニーVSネットフリックス

ディズニーでは、インターネット経由の動画配信サービスとして三つのブランドを展開しています。まず、ディズニーが所有する映画タイトルを中心に配信する「**ディズニープラス(+)**」、スポーツ中継のライブストリームおよびオンデマンド配信を行う「**ESPN+**」、テレビドラマを中心に配信する「**フールー**」です。

中でも話題となったのが、一九年一一月にアメリカでサービスを開始したディズニープラスです。同年末には、ディズニープラスの有料会員が早くも二〇〇〇万人を突破し、二一年三月には**一億人**を超えました。またディズニーでは、ディズニープラスの展開にあたり、ネットフリックスに供給していた作品を引き上げています。ディズニーが本気でネットフリックスに対抗しようとしているのがわかります。

会員数が二億人を超えたネットフリックスの背中はまだまだ遠いように思われます。しかしながら、ＥＳＰＮ＋の有料会員は一〇三〇万人、フールーは三六六〇万人＊、合計すると**約一億五〇〇〇万人**になります。これだとディズニーの会員数は、ネットフリックスの会員数の七五％であり、十分に勝負できるポジションにいるといえるでしょう。

ネットフリックスのＣＥＯリード・ヘイスティングスも「視聴時間ではユーチューブ、事業の相似性ではウォルト・ディズニーが最大の競争相手となる＊」と新聞のインタビューで述べています。対決はますます熾烈《しれつ》さを増しそうです。

用語解説

＊**三六六〇万人**　ESPN+とフールーの会員数は2020年実績。図5.6.1参照。

＊…**競争相手となる**　日本経済新聞(2020年11月24日)「ネットフリックスCEO『日本、コンテンツ制作も期待』」(http://www.nikkei.com/article/DGXMZO66529180R21C20A1TJ1000/)。

ディズニー系動画配信の会員数と会員あたりの月額収益（図 5.6.1）

●会員数

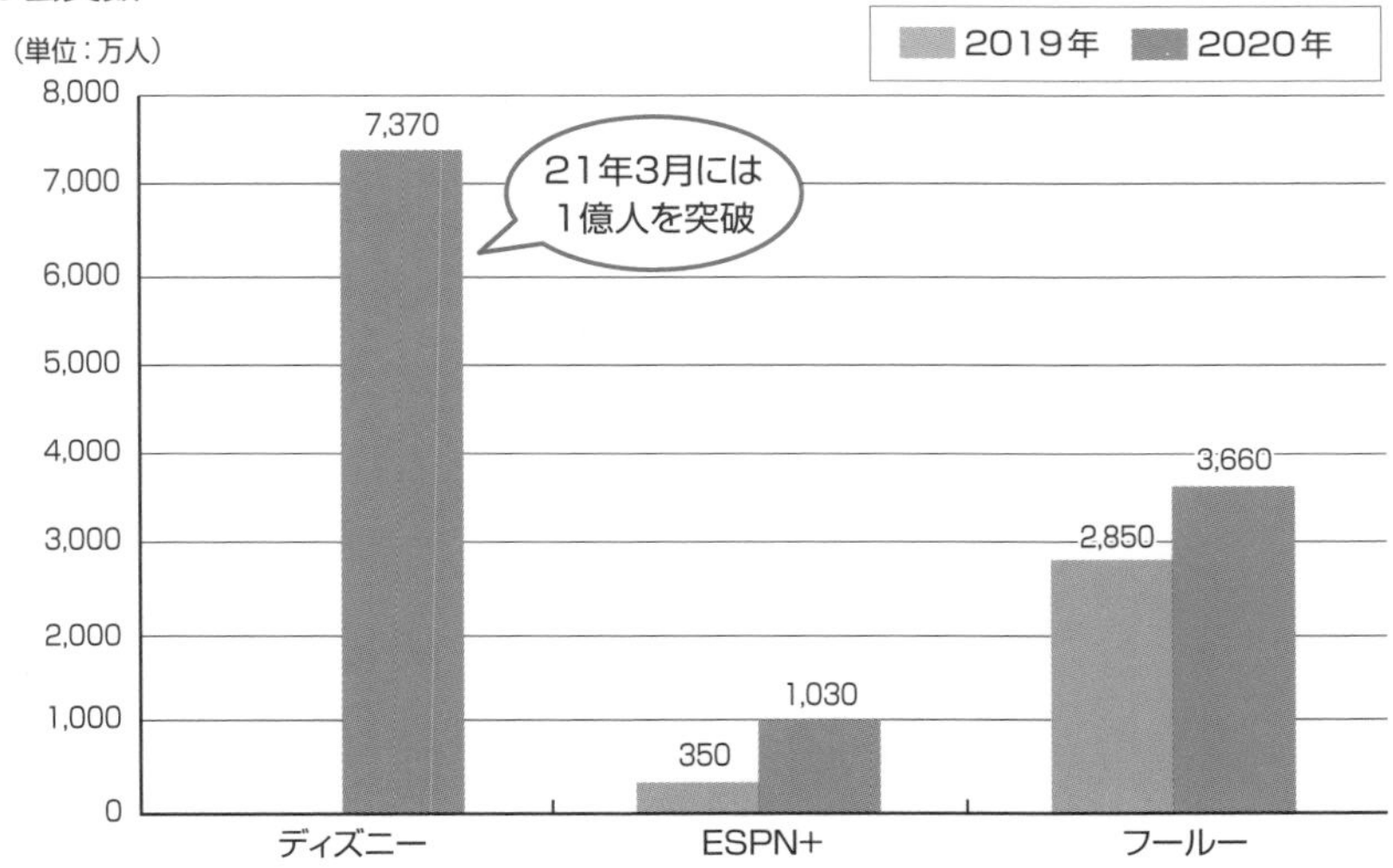

●会員１人あたりの月額収益

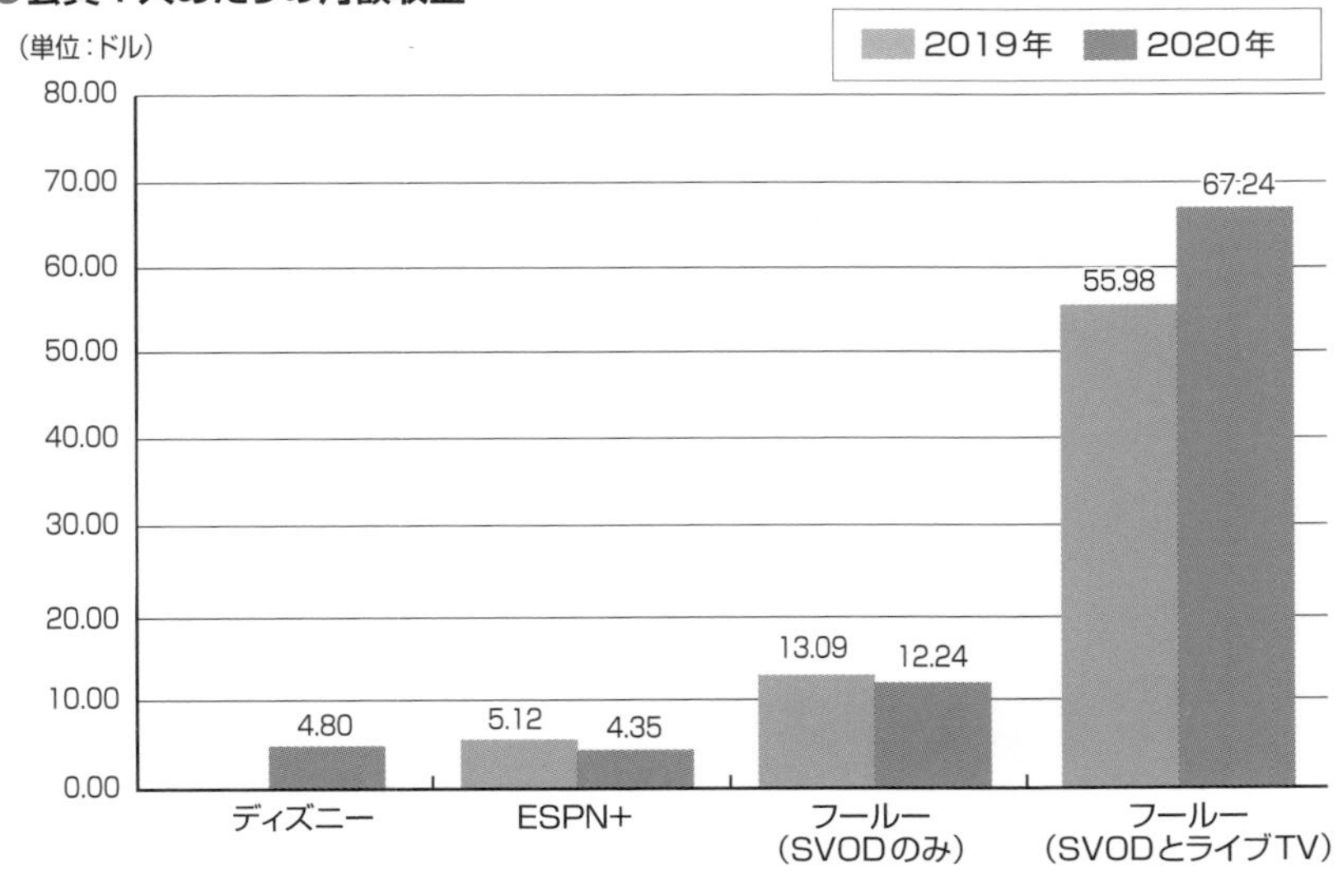

出典：The Walt Disney Company「Fiscal Year 2020 Annual Report」を基に作成

第5章 アニメーション／マンガ

7 アニメをめぐるソニーの動向

アニメを軸に事業者の競争を見たとき、ソニーの存在も決して忘れることはできません。ソニーはエンタテインメント事業の柱の一つとしてアニメを据えたい模様です。

アニメに注ぐ熱い視線

二一年四月、ソニーは社名を変更して「**ソニーグループ**」とし、かつての電機メーカーから、エンタテインメント事業を中核にした複合企業に変わろうとしています。そのソニーがいま現在、アニメーションに熱いまなざしを向けています。

二〇年に大ヒットした映画「**鬼滅の刃**」についてはすでに何度かふれました。同作の映画製作委員会は、権利を所有する集英社、アニメ制作会社ユーフォーテーブル、それにアニメ・プロダクションのアニプレックスの三社となっています（4-10節）。この**アニプレックス**はソニー・ミュージックエンタテインメントの一〇〇%子会社でした（2-7節）。映画「鬼滅の刃」の陰にはソニーの姿が隠されていたわけです。

近年のアニメをめぐるソニーの動きは非常に活発です。映画事業を統括する**ソニー・ピクチャーズエンタテインメント**（SPE）は、一七年にアメリカにおける日本のアニメ配給で最大手の**ファニメーション**を買収し、その後もイギリスのマンガ・エンタテインメント、オーストラリアのマッドマン、フランスのワカニムなど、アニメ関連企業を次々と傘下に収めています。さらに二〇年には、九〇〇〇万人もの顧客をもつアメリカのアニメ配信大手**クランチロール**の買収を発表しました。

アニメを含むソニーのエンタテインメント系の営業利益は全体の半分近くあります（図5・7・1）。ソニーはネットフリックスやディズニーと真っ向勝負をするために、着々と地ならしをしているようにも見えます。

ソニーの連結営業利益（図 5.7.1）

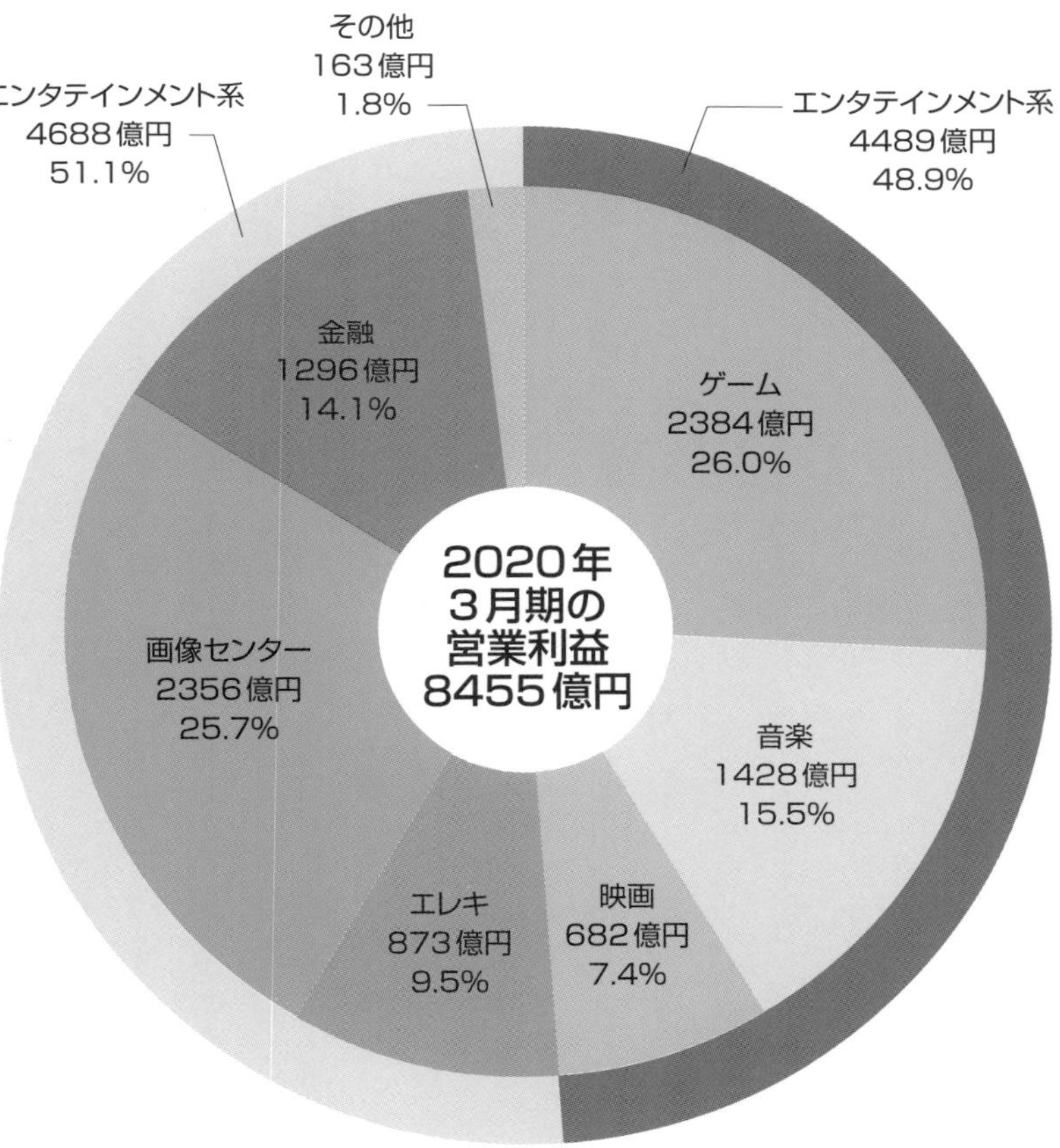
その他
163億円
1.8%
非エンタテインメント系
4688億円
51.1%
エンタテインメント系
4489億円
48.9%
金融
1296億円
14.1%
ゲーム
2384億円
26.0%
2020年
3月期の
営業利益
8455億円
画像センター
2356億円
25.7%
音楽
1428億円
15.5%
エレキ
873億円
9.5%
映画
682億円
7.4%

注：営業利益の合計額はセグメント間取り引きの722億円を消去した額。
出典：ソニー「2019年度連結業績概要」（2020年5月13日）

8 規模が縮小する紙のマンガ市場

アニメ市場に大きな影響を及ぼすのがマンガです。マンガで人気になった作品がテレビアニメ化、さらには映画化されたケースは多数あります。しかし、マンガ雑誌の不振は否めません。

縮小する雑誌市場

雑誌市場の縮小が止まりません。一九年の週刊誌販売金額は九九八億円、月刊誌販売金額は四六三九億円、トータルで**五六三七億円**になりました(図5・8・1)。これは一九九七年のピーク時の販売金額一兆五六四四億円のわずか**三六・〇%**に過ぎません。この二〇年で雑誌市場の三分の二が消滅したわけです。

雑誌市場の縮小は、マンガにも影を落としています。図5・8・2は、長期推移で見た**マンガ市場**(雑誌＋コミック)の推移です。まず、マンガ雑誌のみに注目すると、一九九五年に三三五七億円あった市場が、一九年には**七二二億円**まで落ち込んでいます。九五年に比べると、その市場規模は**二一・五%**まで縮小したことになり、この縮小幅は雑誌市場全体を上回ります。

一九年一月から三月に発行された一号あたりの**印刷証明付発行部数**＊を見ると、集英社の「**週刊少年ジャンプ**」が**一六九万部**と他を引き離しています＊。とはいえ、最高時(一九九三年から九四年)の「週刊少年ジャンプ」は六二〇万部を記録していましたから、現在の販売部数は最盛期のわずか二七・三%にしか過ぎません。

一方、紙のマンガ市場は雑誌のほかにコミックがあります。九五年のコミック市場は二五〇七億円ありましたが、一九年は**一六六五億円**まで縮小しています(同図5・8・2)。ただし、毎年規模が縮小していたコミック市場ながら、一九年は前年の一五八八億円から約八〇億円の増加に転じています。そしていまやデジタルのマンガが紙のマンガを上回っています(5-10節)。

用語解説

＊**印刷証明付発行部数**　日本雑誌協会が公表する客観的なデータを基にした雑誌の発行部数。発行部数の水増しを防ぐために設けられた。

＊**…他を引き離しています**　日本雑誌協会の「印刷部数公表」データベースによる(https://www.j-magazine.or.jp/user/printed2/index)。

雑誌市場の規模推移（図 5.8.1）

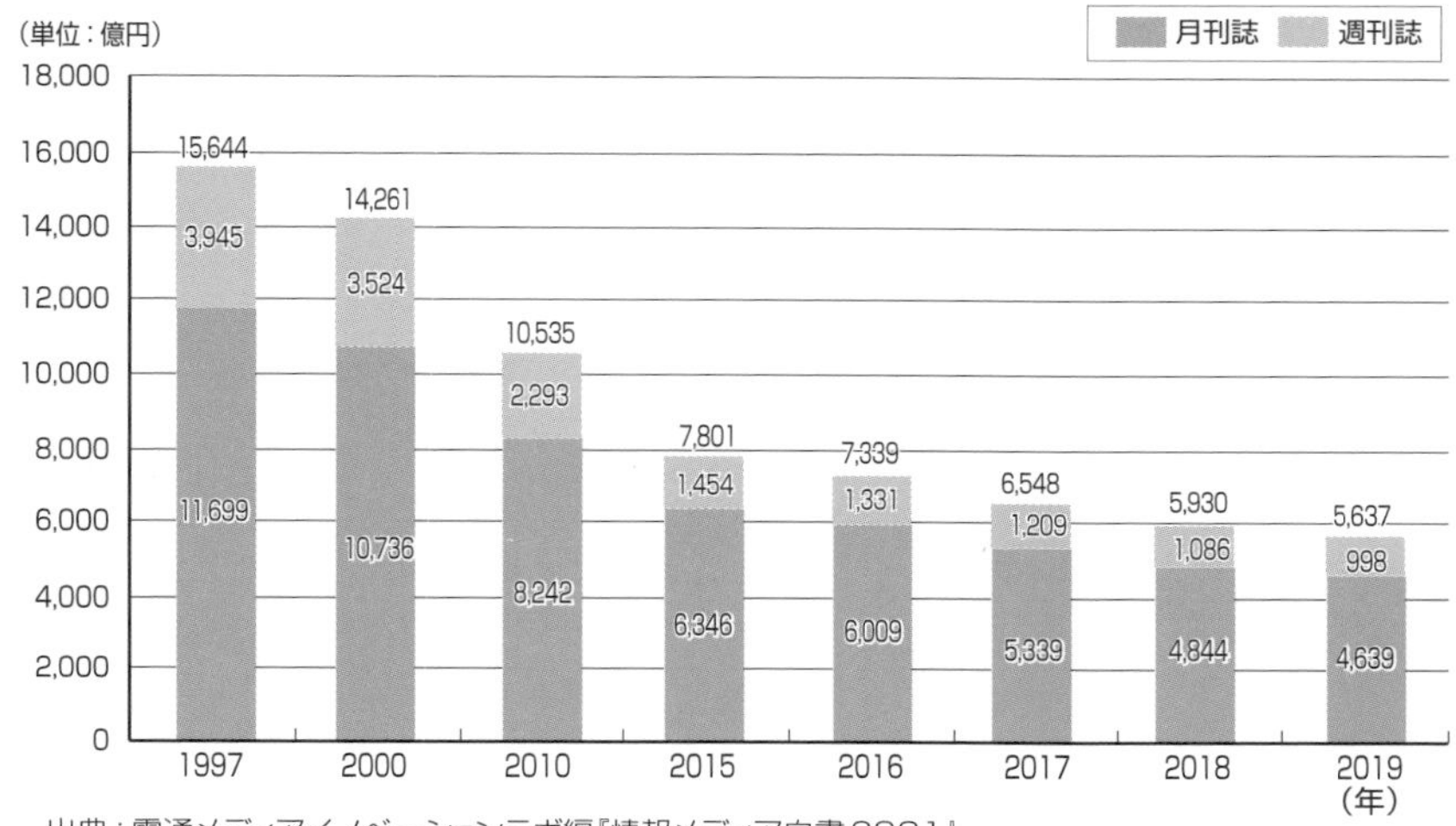
（単位：億円）
月刊誌 週刊誌
18,000
16,000
14,000
12,000
10,000
8,000
6,000
4,000
2,000
0
15,644
3,945
11,699
14,261
3,524
10,736
10,535
2,293
8,242
7,801
1,454
6,346
7,339
1,331
6,009
6,548
1,209
5,339
5,930
1,086
4,844
5,637
998
4,639
1997
2000
2010
2015
2016
2017
2018
2019
（年）

出典：電通メディアイノベーションラボ編『情報メディア白書 2021』

マンガ市場の規模（図 5.8.2）

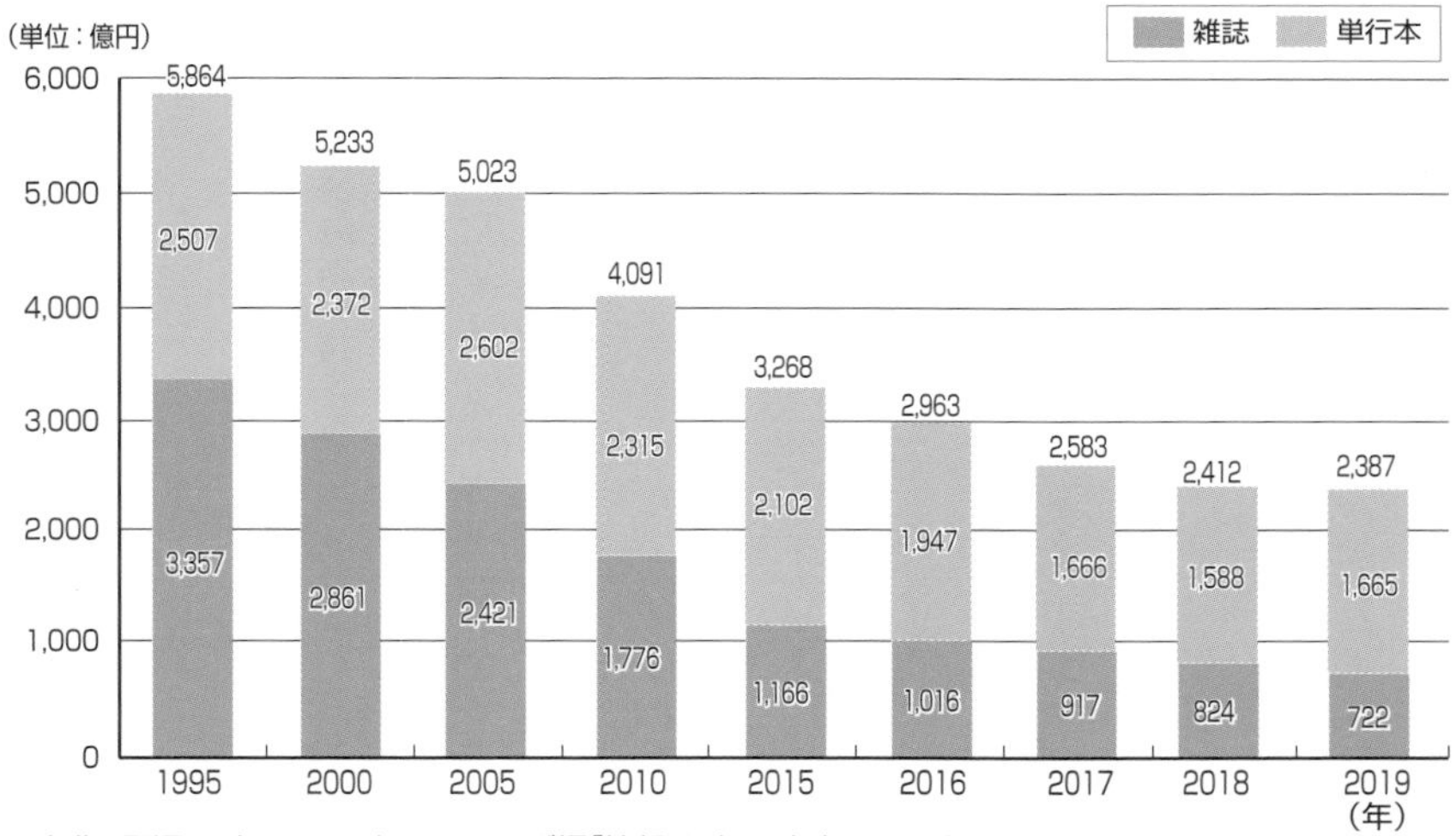
（単位：億円）
雑誌 単行本
6,000
5,000
4,000
3,000
2,000
1,000
0
5,864
2,507
3,357
5,233
2,372
2,861
5,023
2,602
2,421
4,091
2,315
1,776
3,268
2,102
1,166
2,963
1,947
1,016
2,583
1,666
917
2,412
1,588
824
2,387
1,665
722
1995
2000
2005
2010
2015
2016
2017
2018
2019
（年）

出典：電通メディアイノベーションラボ編『情報メディア白書 2021』

9　いまも人気作品を生み続けるマンガ雑誌

前節では不振にあえぐマンガ雑誌について見ました。しかし、そのような中でも爆発的な人気となり、テレビアニメ化や映画化、キャラクター化、さらには社会現象になる作品もあります。

人気マンガのもつ驚きのパワー

長年愛されているマンガとしては「サザエさん」や「ドラえもん」が著名です。また、近年では「ワンピース」や「NARUTO」「HUNTER×HUNTER」、それに一大ブームがいまだに続いている「鬼滅の刃」などがあります。ちなみに、これらはいずれも「**週刊少年ジャンプ**」から生まれた作品です。確かに「週刊少年ジャンプ」の販売部数は一時よりも大幅に落ちています。しかし、有力なコンテンツを生み出す孵化《ふか》装置として、依然、そのパワーは衰えていません。

雑誌で人気になった作品は単行本で稼ぎ、やがてはテレビアニメや映画、さらにはビデオソフトやテレビでの二次使用市場へも流通します。また、玩具やキャラクターグッズ、ゲームなどにも流用されます（図5・9・1）。

例えば、〇八年二月号の「BE・LOVE」（講談社）で連載の始まった「**ちはやふる**」は、競技カルタを題材にした、ちょっとユニークなマンガでした。これがヒットして、アニメや映画になりました。

また、このマンガの人気が引き金となって、競技カルタへの注目度が高まるという社会現象も生まれました。さらに、競技カルタの聖地である滋賀県・**近江神宮**＊の近くを走る京阪電車が、「ちはやふる」のラッピング列車＊を走らせるなど、地域の観光にも影響を及ぼしています（図5・9・2）。

このように、一本の作品が多様な形式に展開されて大きな収益を生み出します。マンガ雑誌から生まれるマンガの力は、まだまだ大きな可能性を秘めています。

用語解説

＊**近江神宮**　競技カルタの最高位である名人位、クイーン位の決定戦が毎年1月にここ近江神宮にて行われる。

＊**ラッピング列車**　京阪電車石山坂本線（石山寺駅〜坂本比叡山口駅間）にて、18年3月10日〜5月31日に運行された。

マンガの可能性（図 5.9.1）

テレビアニメ
映画
コミック
衣服
スナック菓子
玩具
キャラクターグッズ
ゲーム
マンガから
多様な可能性が
生まれてきた

「ちはやふる」のラッピング列車（図 5.9.2）

マンガは
街おこしにも
一役買っている

写真：山本優真

10

活況を呈するマンガアプリ

マンガの読み方が変わってきました。雑誌で読むマンガから、スマホで読むマンガへ。新興企業が新サービスを提供する一方で、古参の出版社も独自の人気サービスを展開しています。

市場を牽引するライン・マンガ

デジタル配信された電子マンガを**電子コミック**とも呼びます。電子コミックはガラケー（従来型携帯電話）時代にすでに配信が始まっていましたが、もちろん現在の電子コミックがターゲットにするのはスマホです。

全国出版協会・出版科学研究所によると、一九年の電子コミック市場は**二五九三億円**となりました（図5・10・1）。同研究所では、一九年の紙のマンガ市場（雑誌＋コミック）を二三八七億円と推定しており、電子市場が紙市場を追い抜き、両市場の合計は**四九八〇億円**になると報告しています。

市場を牽引している**マンガアプリ**＊の一つに「**ライン・マンガ**」があります（図5・10・2）。同サービスでは、連載マンガを毎日配信し、無料で読めるサービスを展開しています。作品数も四三万点と豊富で、有名なものから新人によるものまで幅広く取りそろえています。

また、マンガを販売するストアも展開しています。立ち読みや、期間限定で行われる一巻または複数巻の無料キャンペーンも人気です。

ライン・マンガと同様、「**コミコ**」も人気のマンガアプリです。コミコの特徴は、利用者が投稿したマンガを無料で読める点です。また、公式作品になると、作者に原稿料が支払われる仕組みになっています。

古参の出版社も新興企業の挑戦を受けて立っています。「**少年ジャンプ＋（プラス）**」（集英社）、「**マガジンポケット（マガポケ）**」（講談社）などの人気アプリが、旧作や連載作、オリジナル作を無料配信しています。

用語解説

＊**マンガアプリ**　ライン・マンガなどが配信する電子コミックは、スマホやタブレットを対象にしたマンガアプリで読む。アップルのアップ・ストアやグーグルのグーグル・プレイからダウンロードできる。

電子市場も含めたマンガ市場規模（図 5.10.1）

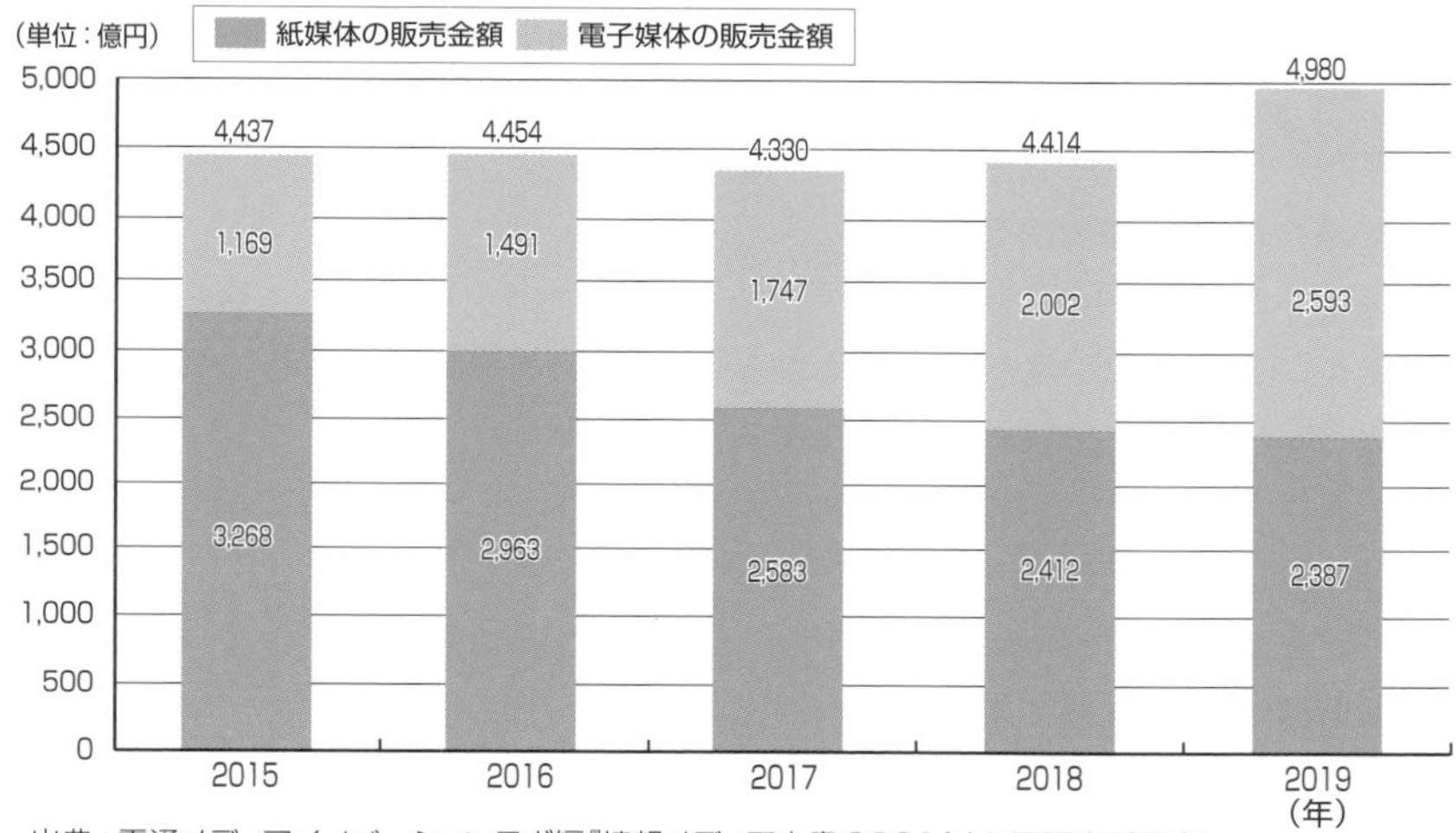

出典：電通メディアイノベーションラボ編『情報メディア白書 2021』より同研究所調査

電子コミックのアプリ（図 5.10.2）

●ライン・マンガ

●少年ジャンプ＋

column

人気のウォッチ・パーティーって何？

●海外で人気の視聴方法

サッカー・ワールドカップやラグビー・ワールドカップでは、離れた場所にいる友達とテレビのライブ中継を一緒に見ながら、ラインのトークにメッセージを投げて盛り上がったという人も多いに違いありません。

実は、このような視聴方法が定額動画配信の基本サービスとして定着しつつあります。これを**ウォッチ・パーティー**と呼びます。

定額動画配信にウォッチ・パーティーが追加されるようになったのは、20年5月頃と比較的新しい出来事です。

米国フールーがサービスを提供すると、競合他社も競って同様のサービスを開始しました。背景にはコロナ禍の外出規制により、離ればなれでも一緒に映像を楽しみたいというニーズがありました。

●サービスにより違いが

いずれの配信サービスでも仕組みは基本的に同じで、見たい動画を選んだら、友達に招待のリンクを送ります。同じサービスを利用しているならば一緒に視聴できるという仕組みです。

ただしサービスの細部は異なります。例えば、**ディズニープラス（+）**の場合、同時に視聴できるのは7人までで、絵文字は送れますが、チャット機能はありません。一方、**アマゾン・プライム・ビデオ**では最大100人まで同時に視聴できるようにしています。チャットも可能です。

また、アマゾン傘下の**ツイッチ**は**ゲーム実況**（6-12節）のプラットフォームとして人気がありますが、**プライム・ビデオ**も配信できるようになっています。さらに、新興企業の**シーナー**では、ビデオ会議で顔を合わせて会話しながら動画を楽しめるサービスを提供しています。

日本では一部サービスが利用可能ですが、本格的なサービスはこれからです。さて、日本でもウォッチ・パーティーが定着するようになるのでしょうか。

第6章

ゲーム

19年における日本のゲーム市場は2兆1572億円となりました。一時は低迷したゲーム市場ですが、規模拡大に大きく貢献したのがオンライン・ゲームの存在です。これに対してゲーム専用機や専用ソフト、アーケードゲームは悲喜こもごもの様相です。本章ではその現状を解説しましょう。

How-nual
図解入門
業界研究

1

ゲーム業界の市場構造

ゲーム業界のキー・プレイヤーはハードメーカーとソフトメーカーでした。しかし近年は両者に加えて、スマートフォンのＯＳを握るアップルやグーグルの存在感が高まっています。

ソフトメーカーとハードメーカー

ゲーム業界の中心的な役割を担ってきたのが、**ハードメーカー**と**ソフトメーカー**です。任天堂やソニー・インタラクティブエンタテインメント（ＳＩＥ）、マイクロソフトなどは家庭用ゲーム機の主力メーカーです。また、**アーケードゲーム**＊機器の製造を専業とする企業もあります。

一方、ゲーム・コンテンツそのものを制作するのが**ソフトメーカー**です。「ファイナルファンタジー」や「ドラゴンクエスト」で著名なスクウェア・エニックス、それに任天堂も、家庭用ゲーム機向けソフトで大きな力を振るっています。また、ソフトメーカーがアーケードゲーム機器メーカーを兼ねているケースも多いようです。タイトーやカプコンはその典型です。

プラットフォーマーの存在感が高まる

こうした従来のゲーム市場の主役だったハードメーカーやソフトメーカーとは別に、ますます存在感を高めているのが、スマートフォンのＯＳを握るアップル、グーグルの二社です。

両社の特徴は、自社開発のＯＳに対応するアプリを配信する**プラットフォーム**を押さえている点です。対応アプリを開発したソフトメーカーは、両社が運営するプラットフォームからアプリを配信せざるを得ません。もちろん有料アプリの場合、その手数料はアップルやグーグルに入ります。さらに、新たな市場として**クラウドゲーム**＊（6-10節）が姿を現し、早くもここで大手ＩＴ企業各社による覇権争いが始まっています。

用語解説

＊**アーケードゲーム**　ゲームセンターやゲームコーナー向けのゲーム機を指す。

＊**クラウドゲーム**　ゲームの計算処理をクラウド側で行い、その結果を利用者のデバイスに返すゲーム方式を指す。

ゲーム業界の市場構造（図 6.1.1）

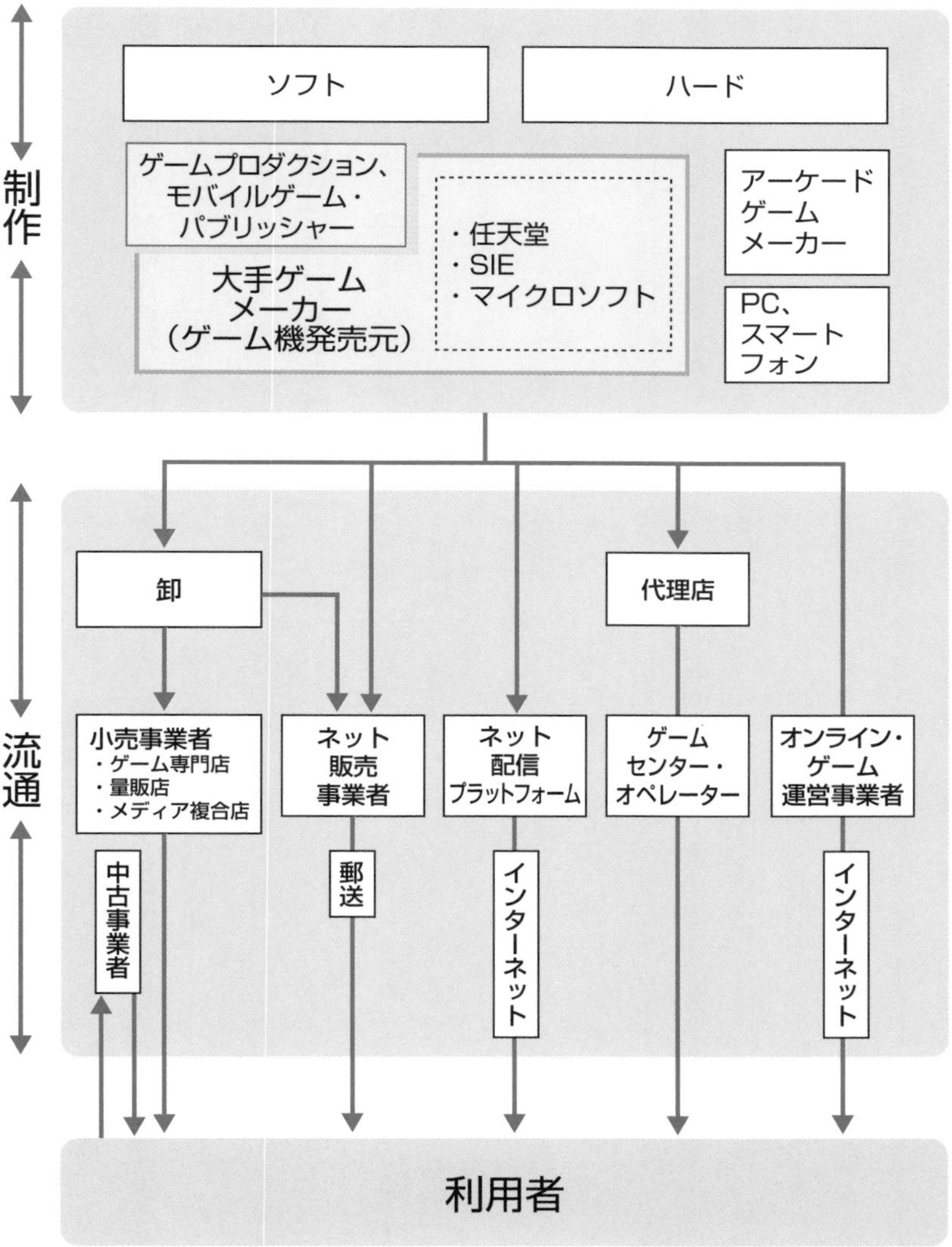

2 爆発的に拡大したゲーム市場

一時期の停滞から、市場が急拡大している家庭用および業務用ゲーム市場ですが、一九年は少々足踏み状態となりました。それでも市場規模は二兆一五七二億円を達成しています。

ゲーム市場は二兆一五七二億円

図6・2・1は、**ゲーム市場**をソフトウェア、オンライン・ゲーム、フィーチャーフォン*向け配信、アーケードの四区分で見た規模の推移です。

まず全体の傾向を確認しておきましょう。〇六年以降、ゲーム市場は停滞が続き、〇九年には一兆七〇三億円と、一兆円割れ目前まで市場は縮小しました。ところが、〇九年を底に市場は拡大基調となり、毎年一〇〇〇億円あるいはそれを上回る額を上乗せする勢いで成長を続けます。

一五年こそ足踏みはしたものの、一八年は二兆一九三三億円と過去最高を記録しました。翌一九年は前年割れとなりましたが、それでも**二兆一五七二億円**の規模に達しています。

このゲーム市場の拡大要因は、グラフを見れば一目瞭然ではないでしょうか。それは**オンライン・ゲーム**の急成長です。

〇九年までは一〇〇〇億円を下回る規模で推移していたオンライン・ゲーム市場ですが、一〇年に一〇〇〇億円を突破すると急に勢いづき、わずか五年後の一五年には一兆円の壁をやすやすと突破し、直近の一九年は**一兆四四六九億円**の市場規模になりました。

ちなみに**iPhone 3G***の発売が〇八年七月で、以後、スマホが爆発的な人気を呼びます。オンライン・ゲーム市場はこのスマホの普及とともに拡大しており、スマホを利用したオンライン・ゲームがゲーム市場の爆発的拡大を呼び起こした模様です。

用語解説

＊**フィーチャーフォン**　ガラケー、従来型携帯電話のこと。

＊**iPhone 3G**　初代iPhoneは07年にアメリカ市場に投入されたが、日本市場に最初に投入されたのはiPhone 3Gだった。これがスマホブームの契機になる。

ゲーム市場規模の推移（図 6.2.1）

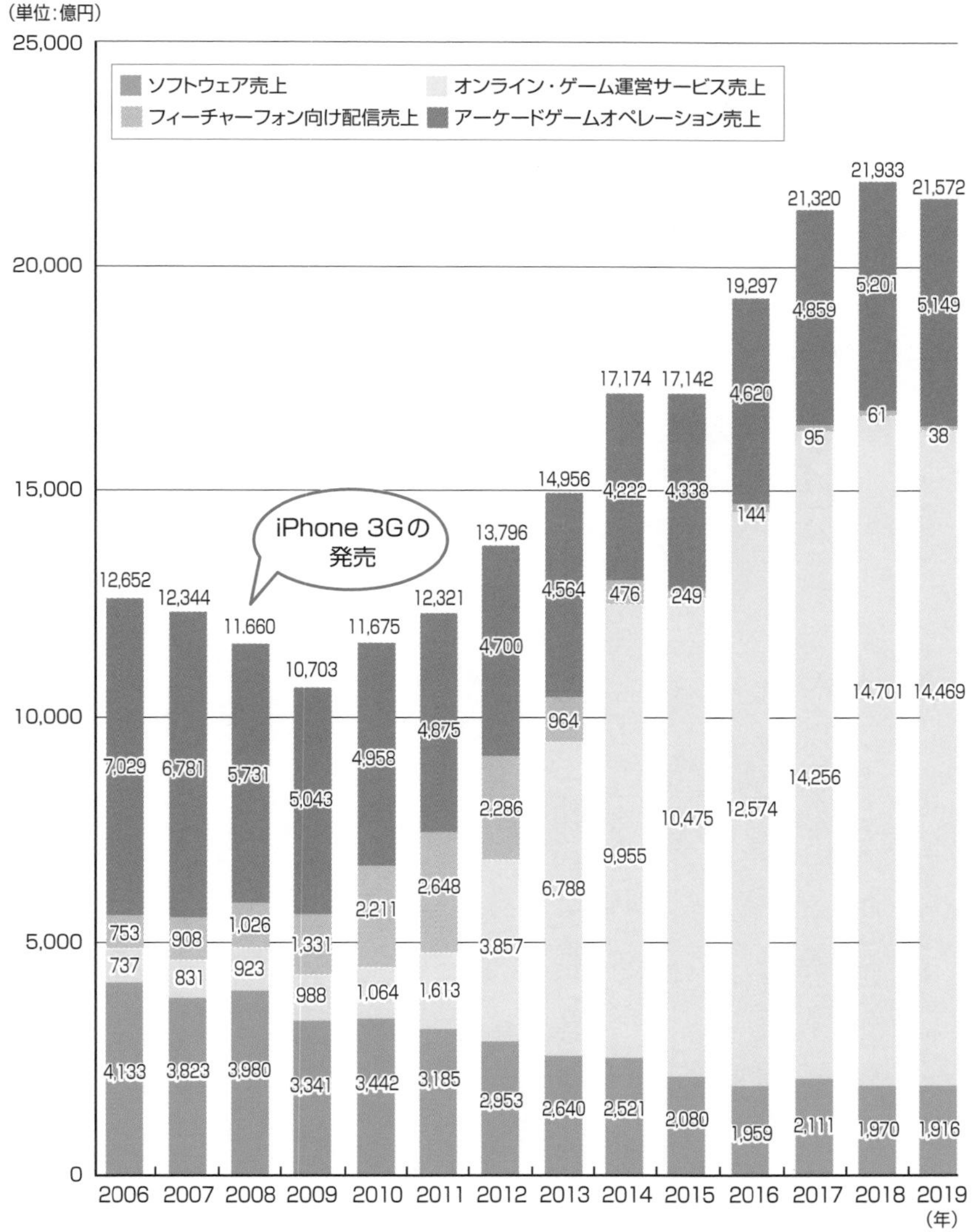

出典：デジタルコンテンツ協会編『デジタルコンテンツ白書 2016』および
『デジタルコンテンツ白書 2020』を基に作成

3 オンライン・ゲーム市場は前年割れ

前節で見たように、日本のゲーム市場をオンライン・ゲームが牽引しています。オンライン・ゲーム市場のプレイヤーには、ミクシィやディー・エヌ・エー、ガンホーなどの新興企業がひしめいています。

初の前年割れを喫す

図6・3・1は、ソフトウェア、オンライン・ゲーム、フィーチャーフォン向け配信、アーケードの四区分それぞれが、ゲーム市場全体に占める割合を、一〇年と一九年で比較したものです。

このグラフを見ると、オンライン・ゲームの急成長ぶりがよくわかるというものです。一〇年における**オンライン・ゲーム市場**はゲーム市場全体に相当する一兆一六七五億円のわずか**九・一%**を占めるに過ぎませんでした。これが一九年にはゲーム市場二兆一五七二億円の**六七・一%**を占めるようになっています。

これに対して、オンライン・ゲーム以外はいずれもシェアを大きく落としています。ソフトウェアは二九・五%から八・九%、アーケードゲームは四二・五%から二三・九%へと急落しています。別の節でゲームソフトやアーケードゲームについて見ていきますが、この数字からも苦戦の様子がうかがえます。

ただし、一九年のオンライン・ゲームは初めて前年割れを喫し、**一兆四四六九億円**になりました(図6・2・1)。これが大きな要因となって、ゲーム市場全体も前年割れとなったわけです。このトレンドが二〇年も続くのか、注視が必要です。

なお、図6・3・2は、デバイス別で見た一九年のオンライン・ゲーム市場です。オンライン・ゲームのデバイスは、スマートフォン**九五・四%**、PC／コンソール四・六%と、スマホが圧倒的多数を占めていることがわかります。

ゲーム種別のシェア推移（図 6.3.1）

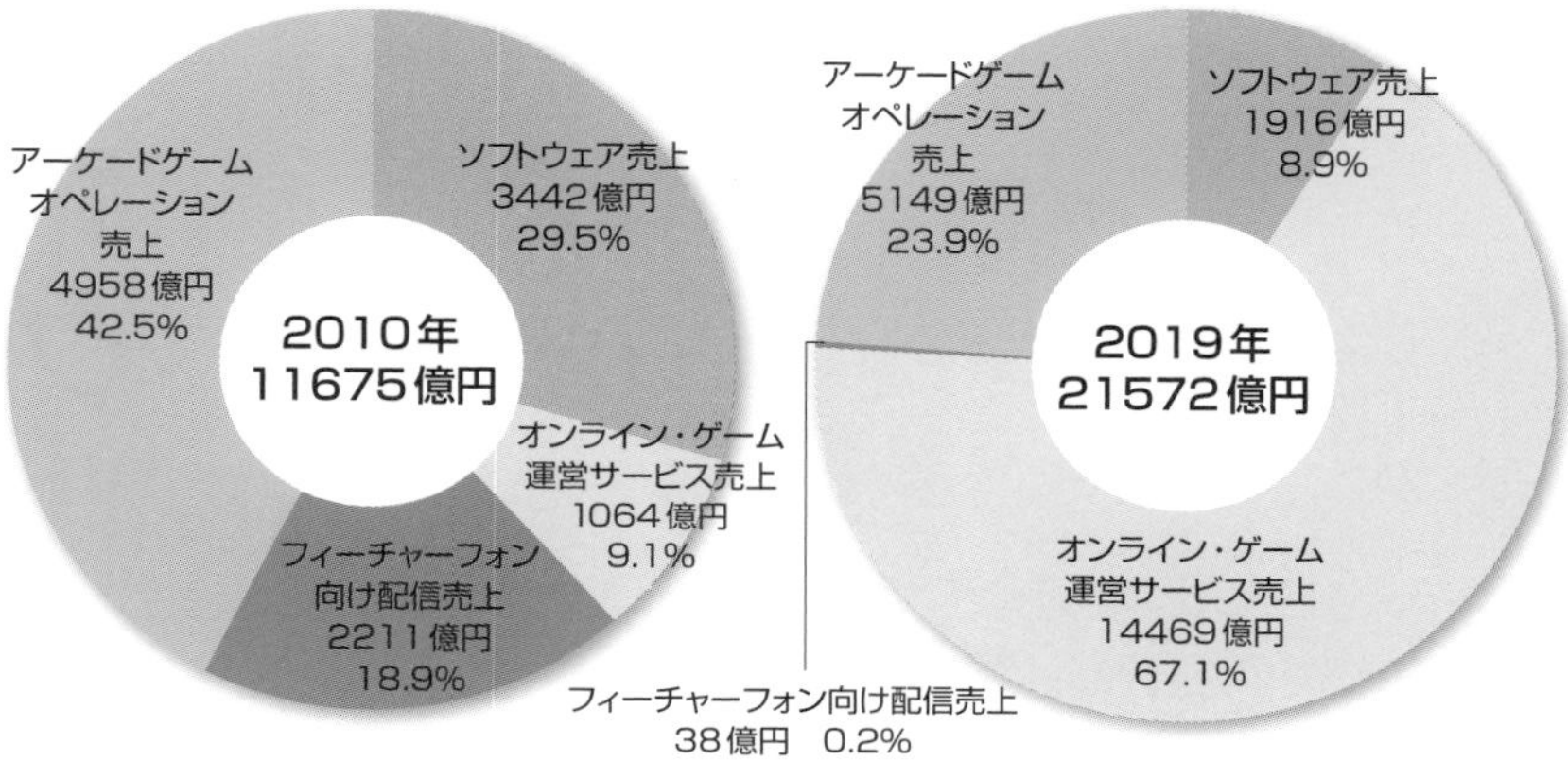
2010年
11675億円
ソフトウェア売上
3442億円
29.5%
オンライン・ゲーム
運営サービス売上
1064億円
9.1%
フィーチャーフォン
向け配信売上
2211億円
18.9%
アーケードゲーム
オペレーション
売上
4958億円
42.5%
2019年
21572億円
ソフトウェア売上
1916億円
8.9%
オンライン・ゲーム
運営サービス売上
14469億円
67.1%
フィーチャーフォン向け配信売上
38億円　0.2%
アーケードゲーム
オペレーション
売上
5149億円
23.9%

出典：デジタルコンテンツ協会編『デジタルコンテンツ白書2020』を基に作成

デバイス別オンライン・ゲーム市場（2019年）（図 6.3.2）

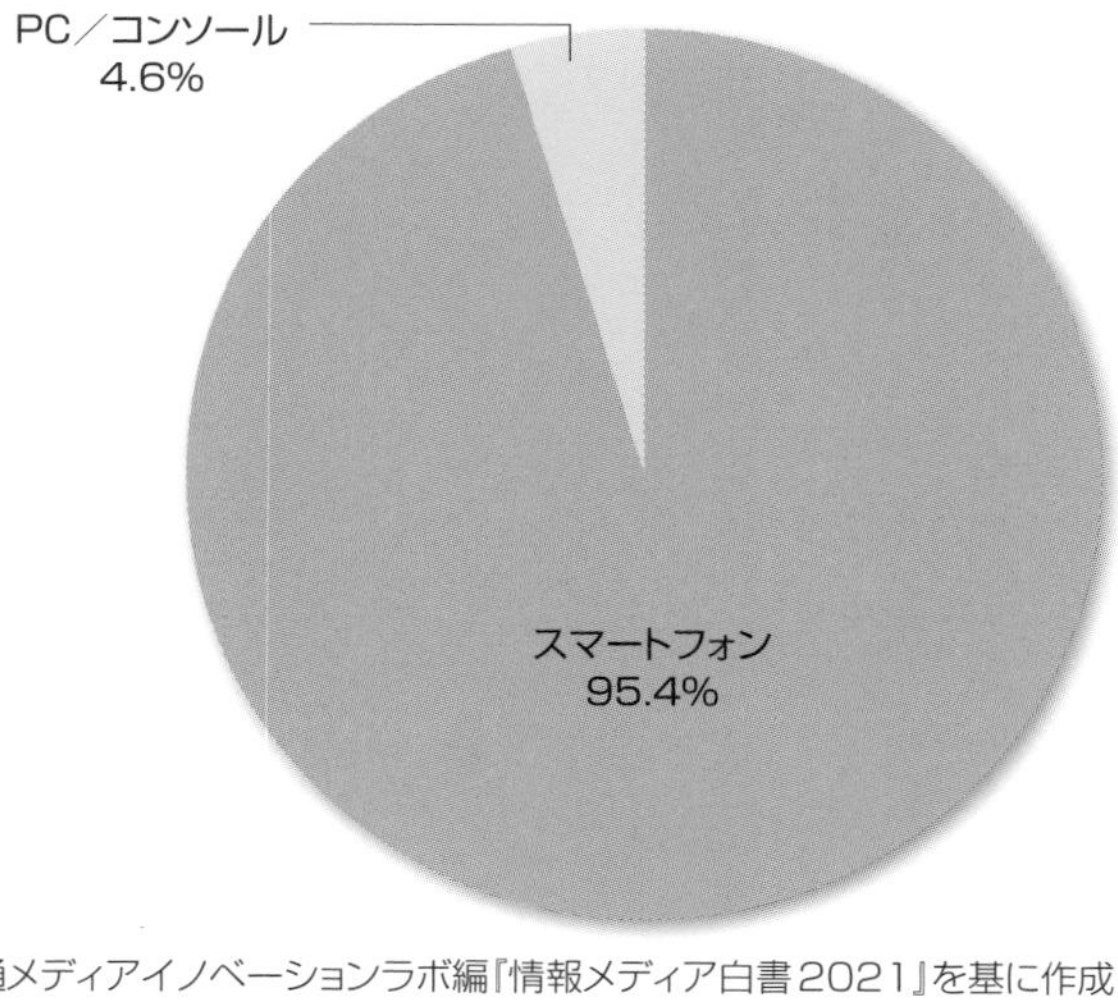
PC／コンソール
4.6%
スマートフォン
95.4%

出典：電通メディアイノベーションラボ編『情報メディア白書2021』を基に作成

4 スマホゲームで遊ぶユーザー

三菱総合研究所の調査によると、スマホゲームで遊んだ経験のある人は全体の六九・〇%で、三人に一人は一週間に五日以上遊びます。スマホゲームをする人の二〇・三%が、月額三〇〇〇円以上をゲームに費やします。

お金を払わずに賢く遊ぶ

図6・4・1は、**スマホゲーム**で遊んだ経験があるかを尋ねたものです。回答数は六三七三人で、そのうち**六九・〇%**が「遊んだことがある」と答えています。また、一週間に一日以上遊ぶ人が全体の一三・三%、一週間に五日以上遊ぶ人は**三二・六%**とほぼ三人に一人の割合となっています。

次に、スマホゲームで遊んだことがあるという人に、スマホゲームでお金を払った経験があるかどうか尋ねました。その結果、お金を払ってゲーム内アイテムを購入したことがあると答えた人は、回答者四三九一人のうち一八・四%になりました。一方、その他の課金も含めて、お金を払ったことがないと回答した人は**七一・一%**でした。

つまり、何らかの形でスマホゲームにお金を払う人は全体の約三割で、多くの人はスマホゲームを無料でダウンロードして、お金を使わずに遊んでいる姿が浮かび上がります。

7-12節では、ウェブ上で行われているビジネスの代表的なタイプについてふれています。その中に、基本サービスを無料で提供し、プレミアム・サービスは有料にする、**フリーミアム**＊というビジネスモデルがあります。スマホゲームもこのフリーミアムの一つといえます。

図6・4・2はスマホゲームにお金を払った人の月間平均支払額です。月間平均金額は一五〇〇円未満が六二・七%と大多数を占めます。

その一方で、二〇・三%の人が月額三〇〇〇円以上をゲームに支払っています。

用語解説

＊**フリーミアム**　**クリス・アンダーソン**が著作『**フリー**』(2009年、NHK出版)の中で指摘した言葉。アンダーソンは「ロングテール」という言葉を流行らせた人物としても有名。

1日あたりのゲームプレイ時間の推移（図6.4.1）

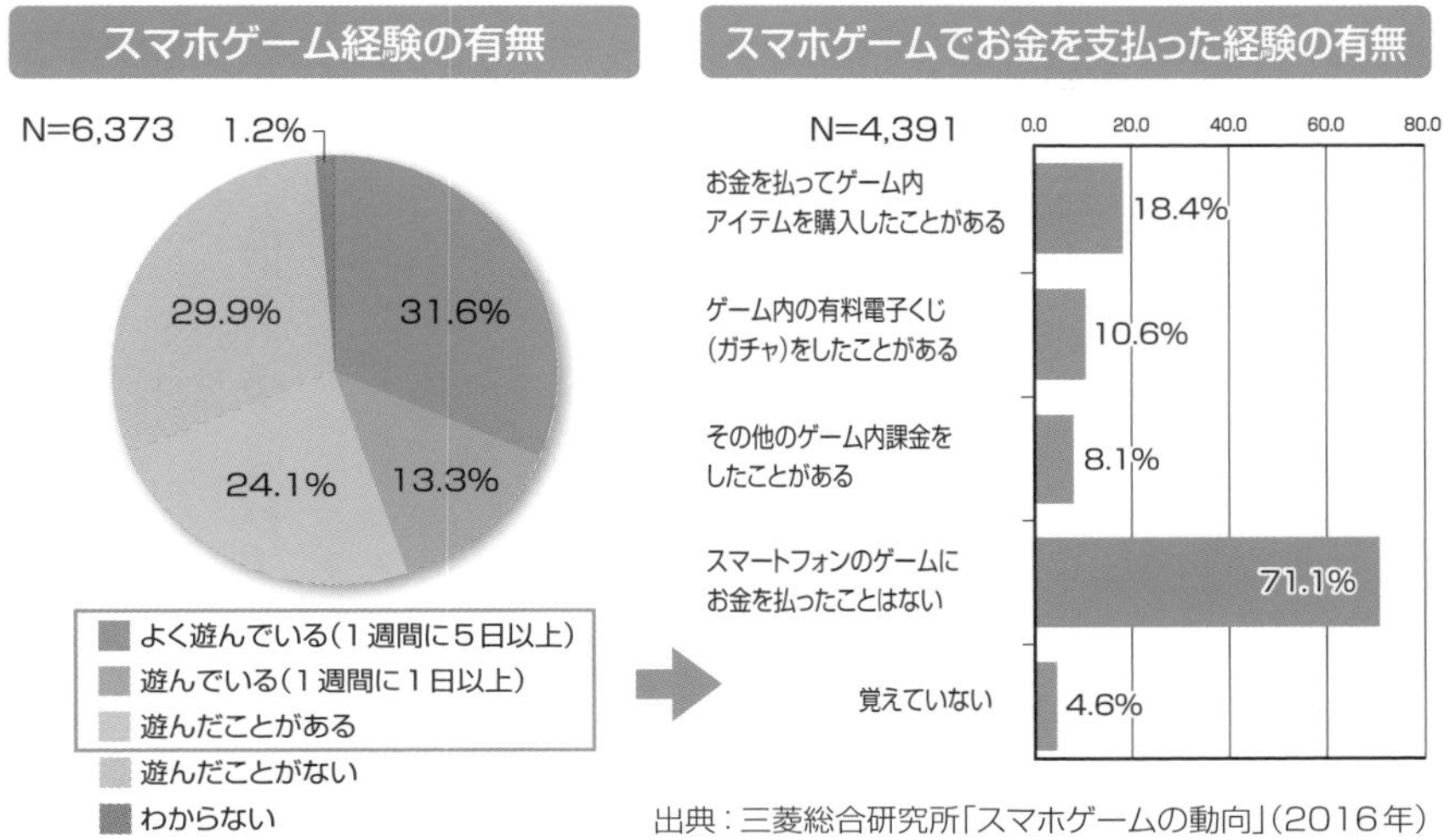
スマホゲーム経験の有無
N=6,373
1.2%
31.6%
13.3%
24.1%
29.9%
よく遊んでいる（1週間に5日以上）
遊んでいる（1週間に1日以上）
遊んだことがある
遊んだことがない
わからない
スマホゲームでお金を支払った経験の有無
N=4,391
0.0
20.0
40.0
60.0
80.0
お金を払ってゲーム内アイテムを購入したことがある
18.4%
ゲーム内の有料電子くじ（ガチャ）をしたことがある
10.6%
その他のゲーム内課金をしたことがある
8.1%
スマートフォンのゲームにお金を払ったことはない
71.1%
覚えていない
4.6%
出典：三菱総合研究所「スマホゲームの動向」（2016年）

スマホゲームへの月間平均支払額（図6.4.2）

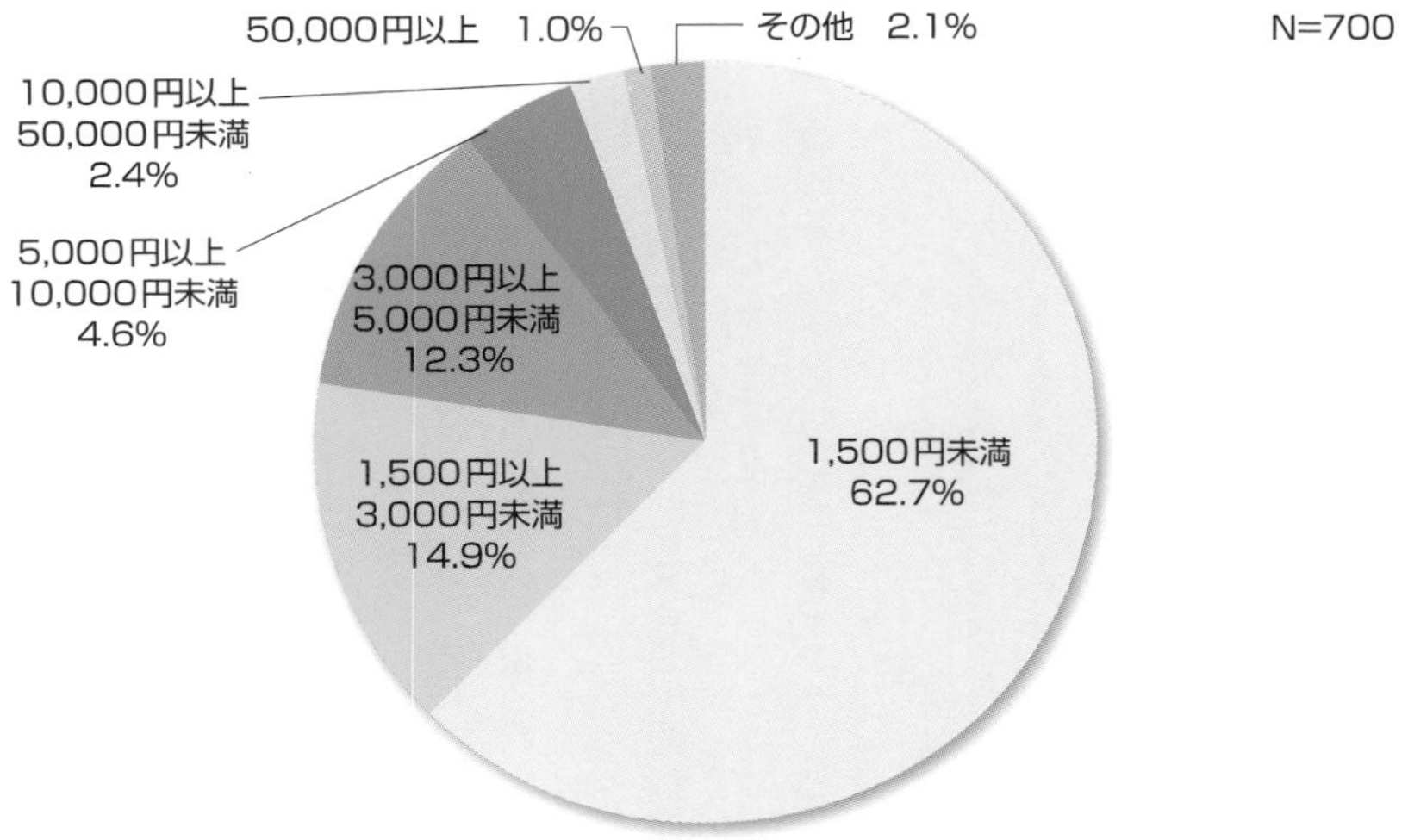
50,000円以上　1.0%
その他　2.1%
N=700
10,000円以上
50,000円未満
2.4%
5,000円以上
10,000円未満
4.6%
3,000円以上
5,000円未満
12.3%
1,500円以上
3,000円未満
14.9%
1,500円未満
62.7%

出典：三菱総合研究所「スマホゲームの動向」（2016年）

第6章　ゲーム

5 スイッチとPS4の激しい戦い

かつてのゲーム市場の中心プレイヤーだったゲーム専用機とソフトの市場は三〇〇〇億円台で推移しています。専用機ではニンテンドー・スイッチが一強ですが、ゲームソフトではPS4向けも健闘しています。

スイッチの躍進、PS4の健闘

図6・5・1は、一四年から一九年にかけての家庭用ゲーム市場規模について、ゲーム専用機（ハード）とゲームソフトに分けてその推移を見たものです。ご覧のように三〇〇〇億円台を上下しているのが現状で、市場はどちらかというと停滞気味に見えます。

直近の一九年はゲーム専用機が**一六七三億円**、ゲームソフトが**一六五七億円**、トータルで**三三三〇億円**となりました。一七年が三八六七億円、一八年が三五〇六億円でしたから、トータルで二年連続の前年割れになってしまいました。

一方、図6・5・2は、一九年の国内ゲーム専用機出荷台数を機種別に見たものです。総出荷台数は六二〇・四万台で、そのうち**ニンテンドー・スイッチ**＊が四八一・四万台、全体に占める割合は**七七・六％**という驚くべき数字を達成しました。これに続くのがソニー・インタラクティブエンタテインメント＊（SIE）の**PS4**で出荷台数は一三〇・七万台、全体に占める割合は二一・一％でした。このように、一強のスイッチに対してPS4がなんとか牙城を確保した格好です。

もっとも、ゲームソフトで見るとその構図がちょっと変わってきます（図6・5・3）。一九年のスイッチ向けソフトの国内出荷本数は一六九二・五万本、比率は**六四・一％**でした。これに対してPS4向けソフト国内出荷本数は八八八・七万本、比率は**三三・七％**でした。このように、ソフトの出荷本数で見るとPS4もかなり健闘していることがわかります。

用語解説

＊**ニンテンドー・スイッチ**　正式名称はNintendo Switch。

国内家庭用ゲーム市場の規模推移（図 6.5.1）

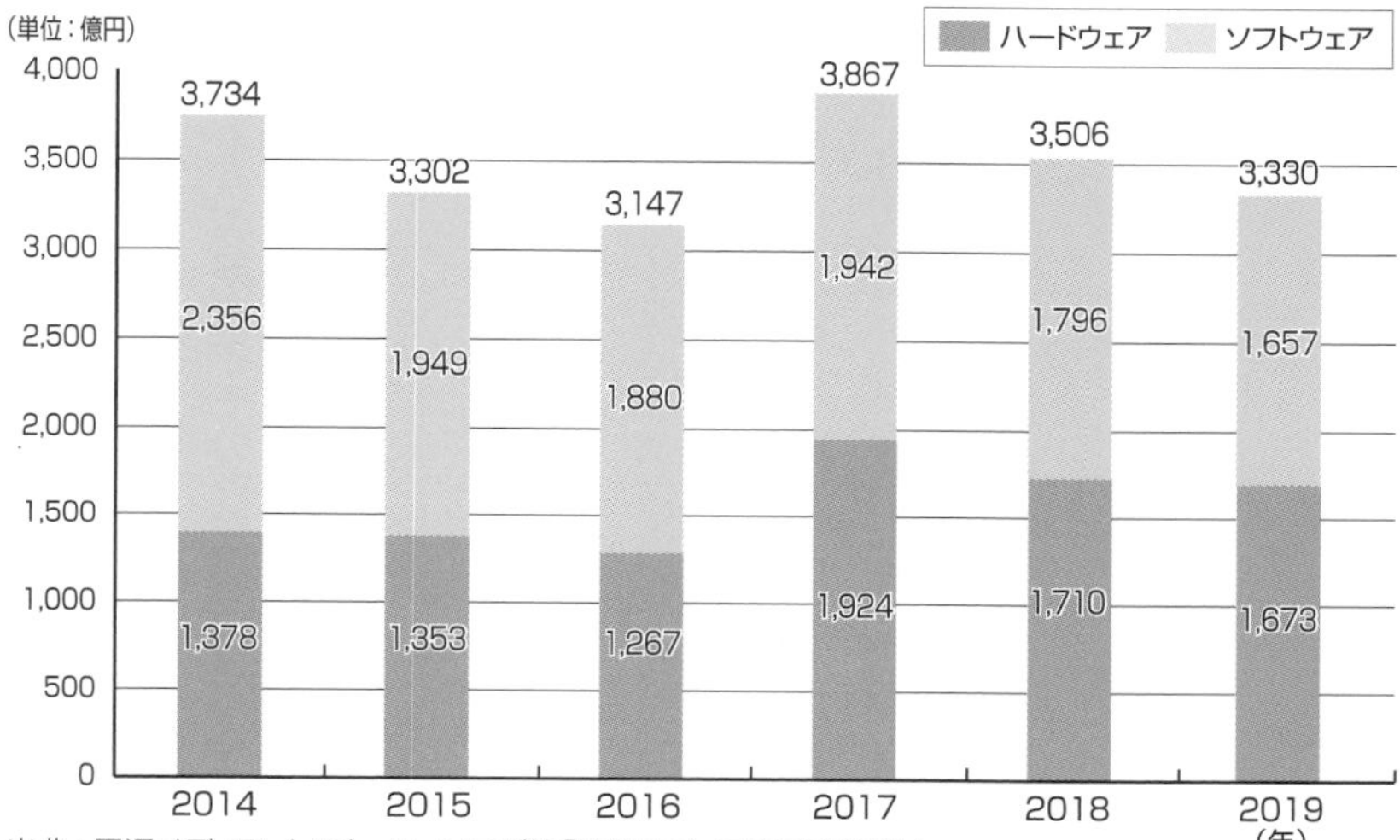
（単位：億円）
ハードウェア
ソフトウェア
4,000
3,500
3,000
2,500
2,000
1,500
1,000
500
0
3,734
2,356
1,378
3,302
1,949
1,353
3,147
1,880
1,267
3,867
1,942
1,924
3,506
1,796
1,710
3,330
1,657
1,673
2014
2015
2016
2017
2018
2019
（年）

出典：電通メディアイノベーションラボ編『情報メディア白書 2021』

家庭用ゲーム機国内出荷台数（図 6.5.2）

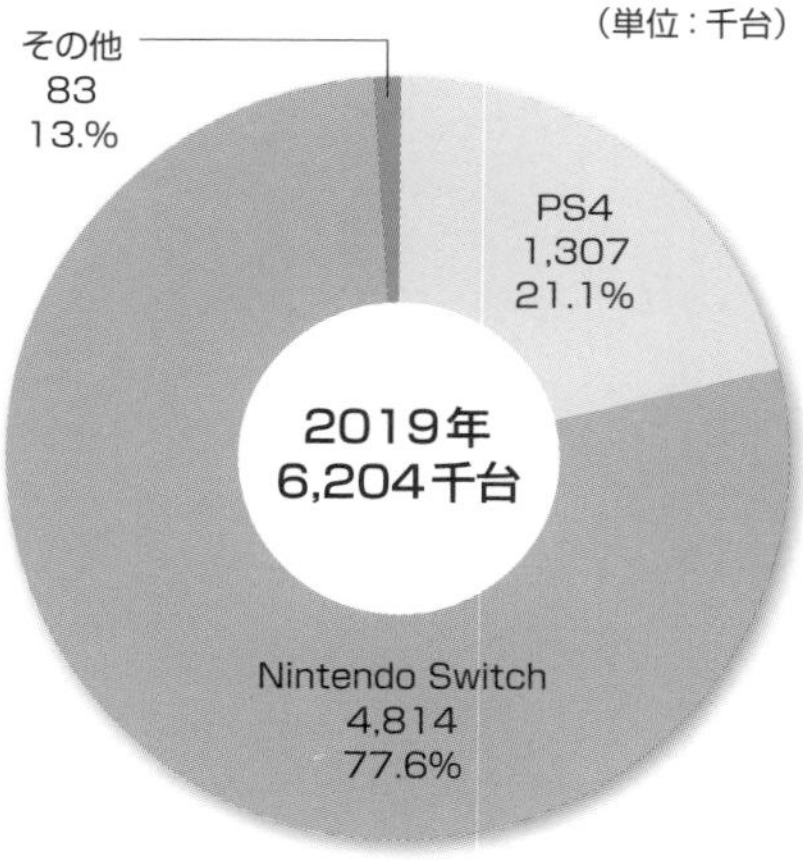
（単位：千台）
その他
83
13.%
PS4
1,307
21.1%
2019年
6,204千台
Nintendo Switch
4,814
77.6%

家庭用ゲームソフト国内出荷本数（図 6.5.3）

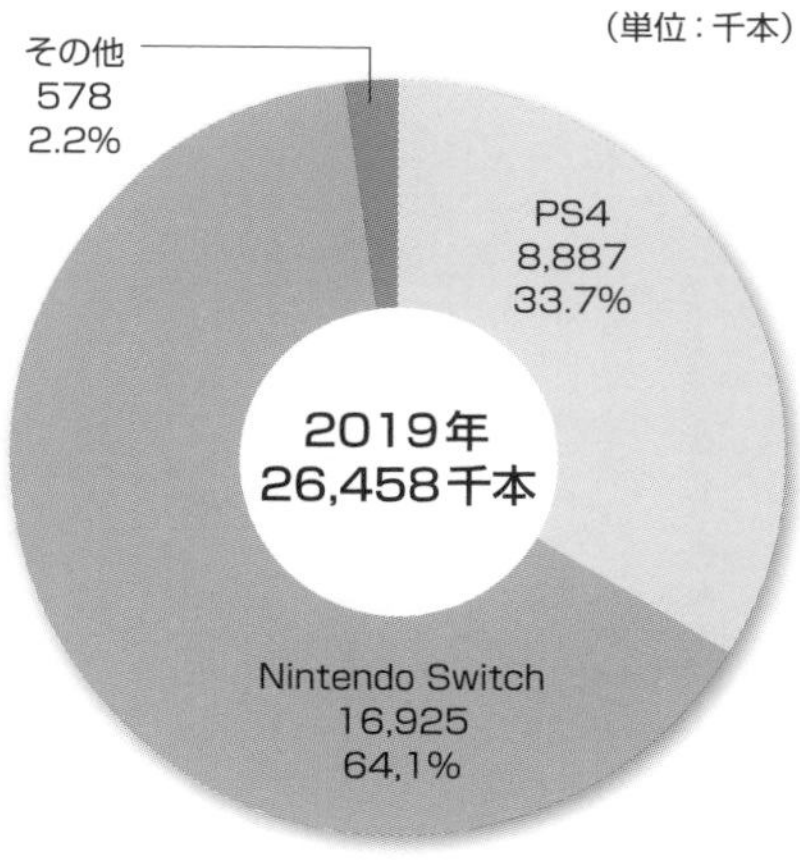
（単位：千本）
その他
578
2.2%
PS4
8,887
33.7%
2019年
26,458千本
Nintendo Switch
16,925
64,1%

出典：電通メディアイノベーションラボ編『情報メディア白書 2021』を基に作成

用語解説

＊**ソニー・インタラクティブエンタテインメント**　16年に株式会社ソニー・コンピュータエンタテインメント（SCE）からソニー・インタラクティブエンタテインメント（SIE）に社名を変更した。

第6章 ゲーム

6

見事に復活を遂げた任天堂

家庭用ゲーム専用機でその存在感を長らく維持してきたのは任天堂でした。一時はヒット作がないため苦しい経営を迫られましたが、ニンテンドー・スイッチの大ヒットで息を吹き返しました。

V字回復で往年の任天堂に

図6・6・1は、**任天堂**の連結売上高の推移を見たものです。〇八年度に一兆八三八六億円もあった売上が、一一年度には六四七六億円へと急落し、営業利益は三七三億円の赤字へと転落しました。その後も苦境からなかなか抜け出せず、一六年度には営業利益こそ黒字を確保したものの、売上は四八九〇億円まで落ち込みました。

時代はスマホ向けのオンライン・ゲームが一大ブームを巻き起こしている真っただ中です。時代の変化に乗り遅れた任天堂は、このまま負け組のレッテルを貼られるのではないかと危惧されたものです。その危機を救ったのが一七年に発売した**ニンテンドー・スイッチ**です。

グラフを見れば明らかなように、一七年度の売上は一兆五五六億円、営業利益は一七七五億円、営業利益率は一六・八%と、いままでの借りを返すような**V字回復**を実現しました。その原動力になったのがスイッチにほかなりません。前節で見たように、一九年における家庭用ゲーム機の国内出荷台数は、スイッチが七七・六%を占める一人勝ち状態でした。

このスイッチの絶好調もあり、一九年度は売上高**一兆三〇八五億円**、営業利益**三五二三億円**、営業利益率**二六・九%**と、往年の任天堂の姿が戻ってきた感があります。

さらに二〇年には、スイッチ向け「**あつまれどうぶつの森**」が爆発的なヒットとなりました。二〇年度はさらなる上積みが期待されるでしょう。

任天堂の売上推移（図 6.6.1）

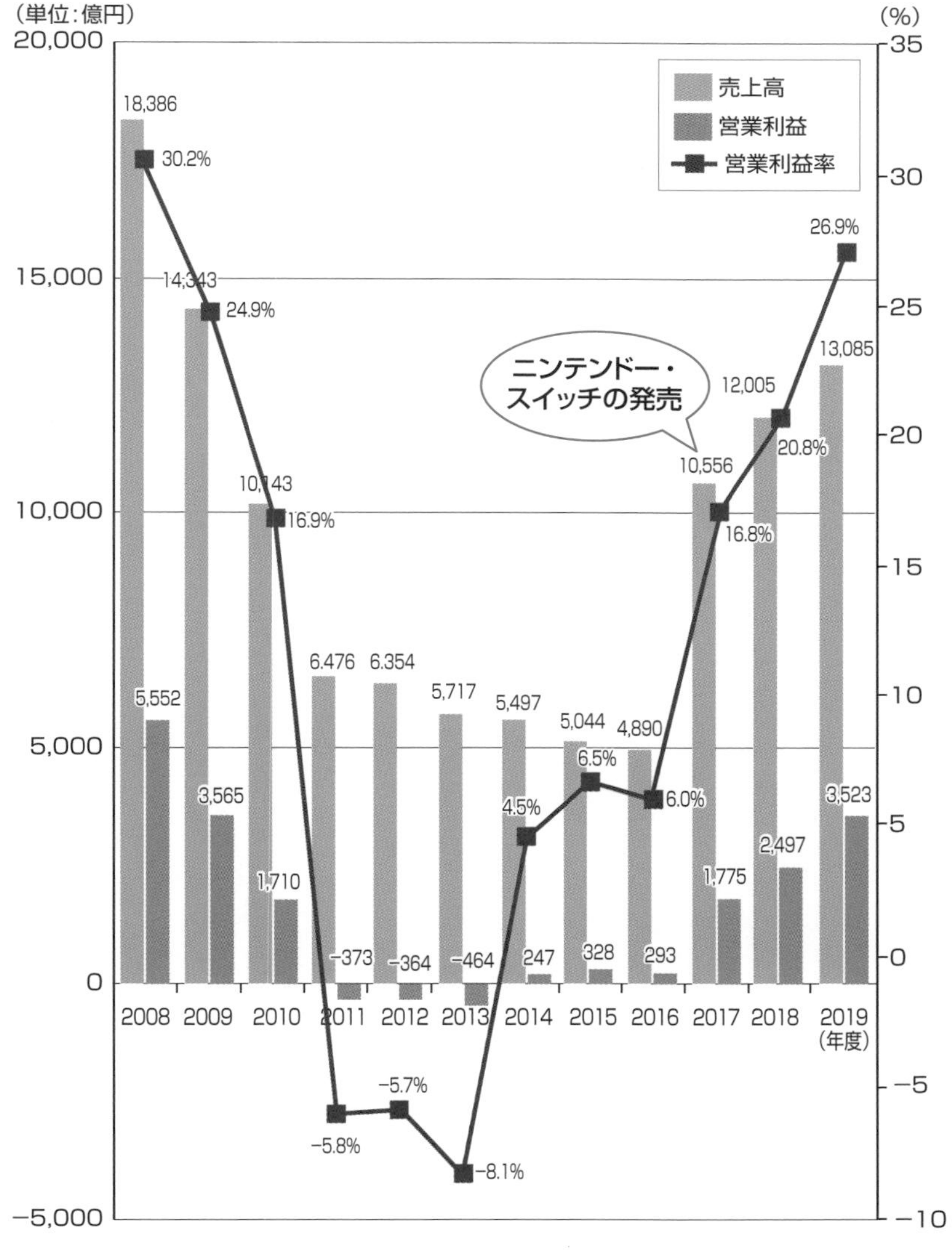

出典：任天堂決算短信各年度を基に作成

7 PS5で攻勢をかけるソニー

二〇年一一月一二日、ソニー・インタラクティブエンタテインメント（SIE）は、満を持してPS5を市場に投入しました。安価な価格設定も人気を呼び、二一年三月になっても品薄状態が続いています。

PS5で大躍進はなるか

続いて、ゲーム分野で任天堂のライバルである、**ソニーのゲーム事業**（現ソニー・インタラクティブエンタテイメント）の状況について確認しておきましょう。

図6・7・1は、一一年度から一九度にかけてのソニーにおけるゲーム事業の売上推移を見たものです。任天堂と同様、ソニーの業績も決して順風満帆ではなかったことがわかります。売上こそほぼ右肩上がりを達成しているものの、一三年度には営業利益がマイナス一八八億円と赤字に転じています。

とはいえ、この一三年度の一一月に**ソニー***は**PS4**をリリースしています。このPS4の爆発的人気により、以後は売上・利益とも順調に稼ぎ出し、五年後の一八年度には過去最高の売上高**二兆三〇九億円**、営業利益三一一一億円、営業利益率一三・五%を達成しています。売上高で見ると任天堂よりも一兆円多く、規模ではソニーのゲーム事業のほうが大きい*ことがわかるでしょう。

しかし、一九年度は一転して前年割れとなり、売上高**一兆九七七六億円**、営業利益二三八四億円、営業利益率一二・一%になりました。売上高は前年比八五・六%、営業利益は前年比七六・六%に終わりました。

とはいえ、二〇年一一月には満を持して**PS5**を発売し、品薄状態が続いています*。また、米国インソムニアック・ゲームズを買収し、PS5向けに「スパイダーマン」の専用ソフトを開発するなど、ゲーム・コンテンツの充実にも余念はありません。二〇年度のソニーのゲーム事業は再び売上を上積みしてくるのではないでしょうか。

用語解説

＊**ソニー**　当時の社名はソニー・コンピュータエンタテインメント。ソニー・インタラクティブエンタテインメントに社名変更したのは2016年。

＊…**ほうが大きい**　ただし営業利益では任天堂がソニーを上回っている。

＊…**続いています**　品薄のため、21年1月には、税抜き価格4万9980円のPS5が、メルカリにて平均価格8万6318円で取引されていた。

ソニーのゲーム事業の売上推移（図 6.7.1）

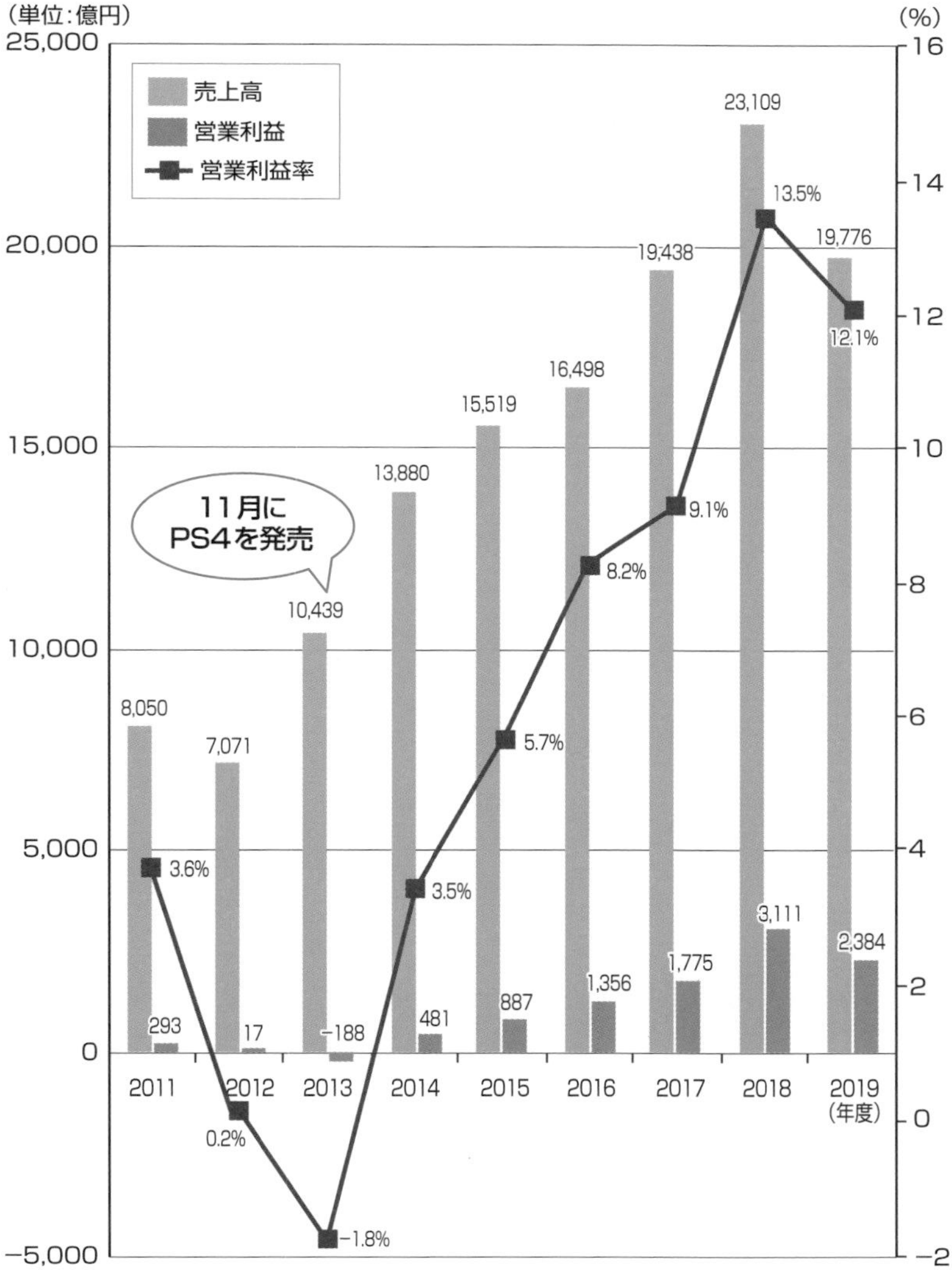
（単位：億円）
（%）
売上高
営業利益
営業利益率
25,000
20,000
15,000
10,000
5,000
0
−5,000
16
14
12
10
8
6
4
2
0
−2
11月に
PS4を発売
8,050
7,071
10,439
13,880
15,519
16,498
19,438
23,109
19,776
293
17
−188
481
887
1,356
1,775
3,111
2,384
3.6%
0.2%
−1.8%
3.5%
5.7%
8.2%
9.1%
13.5%
12.1%
2011
2012
2013
2014
2015
2016
2017
2018
2019
（年度）

出典：ソニー各年度連結業績概要を基に作成

8 大手エンタテインメント会社の動向

かつてゲームメーカーと呼ばれていた企業に、バンダイナムコやコナミ、セガサミーなどがあります。現況では事業を多角化しており、いまや大手エンタテインメント会社と表現するほうがふさわしいようです。

かつての大手ゲームメーカーの現状

かつてのゲーム会社大手は事業を多角化し、単純に「ゲーム会社」と呼べないのが現状のようです。例えば、**コナミホールディングス**の事業を見てみると、「デジタルエンタテインメント事業」「スポーツ事業」「ゲーミング&システム事業」「アミューズメント事業」となっており、ゲームとは関係の薄い「スポーツ事業」の全体に占める比率は二四・二%になっています。

また、**バンダイナムコホールディングス**の場合、「トイホビー」「ネットワーク・エンターテインメント」「リアル・エンターテインメント」「映像音楽プロデュース」「IPクリエイション」の5セグメントからなります。もっとも同社は玩具メーカーとゲームメーカーが合併した企業ですから、ゲーム以外の事業が多いのもうなずけるというものです。いずれにせよ、かつての大手ゲームメーカーは、いまやその姿を大きく変えており、**大手エンタテインメント会社**と呼ぶのが適切なようです。

一方、図6・8・1は、一六年度の大手エンタテインメント会社の経営状況を比較したものです。最も大きな売上を達成しているのがバンダイナムコで、**七二三九億円**という数字です。それに続くのがセガサミーホールディングスで三六六五億円、さらにコナミの二六二八億円、スクウェア・エニックス・ホールディングスの二六〇五億円と続きます。

営業利益率では、小粒ながらもカプコンが非常に高い数字を達成しており、二八・〇%は他企業を圧倒しています。

エンタテインメント会社の経営状況（2019年度）（図6.8.1）

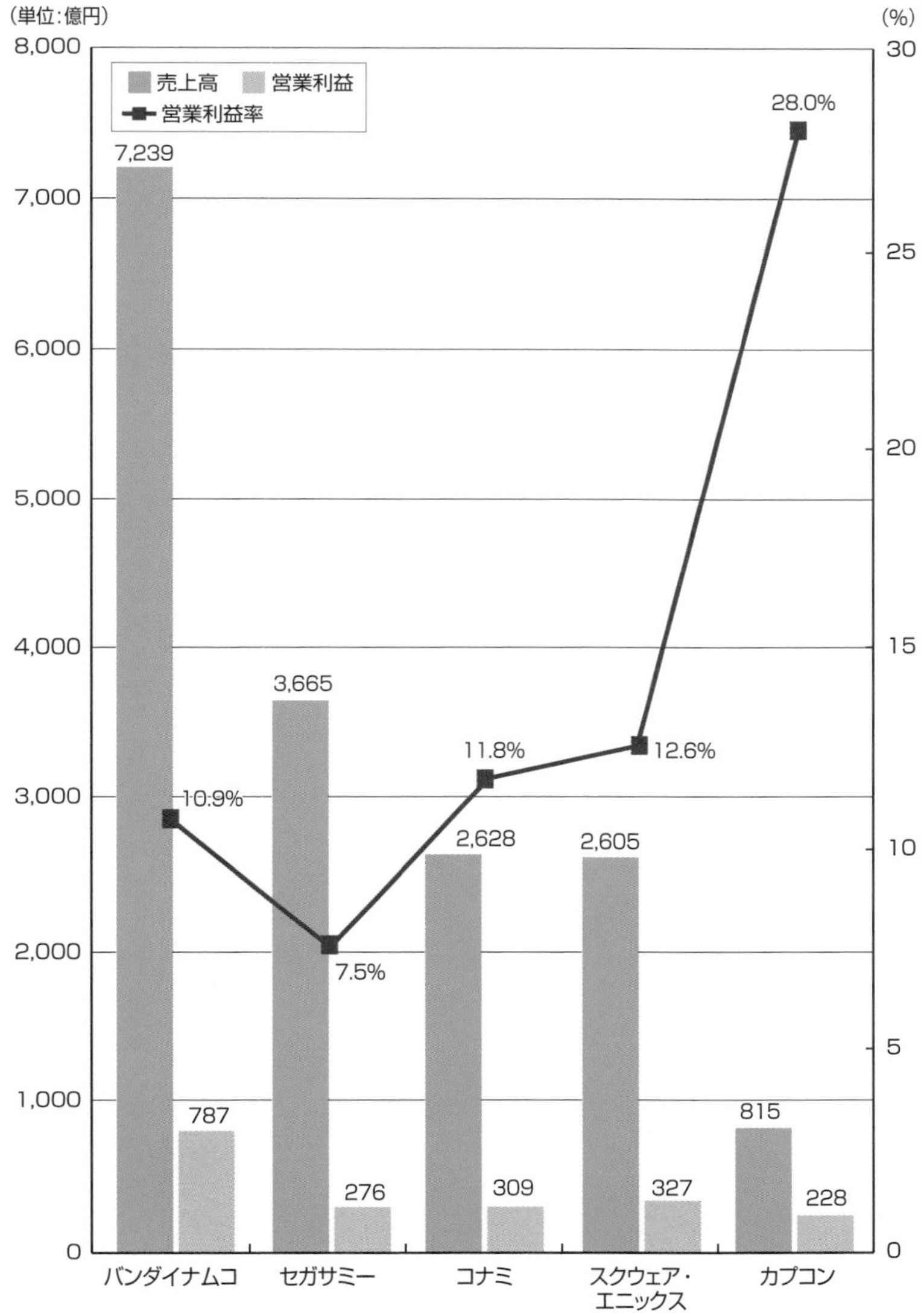

出典：各社決算短信を基に作成

9 ゲーム内のアイテム課金とその功罪

現在、ほとんどのスマートフォン・ゲームがアイテム課金制を採用しています。アイテム課金は、ライトユーザーとヘビーユーザーの双方にメリットがある反面、いくつかの問題もはらんでいます。

アイテム課金制が常識に

現在、スマートフォン向けゲームのほとんどが**アイテム課金**によるビジネスモデルを採用しています。アイテム課金とは、ゲームを有利に進めるためのアイテムを有料で購入する制度を指します。

アイテム課金制のゲームでは、ダウンロードは無料ですからライトユーザーも楽しめますし、ヘビーユーザーはお金を支払うことでさらにエンタテインメント性を追求できるというメリットがあります。ちなみに、ゲーム利用者のうち、無料プレイ派が六四・八%、有料プレイ派は三五・二%*との報告もあります（図6・9・1）。

このように、アイテム課金はライトユーザーとヘビーユーザーの双方にメリットがあります。しかしその反面、いくつかの問題もはらんでいます。

あるゲームについて、全利用者が購入した前払い式の有料ポイントの合計が一〇〇〇万円を超えた場合、事業者は、地域の財務局に届け出る義務があり、前払い金の残高のうち五〇%を供託する必要も生じます（**資金決済法***）。しかし、この法律を遵守していないゲーム事業者も存在するようです。

また、アイテムは**ガチャ方式***で購入しますが、レア・アイテムの出る確率を恣意的に操作する事業者も過去に存在しました（一七二ページコラム参照）。さらに、ゲーム内のアイテムやアカウントを、ゲーム外で、現実の通貨によって売買する行為、いわゆる**リアル・マネー・トレード**（**RMT**）も悩ましい問題の一つとして浮上しています（図6・9・2）。

用語解説

＊…**三五・二％**　この数字は6-4節で見た調査結果よりも、有料プレイ派の割合がやや高い結果になっている。

＊**資金決済法**　決済に関する法律。前払式支払手段や仮想通貨の発行、運用、管理などを規制する。

スマホ／タブレットゲームの課金の有無（図 6.9.1）

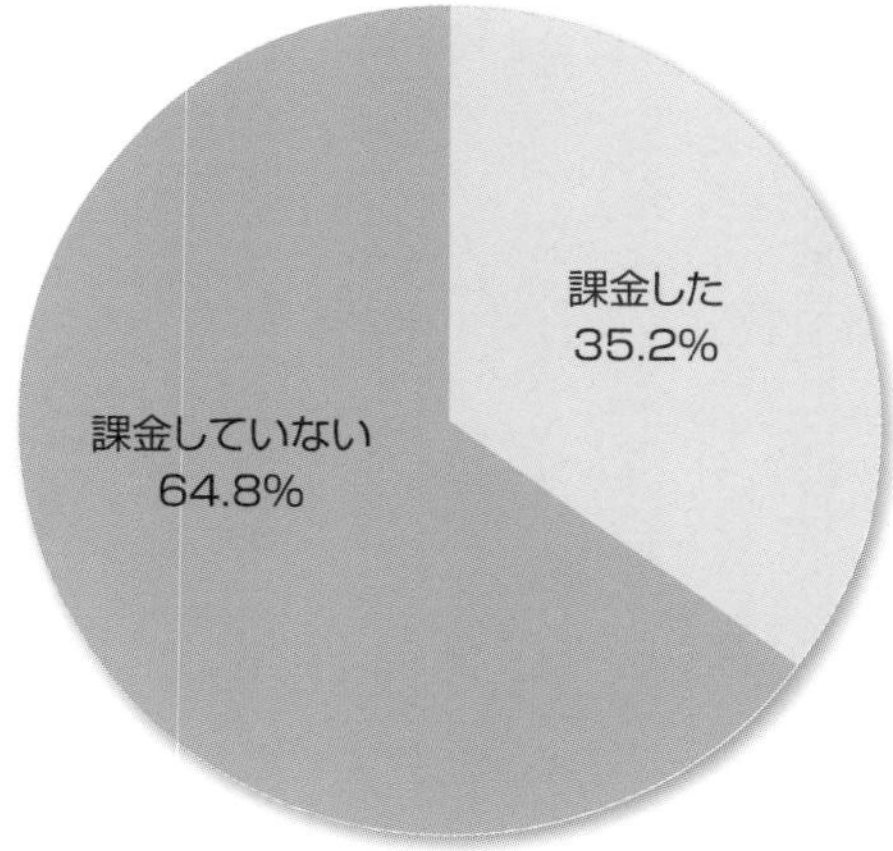
課金した
35.2%
課金していない
64.8%

出典：電通メディアイノベーションラボ編『情報メディア白書2021』

リアル・マネー・トレード（図 6.9.2）

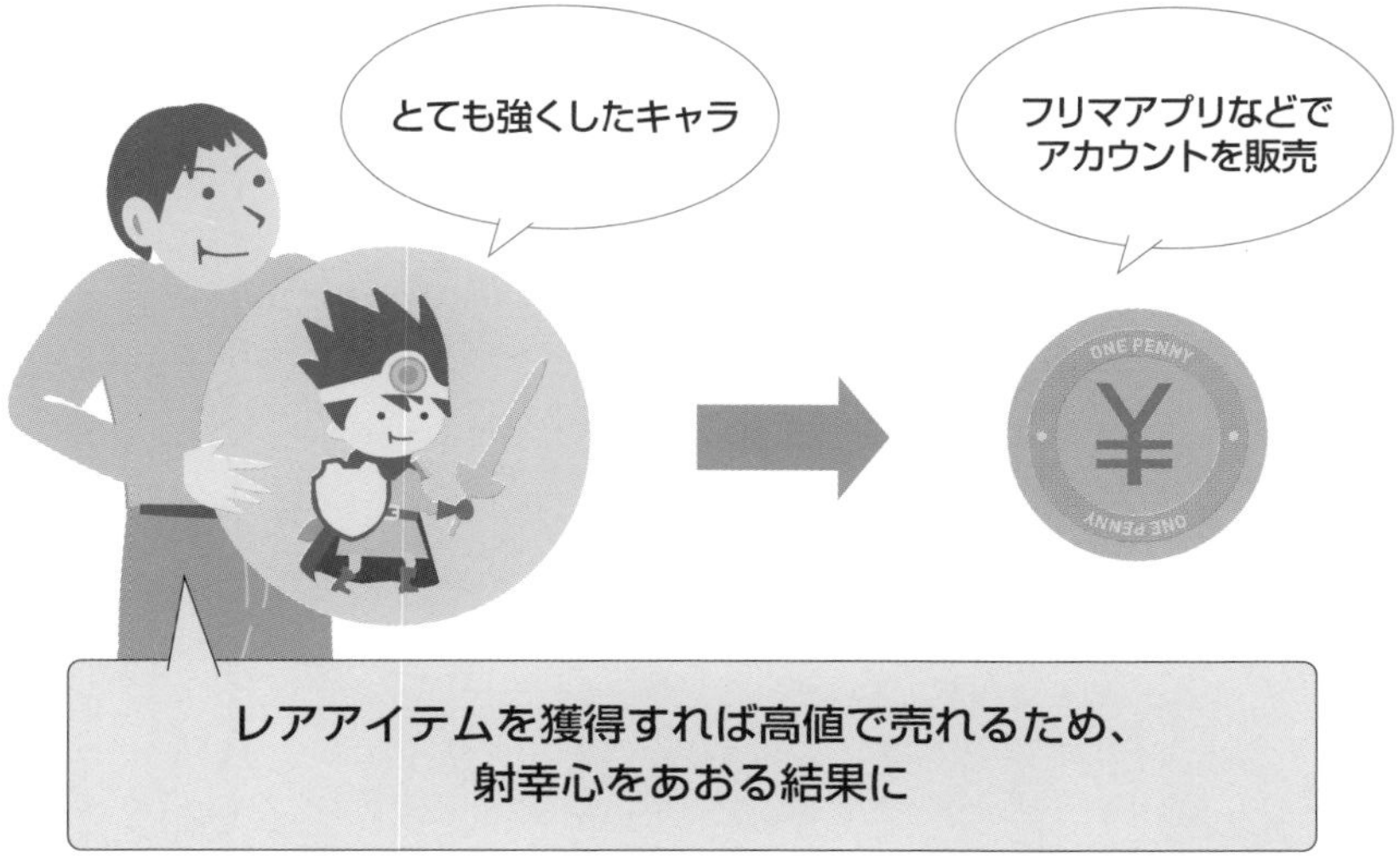
とても強くしたキャラ
フリマアプリなどで
アカウントを販売
ONE PENNY
¥
ONE PENNY
レアアイテムを獲得すれば高値で売れるため、
射幸心をあおる結果に

用語解説

＊**ガチャ方式**　カプセルトイのように、アイテムがランダムに出てくる方式。

第6章 ゲーム

10

注目を集めるクラウドゲーム

クラウドゲームでは、ゲームに必要な情報処理をインターネット上のデータセンターにあるサーバーが行い、その結果をデバイスに返します。5G時代のキラーコンテンツの一つと考えられています。

名だたるIT企業が参入を表明

従来、ゲームは専用機による据え置き型が中心でした。その後、ケータイに入っているブラウザがあればゲームができるウェブ・ゲームが人気を博し、スマートフォンの普及でゲームのアプリ化が進展しました。さらに**5G**の登場によるネットワークのさらなる高速大容量化により、いま、**クラウドゲーム**に注目が集まっています。

クラウドゲームでは、ゲームに必要な情報処理をインターネット上のデータセンターにあるサーバーが行い、その結果をデバイスに返します。そのため、デバイス側の処理能力が高くなくてもよく、大容量のソフトウェアをインストールする必要もありません。クラウドからユーザーに向けて映像をストリーミングで送り出すことから、ゲームの「**ネットフリックス化**」と呼ぶこともあります。

クラウドゲームには、グーグルやマイクロソフト、アマゾン、フェイスブックといった、そうそうたる顔ぶれが参入に名乗りを上げています。中でも一九年には、ゲーム機でライバル関係にあるマイクロソフトとソニーがクラウドゲームで戦略的提携を結び、業界を驚かせました。

とはいえ、一九年一一月にグーグルが欧米で開始したクラウドゲーム、**スタディア**＊は、当初話題になったほど利用者を獲得できていない模様です。どの企業が5Gインフラ上の**OTT**＊としてクラウドゲームを支配するのでしょうか。競争はいま始まったばかりであり、クラウドゲームの先行きは混沌《こんとん》としています。

用語解説

＊**スタディア**　21年3月現在、日本ではまだ配信されていない。配信予定も公表されていない。

＊**OTT**　Over The Topの略。通信インフラを所有せず、他社の通信インフラの上でサービスを提供する企業を指す。

クラウドゲーム・サービス（図6.10.1）

著名IT企業が続々参入

- ●ソニー・・・・・・・・・PlayStation Now
- ●エヌヴィディア・・・NVIDIA GeForce NOW
- ●グーグル・・・・・・・Google Stadia
- ●マイクロソフト・・・Microsoft Project xCloud
- ●フェイスブック・・・Facebook Gaming
- ●アマゾン・・・・・・・Amazon Luna　　…etc.

● NVIDIA GeForce NOW powered by SoftBank

11

eスポーツは活況を呈するか

ビデオゲームによる対戦をスポーツととらえるeスポーツに注目が集まっています。EVOのように多くの観衆を動員する大規模イベントも育っていますが、新型コロナウイルスが水を差した格好です。

ビデオゲームの対戦を観戦する

日本で**eスポーツ**が注目され出したのは一七年頃のことで、翌年には「**EVO Japan 2018**」が日本で初めて開催されました。

EVO＊はエヴォリューション・チャンピオンシップ・シリーズの略称で、一九九五年よりアメリカで開催されてきた、世界最大級で歴史も最も古いといわれている**対戦型格闘ゲーム大会**の呼称です。世界中から凄腕《すごうで》のゲーマーが集合することで有名です。

いまや企業のeスポーツに対する認識にも変化が現れています。日清食品やトヨタ自動車、三井住友銀行がeスポーツイベントにスポンサーとして参画するようになり、自治体からも地域おこしの起爆剤として注目されています＊。しかし、新型コロナウイルスの流行により、二〇年一月にあったEVOの日本大会を最後に、大会やイベントは軒並み中止もしくはオンラインでの開催に追い込まれました。eスポーツに対する注目が高まっている中、まさに水を差された格好です。

野村総合研究所によると、二〇年度における日本のeスポーツ市場は四九億円、前年の五六億円から減少するものと推定しています(図6・11・1)。ただし、二一年度以降は市場規模が拡大すると予想しており、二六年度には一二九億円規模になると推定しています。収入の多くは広告収入とスポンサー収入に頼っているのが現状です(図6・11・2)。eスポーツは**動画配信**ととても相性のよいコンテンツです。今後はeスポーツも動画配信サービスの重要なコンテンツの一つになるかもしれません。

用語解説

＊**EVO**　Evolution Championship Seriesの略。

＊…**注目されています**　19年10月の「いきいき茨城ゆめ国体」では、都道府県対抗によるeスポーツ大会が開催され、大きな話題となった。

eスポーツ市場規模予測（図 6.11.1）

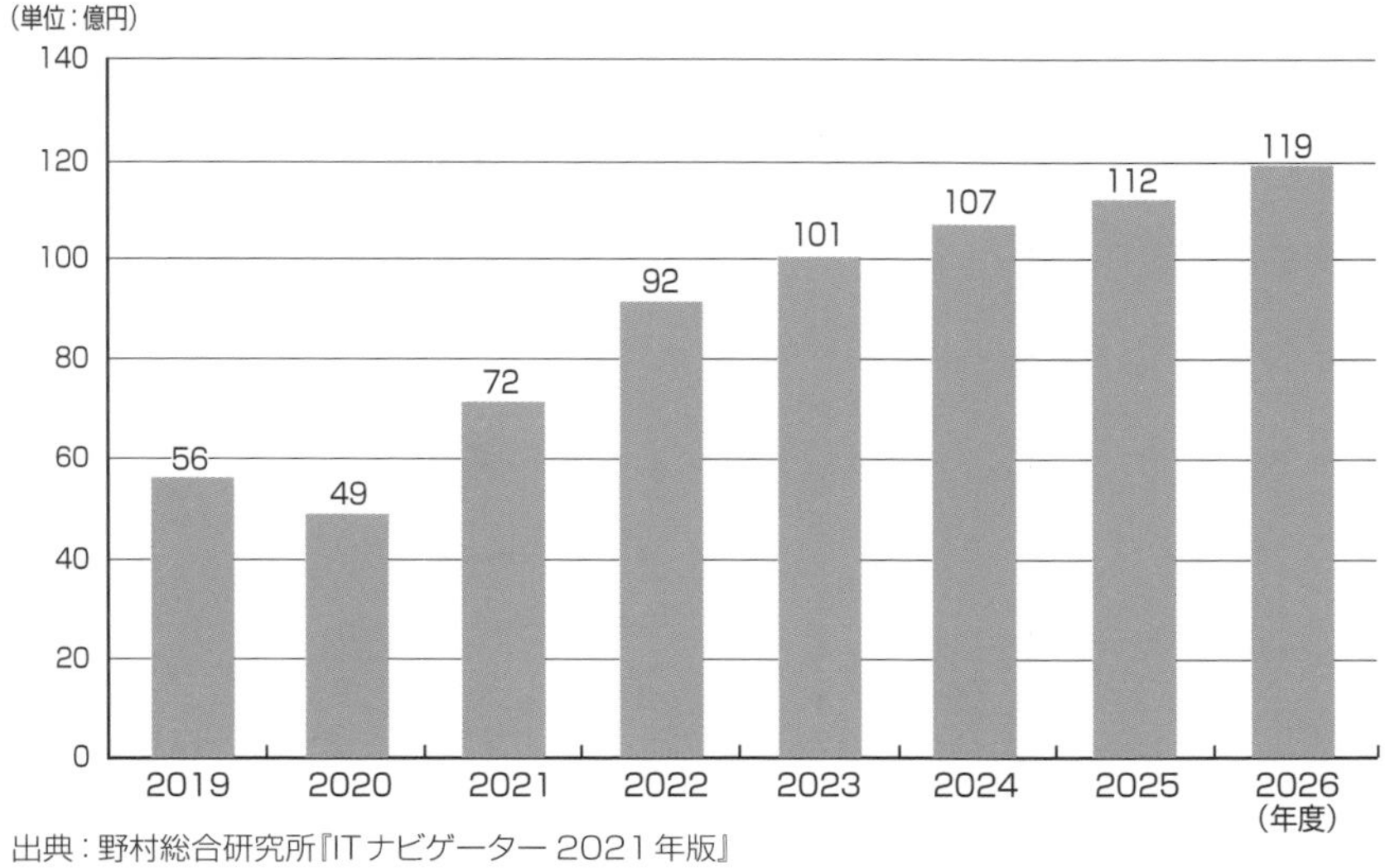

出典：野村総合研究所『IT ナビゲーター 2021 年版』

eスポーツ市場の内訳（図 6.11.2）

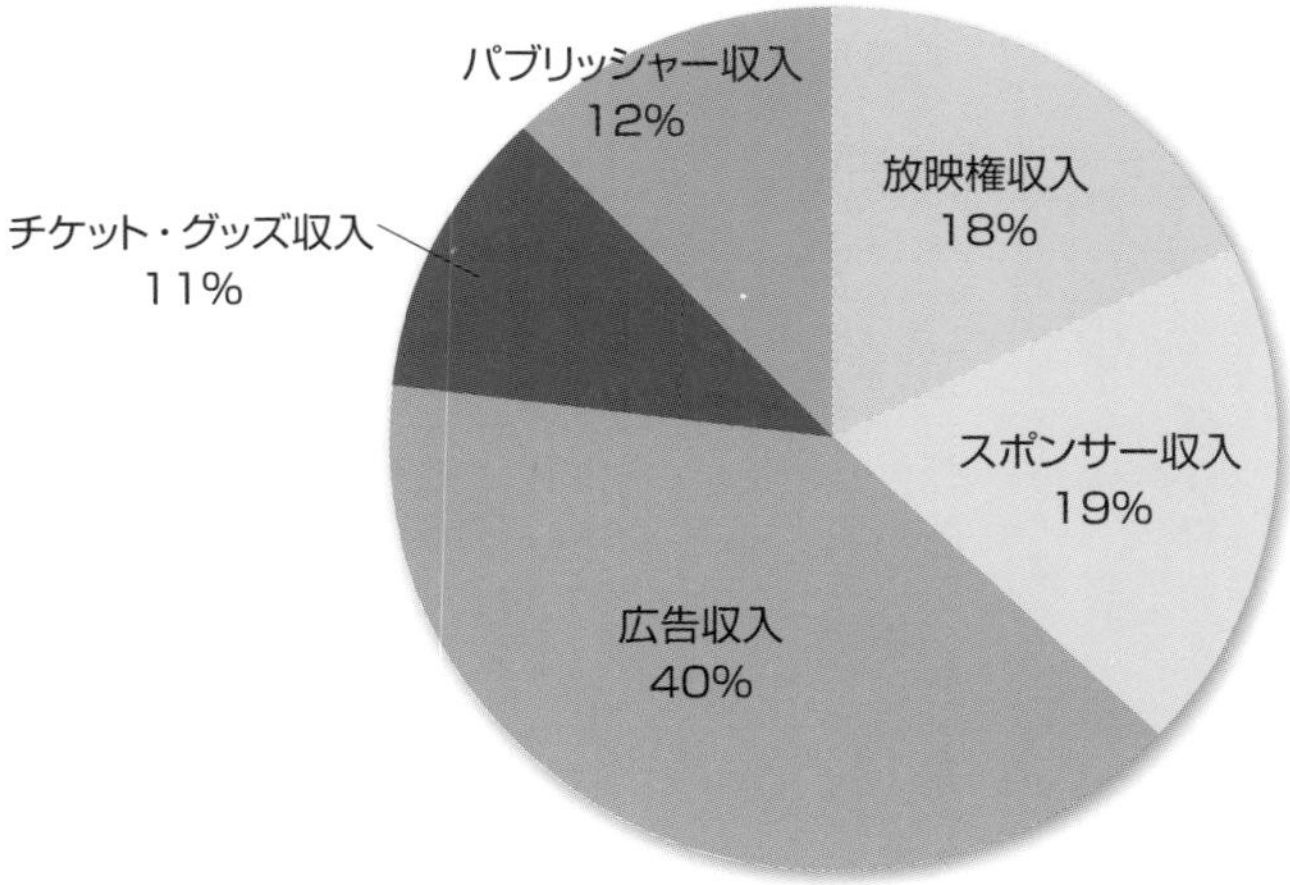

出典：野村総合研究所『IT ナビゲーター 2021 年版』

12 ゲーム活動をマネタイズする

前節で見たeスポーツ、それに本節でふれるゲーム実況とブロックチェーン・ゲーム――。これら三つには、ゲーム活動をマネタイズするという、共通の目的が隠されています。

人気を集めるゲーム実況

いま巷《ちまた》で人気を集めているものの一つに**ゲーム実況**があります。これは、自分が行うゲームの様子を、インターネットを通じて世界に配信するものです。

ゲーム実況では、自分が行うゲームを、自身による解説を加えながら進行します。人気のあるゲーム実況者の場合、世界に一六〇〇万人を超えるフォロワーを抱えています。ゲーム実況を視聴するフォロワーは、実況中にコメントを投稿でき*、投げ銭を送ることもできます。人気のある実況者は、企業がスポンサーについたり、広告から収入を得たりできます。

ゲーム実況配信サービスには、アマゾン系で業界最大手の**ツイッチ**のほかに、**フェイスブック・ゲーミング**などがあります。マイクロソフト系のミキサーというサービスも参戦していましたが、早々に市場から撤退してしまいました。

また、新たなゲームの動きとして**ブロックチェーン・ゲーム**があります。こちらは、ゲームで手にしたキャラクターやアイテムを、仮想通貨で売買できるというものです。当初はゲーム性の低いものが多かった中、徐々に質の高いゲームが生まれてきています。

ここで紹介したゲーム実況、ブロックチェーン・ゲーム、それに前節で紹介したeスポーツ、これら三者には共通点があります。それは従来、娯楽のために時間と電気を消費していたゲーム活動を現金化すること、いまふうに言い換えると「**ゲーム活動のマネタイズ**」です。この動きは今後さらに顕著になると思います。

用語解説

*…**コメントを投稿でき**　投稿されたコメントは、ゲーム画面と同時に、順次表示される仕組みになっている。

ゲーム活動のマネタイズ（図 6.12.1）

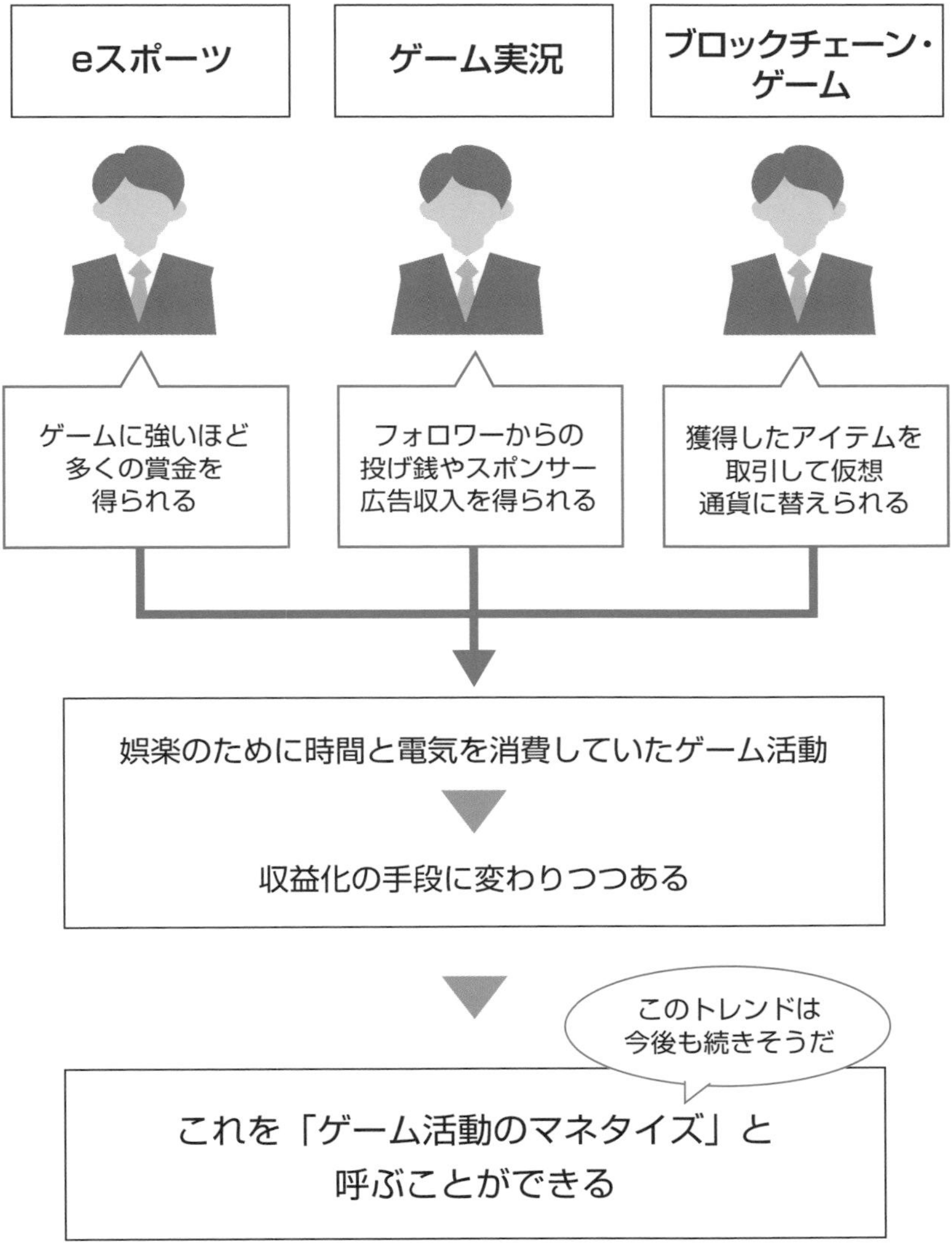
eスポーツ
ゲーム実況
ブロックチェーン・ゲーム
ゲームに強いほど多くの賞金を得られる
フォロワーからの投げ銭やスポンサー広告収入を得られる
獲得したアイテムを取引して仮想通貨に替えられる
娯楽のために時間と電気を消費していたゲーム活動
収益化の手段に変わりつつある
このトレンドは今後も続きそうだ
これを「ゲーム活動のマネタイズ」と呼ぶことができる

column

コンプガチャ問題と負の可能性

●世間を騒がせたコンプガチャ問題

オンライン・ゲームとは、もともと、ネットワークにつながったPCでネットワーク上のユーザーと対戦したり一緒にゲームに参加したりするものを指しました。

また、オンラインのゲームでも専用のハードやソフトを必要とせず、汎用のウェブブラウザで遊べるゲームを**ウェブ・ゲーム**と呼びました。さらに、こうしたウェブ・ゲームがフィーチャーフォンなどのソーシャル・ネットワーク上で提供されるようになりました。これを**ソーシャル・ゲーム**と呼びました。

ソーシャル・ゲームの代表的な種類には、カード対戦型や牧場・農場の経営型があります。これらをプレイするのは基本的に無料です。ただし、ゲームを有利に進めようとすると有料の「アイテム」が必要になります。このアイテム販売の売上が、ゲームを提供する企業の収益になります。

過去に問題になった**コンプガチャ**[*]は、強力なカードなどのレア・アイテムを入手するための仕組みです。ガチャと呼ばれる電子的なくじで特定のカードがそろったとき、レア・アイテムが手に入ります。ただし、ガチャは有料である上に、何度も挑戦しないとなかなかレア・アイテムが手に入らない仕組みになっています。これが射幸心をあおり、景品表示法にも違反するのではないか——と社会問題になったことは、まだ記憶に新しいのではないでしょうか（現在では違法と認められている）。また、ガチャの確率を操作していたというエンジニアの証言も公表され、コンプガチャを廃止するゲームが相次ぎました。

テクノロジーの進展とは可能性の追求にほかなりません。しかしながら、可能性には正の可能性と負の可能性があります。ゲームを通じて娯楽を提供するのは正の可能性の追求です。

その一方、企業がゲームを提供する中で、不正か不正ギリギリのところで利益を追求するのは、負の可能性の追求といえるでしょう。コンプガチャ問題は、この負の可能性が現実のものになったケースだといえます。

＊**コンプガチャ**　コンプリート・ガチャの略称。

第7章

ネット・コンテンツの諸相

本書ではここまでに音楽や放送、映画、アニメ、ゲームといったコンテンツについてふれてきました。いまやインターネット上には、さらに多様なコンテンツがあふれています。本章では、多様化するネット・コンテンツの諸相を見たいと思います。

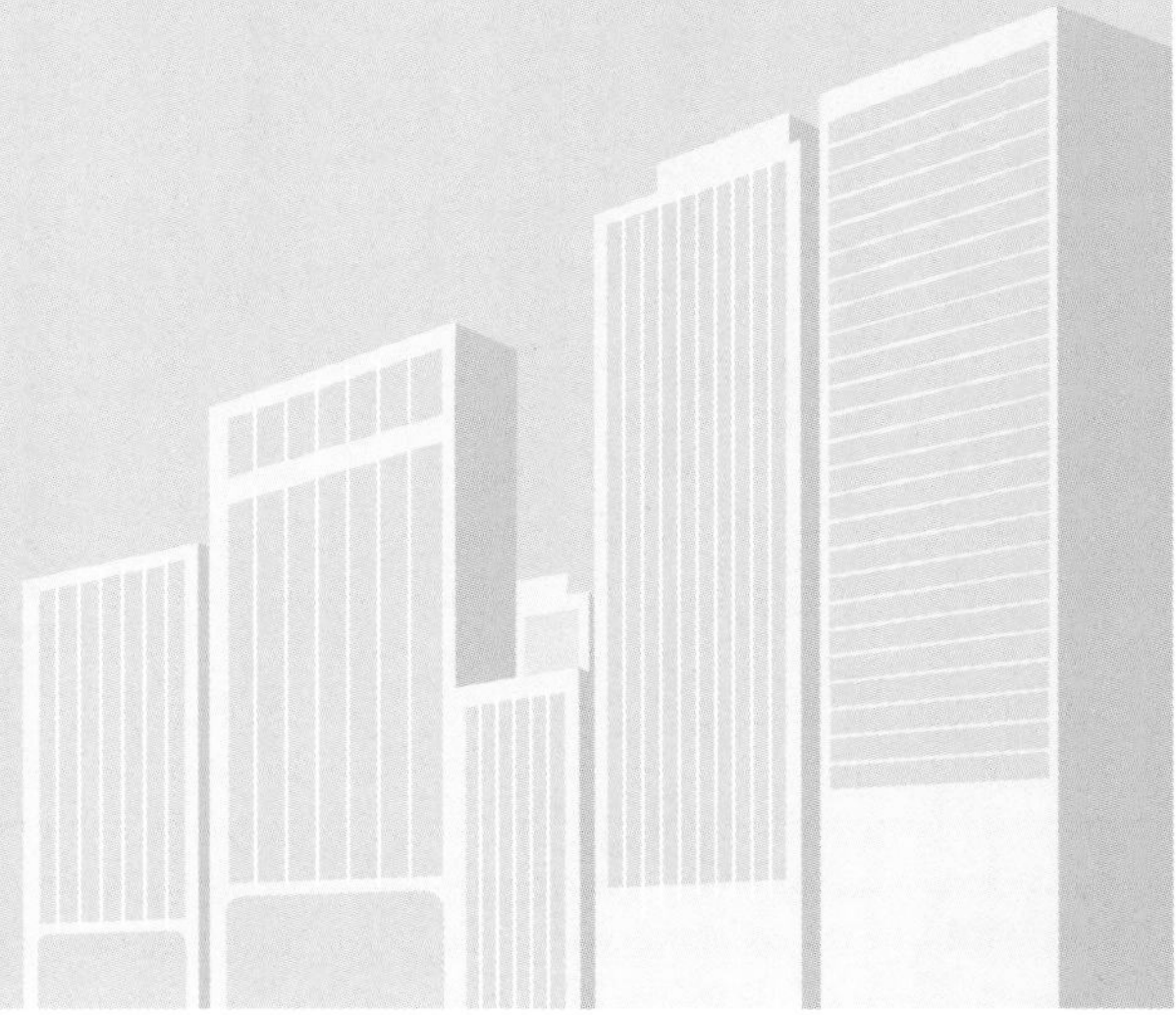

How-nual
図解入門
業界研究

ネット・コンテンツ業界の市場構造

1

ネット・コンテンツ業界は、コンテンツ・プロバイダーとサービス・プロバイダーに大別できます。前者が制作、後者が流通に相当します。この二者に多様な事業者が関係して、複雑な市場を形成しています。

ネット・コンテンツ業界の制作と流通

ネット・コンテンツ業界も制作と流通に分けて見ると、全貌を理解しやすいでしょう。業界は**コンテンツ・プロバイダー**と**サービス・プロバイダー**に大別することができます。

コンテンツ・プロバイダーはコンテンツを制作する事業者で、これが業界の制作サイドにあたります。一方、サービス・プロバイダーは、コンテンツや便利な機能を一定のポリシーで取りそろえ、ネットワークを通じて一般利用者に提供します。このように、コンテンツを取りそろえるビジネスを**コンテンツ・アグリゲーター**とも呼びます。また、配信プラットフォームを整備することから、**プラットフォーマー**ともいえます。

サービスに携わる多様な事業者

このコンテンツ・プロバイダーとサービス・プロバイダーの二者には多様な事業者が関わります。まず、コンテンツの配信にあたっては、外部の**システム開発会社**が参画するケースがよくあります。そのシステムの一部を別の外部の事業者が提供する場合もあります。

さらに、顧客とのインターフェイスにもなるウェブ画面は、専門の**ウェブデザイン会社**が担当するケースが一般的です。また、コンテンツを無料で提供する場合、あるいは人気サイトの場合、**広告配信事業者**も重要な役割を担います。そして、こうしたシステムやコンテンツは、外部事業者が運営する**データセンター**に置かれる*のが一般的です。

用語解説

＊…**データセンターに置かれる**　利用者から見るとサービス・プロバイダーからコンテンツの提供を受けているように思いがちだが、実際はこのように、多様なプレイヤーが関わっているのが現状である。

ネット・コンテンツ業界の市場構造（図 7.1.1）

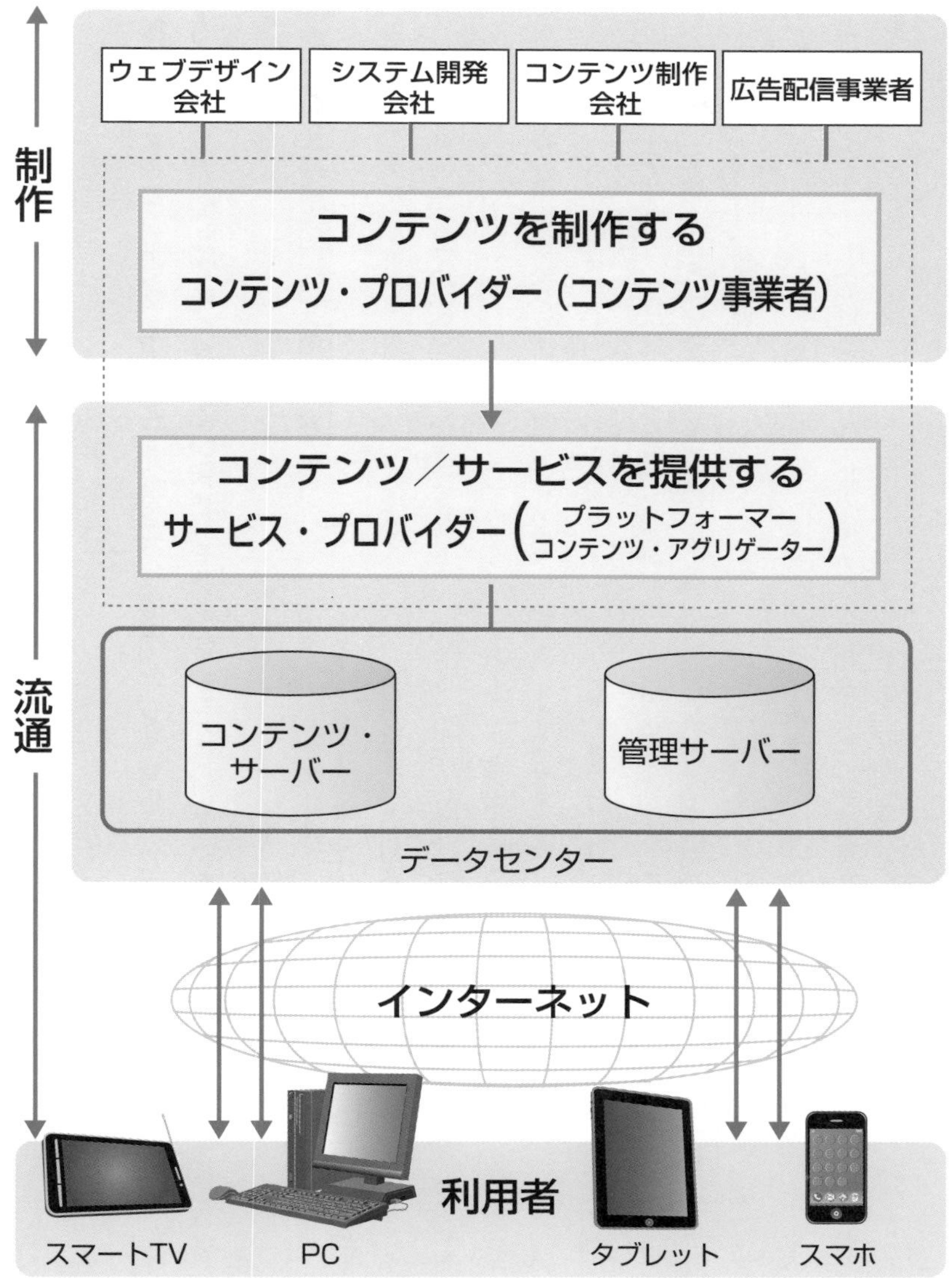

制作
ウェブデザイン会社
システム開発会社
コンテンツ制作会社
広告配信事業者
コンテンツを制作する
コンテンツ・プロバイダー（コンテンツ事業者）
流通
コンテンツ／サービスを提供する
サービス・プロバイダー（プラットフォーマー コンテンツ・アグリゲーター）
コンテンツ・サーバー
管理サーバー
データセンター
インターネット
利用者
スマートTV
PC
タブレット
スマホ

2 ネット・コンテンツ業界の市場規模

一九年のネット・コンテンツ市場は三兆九二九一億円で、ジャンル別ではインターネット広告、モバイル広告の占める割合が最も大きくなっています。それにゲームが続いています。

市場規模は二兆四七二四億円

『デジタルコンテンツ白書２０２０』では、コンテンツ市場をメディア別に分類して規模を試算しています。その中の「ネットワーク」という項目が、この章で扱うネット・コンテンツ業界の市場規模と考えてよいでしょう。

これを見ると、一九年の**ネット・コンテンツ業界**の市場規模は**三兆九二九一億円**でした。その内訳は、「動画」が二七七〇億円、「音楽・音声」が一二五七億円、「ゲーム」が一兆四七六六億円、「静止画・テキスト」が三八六八億円、「複合型」が一兆六六三〇億円となっています。複合型とは、「**インターネット広告**」と「**モバイル広告**」の合計です。

従来、これらの中で最も市場規模が大きかったのはゲームでした。しかし、一九年に複合型（インターネット広告、モバイル広告）が**一兆六六三〇億円**で逆転しました。全体に占める複合型の割合は四二・三％まで高まってきています。一方、二位に転落したゲームは前年割れの一兆四七六六億円で、全体に占める割合は三七・六％になりました。

このように、ネット・コンテンツには、音楽や動画、ゲームなど、すでに本書で取り上げたものがあります。ただし、新聞や出版、ラジオなどに関連する重要コンテンツについて、本書ではまだふれていません。これらのオールド・メディアのコンテンツも、デジタル化、ネット化が急ピッチで進んでいます。本章では以下、これらも含め、ここまでに取り上げてこなかった多様なネット・コンテンツを中心に話を進めていきます。

ネット・コンテンツ市場の規模推移（図 7.2.1）

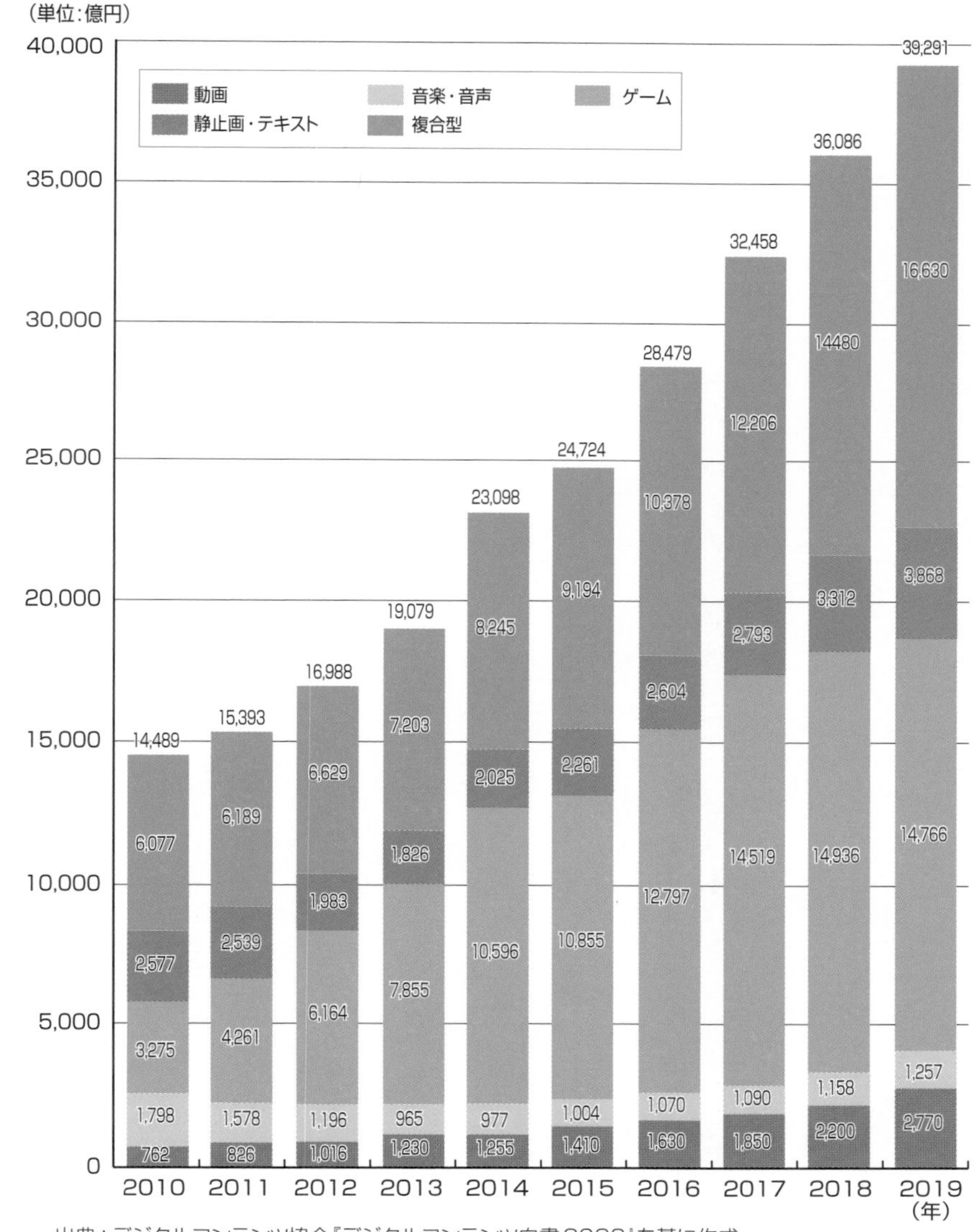

出典：デジタルコンテンツ協会『デジタルコンテンツ白書2020』を基に作成

3　モバイル・コンテンツ市場の現状

ネット・コンテンツのうち、スマートフォンでの利用が可能またはスマートフォンをターゲットにしたコンテンツをモバイル・コンテンツと定義できます。モバイル・コンテンツ市場は二兆三三七八億円にのぼります。

二兆三三七八億円の市場規模

現在、日本における携帯電話の契約数は、二〇年九月末の単純合計で**二億六四一七万契約**となっています＊。そのうち、**3G**＊が二九三四万契約（全体の一一・一%）、**LTE**＊が一億五九一五万契約（同六〇・二%）、**5G**＊が七九万契約（〇・三%）となっています。利用者の六割以上がスマホユーザーであることがわかります。

スマートフォンの普及により、大容量で質の高い多様なモバイル・コンテンツが開発されました。そのことは、ネット・コンテンツ市場拡大の大きな要因になったといえるでしょう。

図7・3・1は、一六年から一九年にかけてのモバイル・コンテンツ市場の推移を見たものです。市場規模は右肩上がりで拡大しており、一九年は**二兆三三七八億円**と推定されています。単純比較になりますが、これは前節で見たネット・コンテンツ市場三兆九二九一億円の**五九・五%**を占めます。

詳細を見ると、一九年はゲームの市場規模が前年割れの一兆四〇一一億円になったのに対して、前年比五八二億円増と大きく規模を拡大したのが三一八五億円の**電子書籍**でした。また、**動画・エンタテインメント**も四九一億円増の二五一一億円になりました。

一方、一六年と一九年の構成比を見ると、ゲームが六三・九%から五九・九%にシェアを下げているのに対して、電子書籍は一一・二%から一四・一%、動画・エンタテインメントも九・一%から一〇・七%とシェアを上げています（図7・3・2）。

用語解説

＊**…となっています**　総務省「電気通信サービスの契約数及びシェアに関する四半期データの公表（令和2年度第2四半期（9月末））」による。

＊**3G**　3rd Generationの略。第3世代移動通信システム。

モバイル・コンテンツ市場の推移（図 7.3.1）

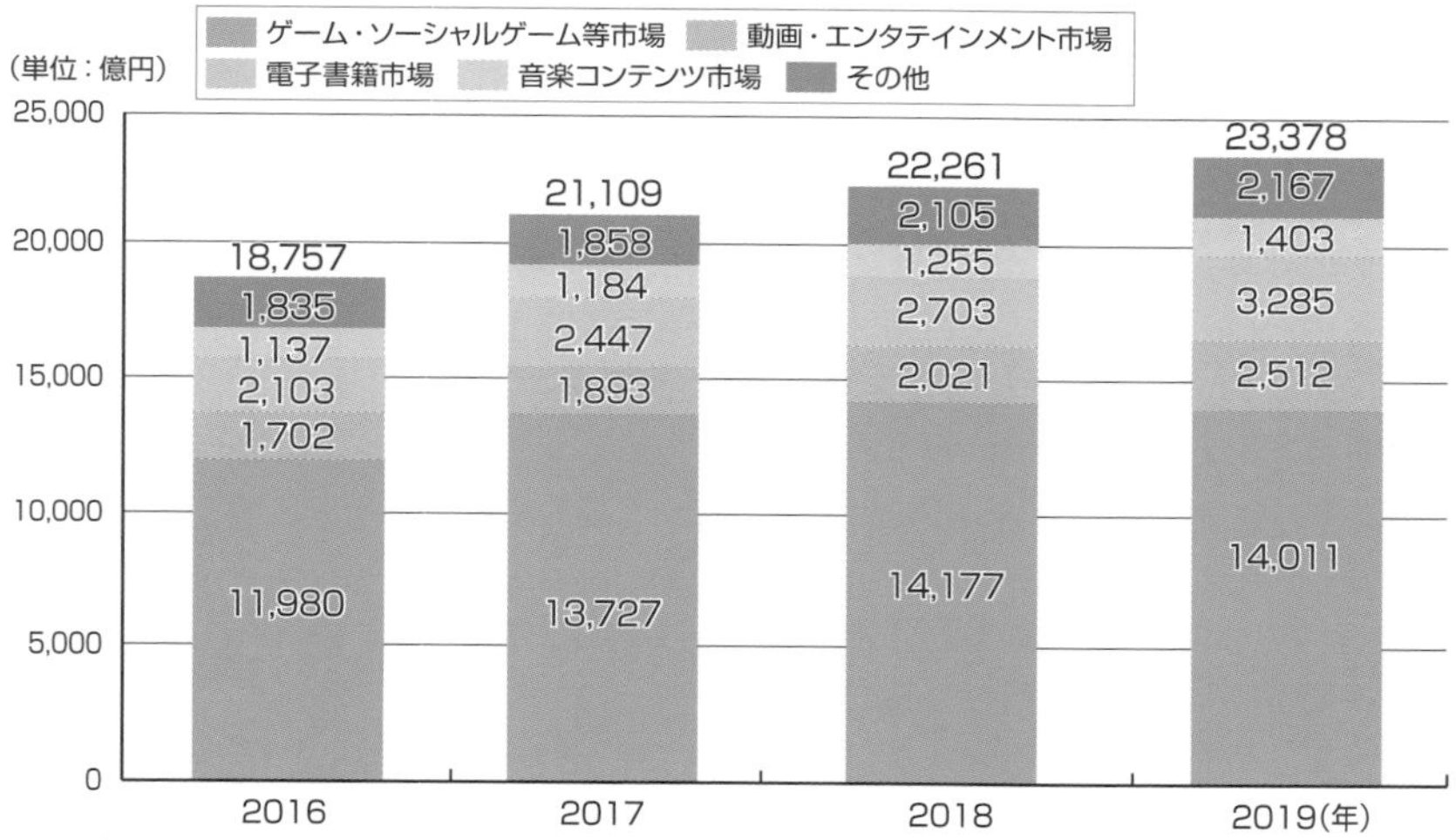

※ゲーム・ソーシャルゲーム等市場：オンラインゲーム、SNS等での課金コンテンツ、アバター、アイテム等購入可能な道具類を含む
※動画・エンタテインメント市場：スマートフォン等で利用可能な動画、映像配信コンテンツ
※電子書籍等：スマートフォン等で利用可能な書籍、コミック、雑誌コンテンツ
※音楽コンテンツ市場：スマートフォン等で利用可能な音楽コンテンツ

出典：モバイル・コンテンツ・フォーラム「ニュースリリース」（2020年7月30日）

モバイル・コンテンツ市場の比較（16年と19年）（図 7.3.2）

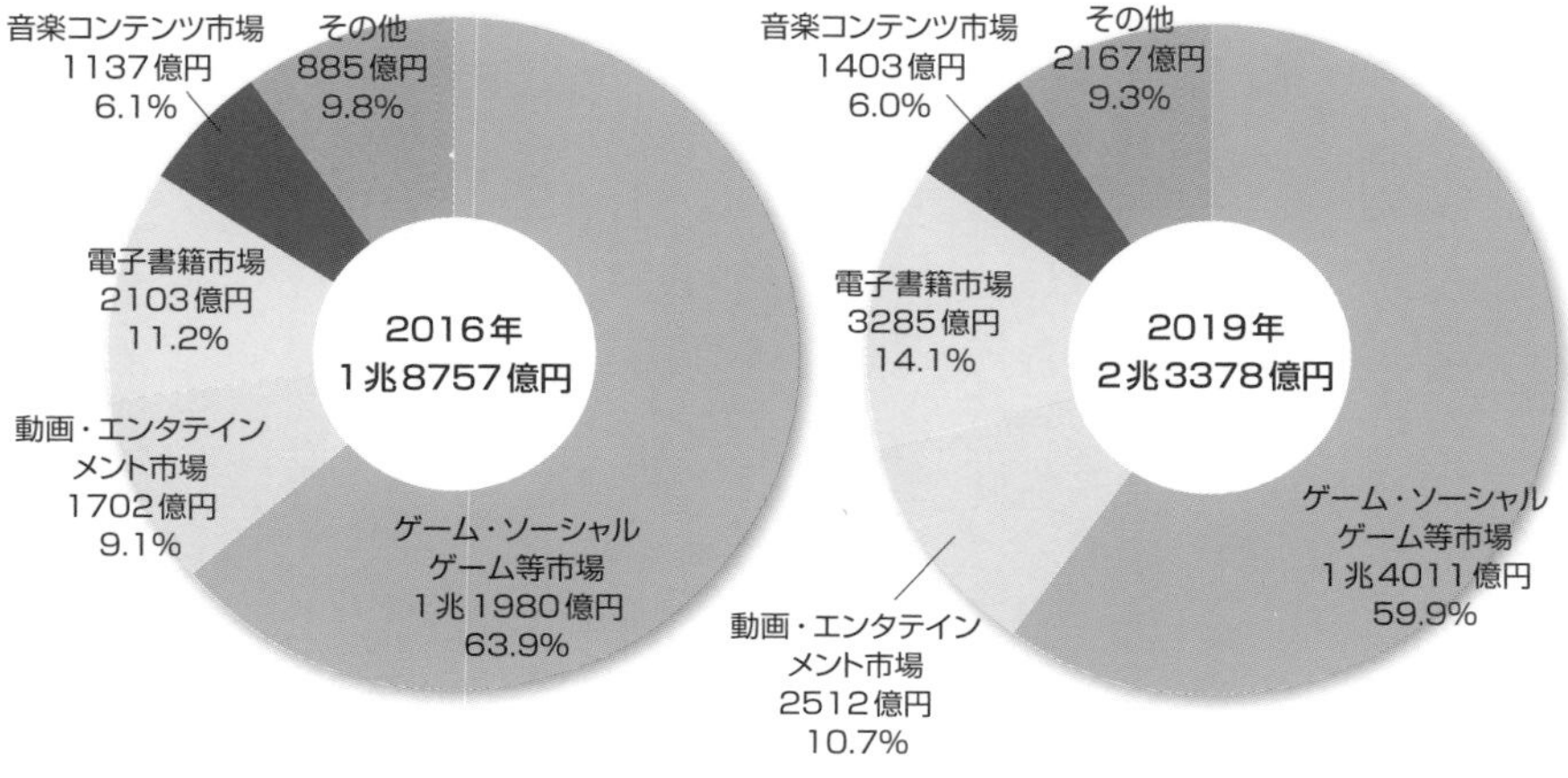

出典：モバイル・コンテンツ・フォーラム「ニュースリリース」（2020年7月30日）

用語解説

＊**LTE**　Long Term Evolutionの略。本来は第3.9世代移動通信システムだが、現在では第4世代移動通信システムの一種になっている。ここでは、4Gを指している。

＊**5G**　5th Generationの略。第5世代移動通信システム。

4 テレビより長いスマホの接触時間

肌身離さず所持しているスマートフォンは、いまや若い世代ではテレビよりも長時間接触するメディアになりました。例えば、男性一五～一九歳の場合、スマホの接触時間は三時間二一・二分／日になっています。

スマホ使用、一日平均二時間〇一・二分

図7・4・1は、博報堂DYメディアパートナーズが公表した、二〇年におけるメディア総接触時間を男女別、世代別に見たものです＊。

週平均一日あたりのメディア接触の総時間は**四二一・七分（六時間五一・七分）**でした（グラフ左端の棒）。そのうちテレビが一四四・二分（二時間二四・二分）、携帯電話・スマートフォンが一二一・二分（二時間〇一・二分）、タブレット端末が二六・四分でした。

このように、単独ではテレビの接触時間が最も長いですが、携帯電話・スマートフォンにタブレット端末を加えたモバイル端末による接触時間は**一四七・六分**と、テレビよりも長くなります。

この傾向は若い世代で顕著です。注目したいのは男性一五～一九歳、男性二〇代、三〇代、四〇代、女性一五～一九歳、女性二〇代、三〇代です。いずれの層でも、スマホ・携帯電話単独の接触時間が、テレビ視聴時間よりも長くなっています。例えば、男性一五～一九歳を見ると、テレビの視聴時間が**九四・一分（一時間三四・一分）**だったのに対して、スマホ・携帯電話の接触時間は**二〇一・二分（三時間二一・二分）**と二倍以上の時間になっています。また、同年代の女性では、テレビが一〇九・四分（一時間四九・四分）、スマホ・携帯電話が二一一・二分（三時間三一・二分）とやはり大きな差がついています。

スマホの接触時間がこれほど長いということは、それだけ**モバイル・コンテンツ**が消費されていることを意味します。この傾向は今後もまだ続きそうです。

用語解説

＊…**見たものです**　博報堂DYメディアパートナーズ調査。それぞれの接触時間は週平均の1日あたりで、調査対象は東京地区。サンプル数は各年2000人前後で上下がある。

7-4 テレビより長いスマホの接触時間

メディア総接触時間の男女別・世代別比較（1日あたり・週平均・東京地区・2020年）（図7.4.1）

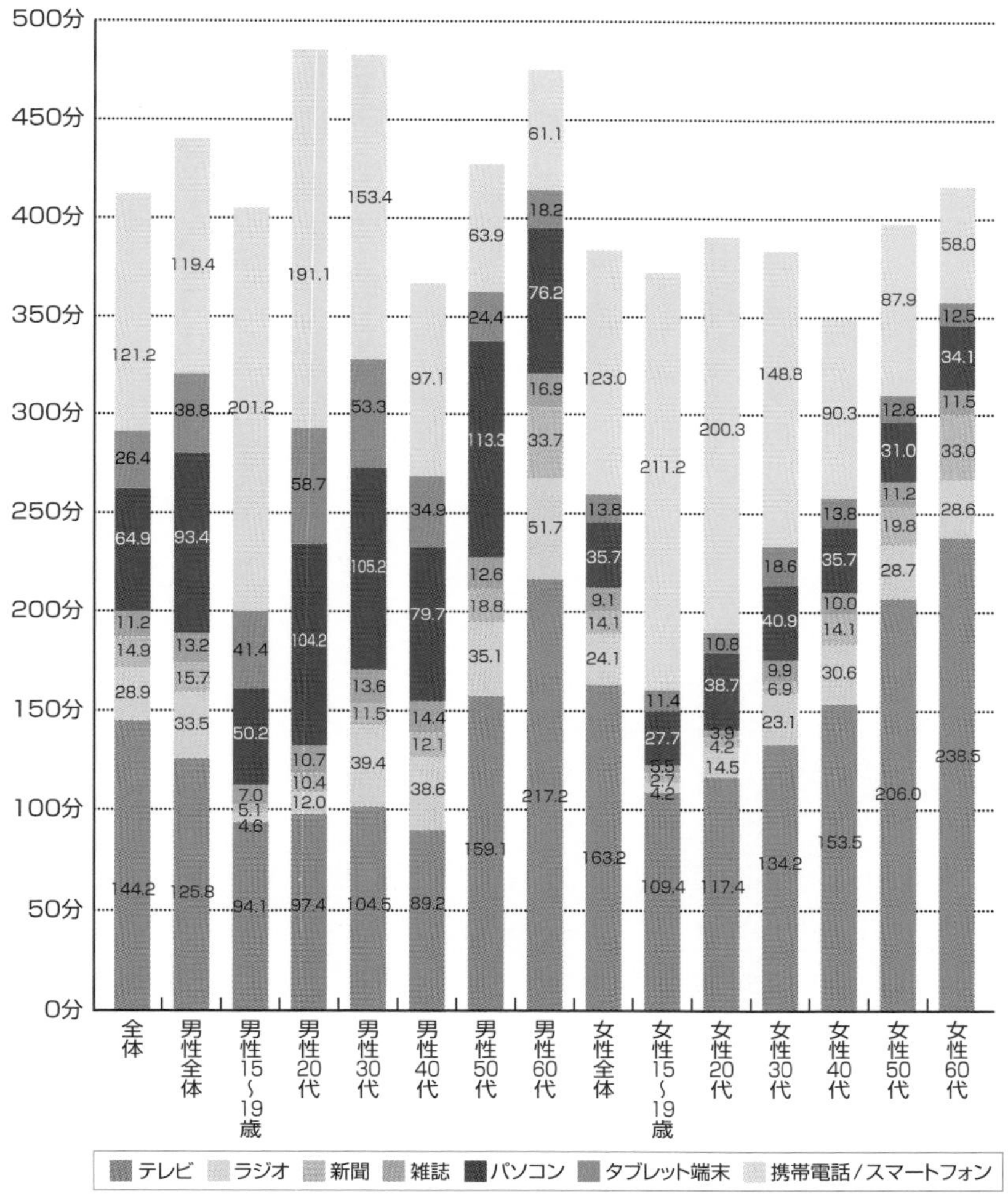

※1　メディア総接触時間は各メディアの接触時間の合計値、各メディアの接触時間は不明を除く有効回答から算出。
※2　2014年より「パソコンからのインターネット」を「パソコン」に、「携帯電話（スマートフォン含む）からのインターネット」を「携帯電話・スマートフォン」に表記を変更。
※3　タブレット端末は、2014年より調査。

出典：博報堂DYメディアパートナーズ「メディア定点調査2020」

5 5Gの普及とモバイル・コンテンツ

二〇年三月二五日、NTTドコモが次世代移動通信サービス「5G」の提供を開始しました。5Gが普及することで、モバイル・コンテンツ市場はさらに拡大すること必至です。

5Gがもつ3つの特長

5Gは第五世代移動通信システムを意味し、現在普及している4Gの後継規格になります。5Gには①**超高速通信***、②**超低遅延通信***、③**多数同時接続***という特長があります(図7・5・1)。

まず超高速通信ですが、従来の4Gでは通信速度が**下りで最大1Gbps、上りで最大数百Mbps**程度でした。これが5Gでは下りで最大二〇Gbps、上りで最大一〇Gpsとなっています。つまり5Gは4Gよりも一〇~二〇倍の速度に達するわけです。また、上りの速度が格段に向上した点も、5Gの特長の一つになっています。

次の超低遅延通信は、通信の遅延が極端に小さく、信頼性の高い通信が行えることを意味しています。4Gにおける遅延は一〇ミリ秒程度*でしたが、5Gでは**一ミリ秒**を実現し、従来の一〇分の一になります。これにより、遅延の許されない自動運転などの通信技術として、5Gに大きな期待が寄せられています。

最後の多数同時接続とは、一つの基地局に同時接続できるデバイスの数が大幅に増えることを意味します。4Gでは一km^2あたり一〇万台程度だったのが、5Gではその一〇倍の**一〇〇万台**に増えます。

野村総合研究所によると、5Gの普及は二三年頃より本格化し、二六年度には**七五二六万契約**に達すると予測されています(図7・5・2)。5Gの普及により**モバイル・コンテンツ市場**(7-3節)がさらに拡大することは必至です。

用語解説

* ***超高速通信** Enhanced Mobile Broadband。略称eMBB。
* ***超低遅延通信** Ultra Reliable and Low Latency Communications。略称URLLC。
* ***多数同時接続** Massive Machine Type Communications。略称mMTC。

5G の要求条件（図 7.5.1）

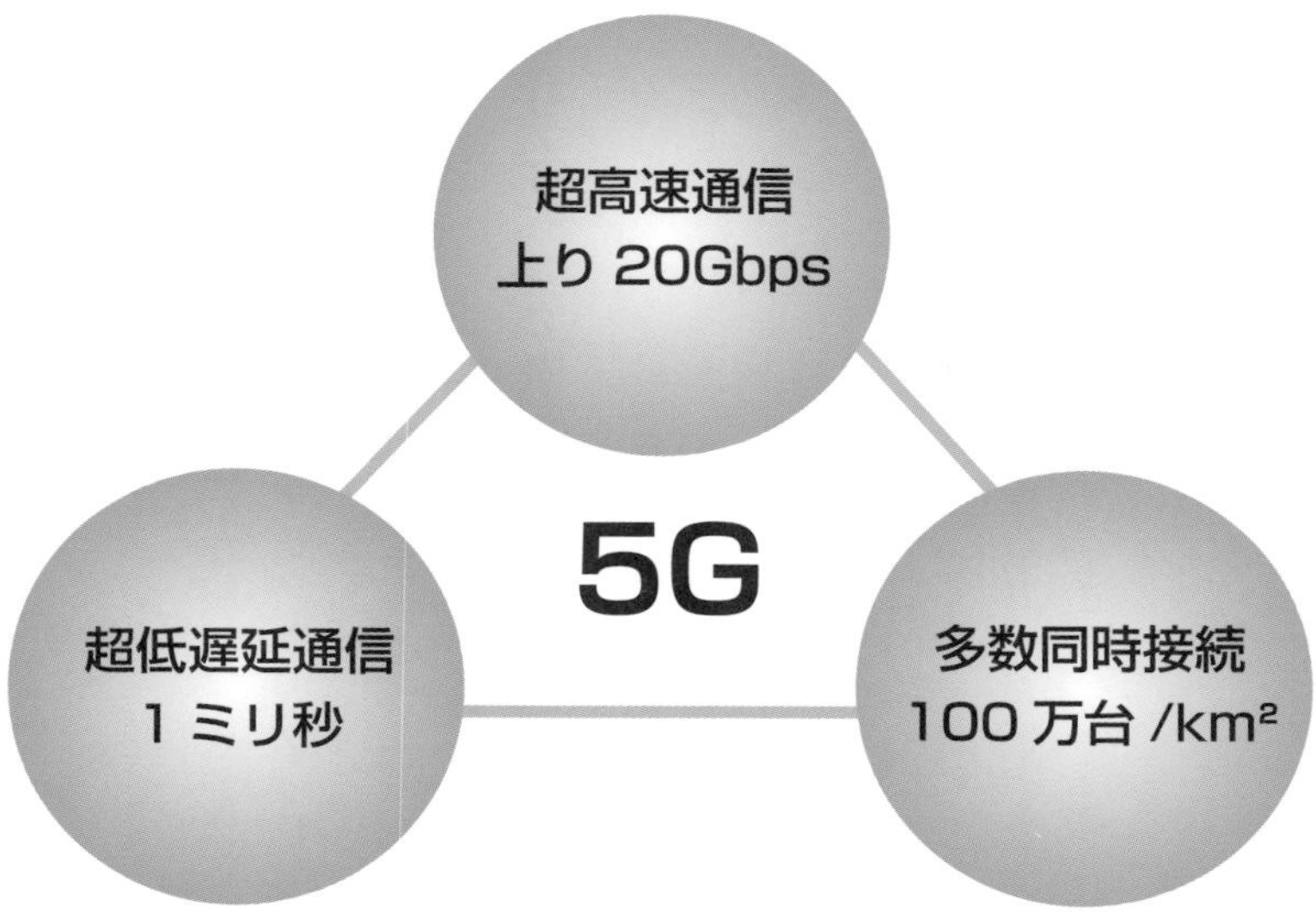
超高速通信
上り 20Gbps
5G
超低遅延通信
1 ミリ秒
多数同時接続
100 万台 /km²

ハンドセット端末の 5G とそれ以外の契約回線数予測（図 7.5.2）

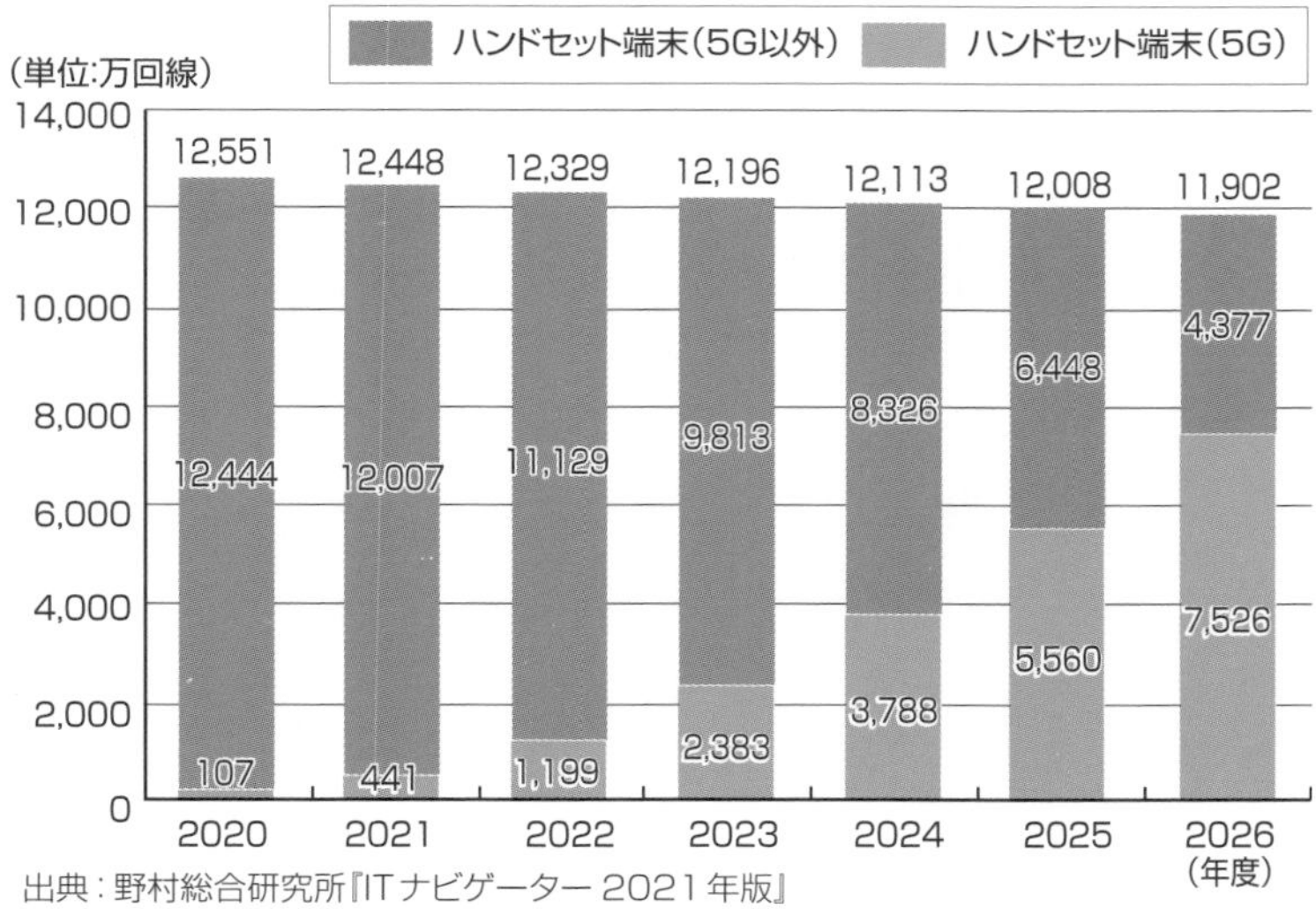
ハンドセット端末（5G以外）
ハンドセット端末（5G）
（単位:万回線）
14,000
12,000
10,000
8,000
6,000
4,000
2,000
0
12,551
12,448
12,329
12,196
12,113
12,008
11,902
12,444
12,007
11,129
9,813
8,326
6,448
4,377
107
441
1,199
2,383
3,788
5,560
7,526
2020
2021
2022
2023
2024
2025
2026
（年度）

出典：野村総合研究所『IT ナビゲーター 2021 年版』

用語解説

＊**一〇ミリ秒程度**　要求仕様では50ミリ秒の遅延が許容されていた。3Gでは100ミリ秒だった。

6 新聞の現状とデジタルへの取り組み

新聞の発行部数減少に歯止めがかかりません。二〇年の新聞の発行部数は三五〇九万部で、減少速度が加速しています。新聞社ではデジタル化、ネット化の取り組みを強化していますが、いま一つ効果が出ていない模様です。

二〇年で約三五％が蒸発

新聞の発行部数は、二〇〇〇年時点で五三七〇万部ありました*（図7・6・1）。一方、二〇年の発行部数は**三五〇九万部**と、この二〇年で一八六一万部、率にして**三四・七％**の減少でした。また、図7・6・2は、〇六年度以降の新聞社の総売上高の推移を見たものです。〇六年度には二兆三三三三億円あった総売上高も、直近の一九年度は**一兆六五二六億円**まで落ち込んでいます。新聞の苦戦がよくわかる数字です。

もっとも、新聞社にとっては暗いニュースばかりではありません。海の向こうの話ですが、ニューヨーク・タイムズではデジタル化により、言語が英語ということもあって、世界各地から読者を集めることに成功しています。その結果、一九年のデジタル収入（購読収入＋広告収入）は全収入の三九・八％を占め、全収入も一〇年比で一六・四％増の一八億二二八億ドルに達したといいます*。

日本でも電子新聞の先駆けとして日本経済新聞社が**日本経済新聞電子版**を一〇年に創刊しました。二〇年二月には有料会員数が七〇万人を超え、二一年一月一日時点で**七六万二四四人**となっています。とはいえ、同社の一六年と一九年の売上を比較すると二一億円の減収となっており、デジタルがプリントの落ち込みをカバーしきれていない様子がうかがえます*。ニューヨーク・タイムズの背中は遠いように思えますが、それでも新聞各社はデジタル化に取り組まざるを得ないのが現状です。

用語解説

＊**五三七〇万部ありました**　朝刊・夕刊のセットを1部として換算している。日本新聞協会による調査。以下同様。

＊**…達したといいます**　以上は電通メディアイノベーションラボ編『情報メディア白書2021』の「第Ⅰ部 1 新聞」による。

新聞の発行部数推移（図 7.6.1）

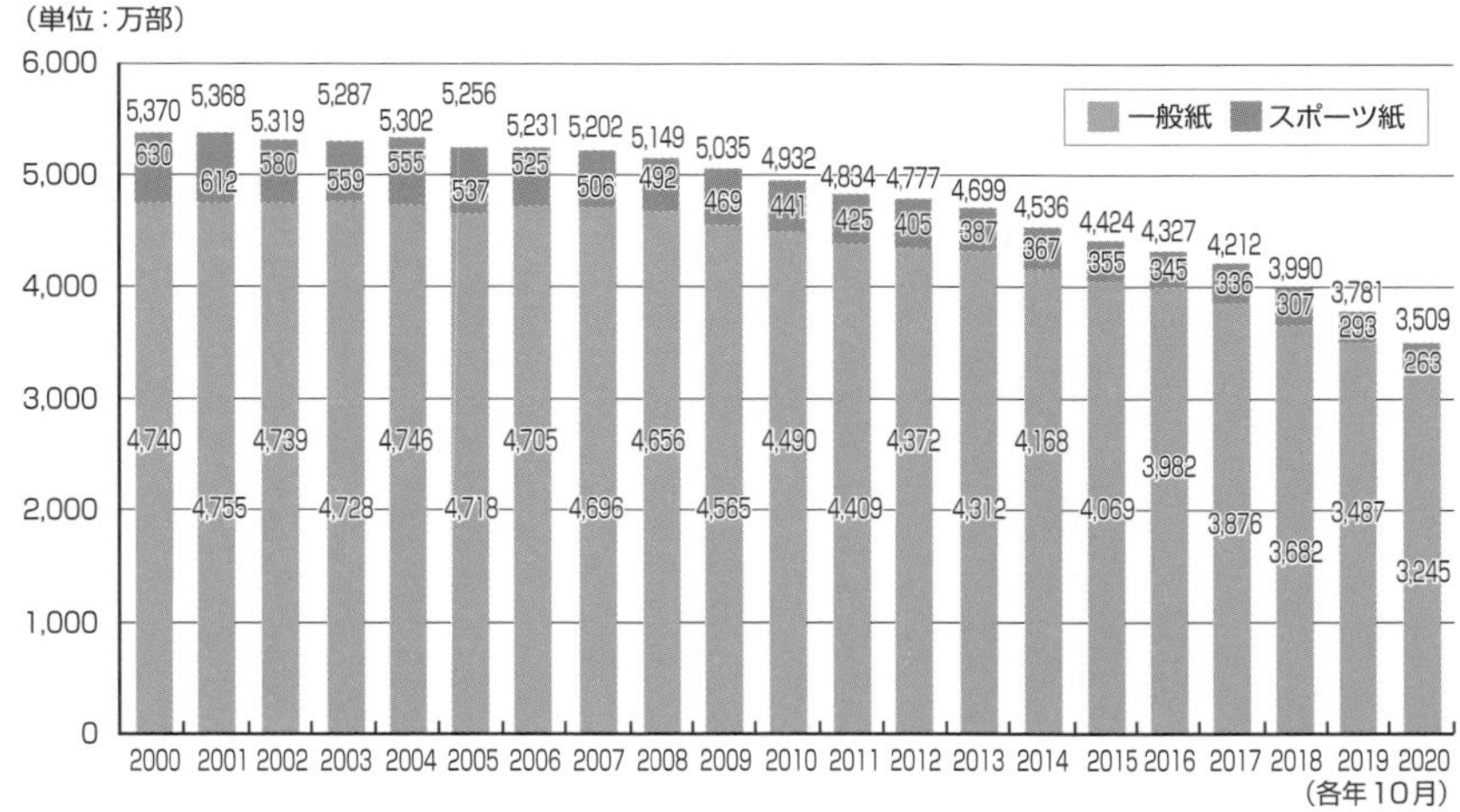

出典：日本新聞協会の公表資料を基に作成

新聞社の総売上高の推移（図 7.6.2）

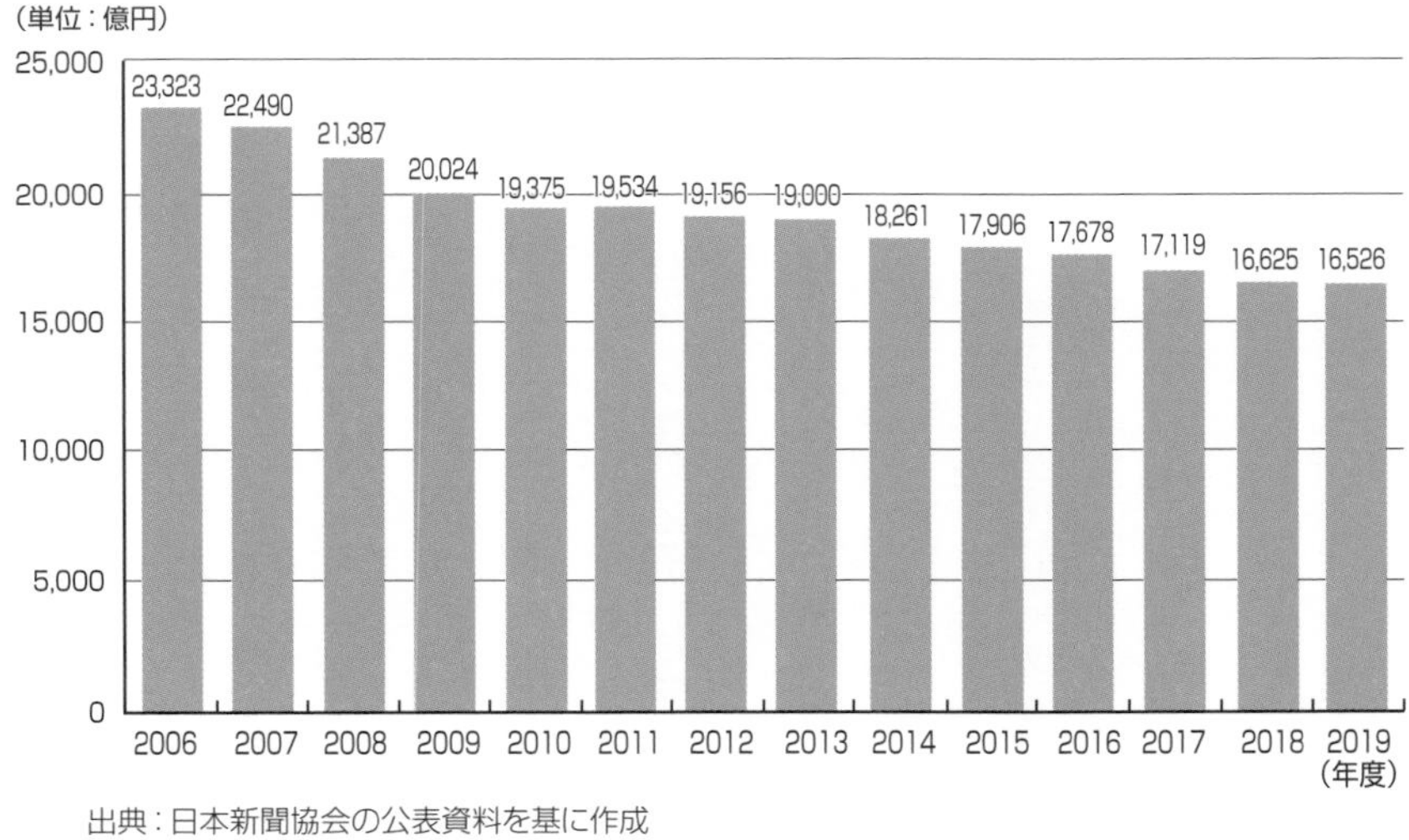

出典：日本新聞協会の公表資料を基に作成

用語解説

＊…**うかがえます**　2016年の売上が3589億円、2019年が3568億円だった。

7

新しいタイプの報道メディア

従来型の新聞メディアが苦戦を強いられる中、特にスマートフォンをターゲットにした新しいタイプの報道メディアが次々と姿を現してきています。報道メディアは新旧交代になるのでしょうか？

人気のヤフー！ニュース

既存の新聞が発行部数を大きく減らす中、スマートフォンにインストールしてニュースを閲覧する**ニュースアプリ**が人気を集めています。

日本最大級のアクセスを誇るのが**ヤフー！ニュース**です。ヤフー！ニュースの特徴は、報道機関から供給されたニュースを編成して配信している点です。そのため、新聞の代わりにヤフー！ニュースを読んでいる人も多いようです（これも新聞の発行部数減少の一因になっているのでしょう）。

画面では、新聞の見出しに相当する記事タイトルが一覧で並び、そこから読みたい記事を選びます。下にスクロールすると記事タイトルが新たに表示されますから、上のタイトルほど重要度が高いということになります。また、扱う記事は文字や静止画だけでなく、記事によっては動画も見られるようになっています。

また、ヤフー！ニュース以外にも、**スマートニュース**や**グノシー**、**ライン・ニュース***なども人気です。これらのニュースアプリの特徴は、他のニュースサイトの記事を収集して、それぞれのアプリのポリシーに応じて編成し、基本的に元記事をそのまま表示している点です。

さらに、ニュース関連ではグーグルがドイツなどで始めた**ニュース・ショーケース**にも要注目です。こちらは、新聞社から提供を受けたニュースの見出しをアプリに表示し、クリックすると新聞各社のサイトでニュースを読めるというものです*。日本でも近々サービスが始まるとのことです。

用語解説

*　**ライン・ニュース**　ヤフーとラインの経営統合により、ニュースアプリも統合される可能性がある。

*　**…というものです**　グーグルは新聞各社に掲載料を支払う。グーグルはこのサービスにより「新聞社のニュースにただ乗りしている」という批判をかわす狙いもあるようだ。

おすすめのニュースアプリ（図 7.7.1）

● Yahoo! ニュース

docomo 15:11 86%
主要
都道府県
テーマ
エンタメ
スポーツ
平成29年 6/17(土)
地域を設定
米艦衝突 艦長含む3人負傷
6/17(土) 13:10
放影研トップ 被爆者に謝罪へ
NEW 6/17(土) 14:00
豊洲無害化できず 都知事謝罪
6/17(土) 13:28
実の娘連れ去り 父ら5人逮捕
NEW 6/17(土) 13:51
毎日6時間睡眠 脳の働き低下
6/17(土) 11:37
C・ロナ決心「レアルを去る」
NEW 6/17(土) 13:59
歌丸「裸でお盆の何が芸か」
6/17(土) 12:53
速報1位のNGT 人気の要因

● SmartNews

docomo 15:12 86%
トップ
エンタメ
スポーツ
コラム
まとめ
土曜日 17
28° 19° 東京
穏やかなお出かけ日和
米イージス艦衝突事故 7人不明、3人ケガ
日テレNEWS24
築地市場関係者に謝罪=豊洲、無害化できず-小池都知事
時事通信社
「瑞風」でGO! 豪華寝台の一番列車、大阪出発
神戸新聞NEXT
iPhone買ったら必ずいれたい、神アプリまとめ
広告 SNx Apps
にわか雨の後は…田園に現れた不思議なV字虹
ウェザーニュース
英タワー火災、デモ隊が地元役所に突入

●グノシー

docomo 15:12 86%
トピック
エンタメ
スポーツ
コラム
うれしい
ぱあっ
はっ
LINEの返信が早いときの心境とメッセージをもらった側の印象
「朝食一緒にいかが？」25歳のウクライナ女性官僚がネットオークションに出品
ハフィントンポスト
森下悠里「年収10億円」IT長者と結婚後も続ける「水着肌見せ」の中身
アサ芸プラス
イッテQ「出川の奇跡」に、視聴者驚嘆！
日刊大衆
息子の入ってる少年野球団、壊れる
このいらすとやのイラストいつ

● LINE ニュース

docomo 15:12 86%
LINE NEWS
おもしろ
恋愛
トップ
ランキング
動画ダイジェスト
2 / 99
オバマ政権がキューバとした不公平な合意を撤回する
米大統領、キューバ制裁復活を発表
ヘッドラインニュース
地域を設定
米イージス艦衝突、7人不明3人負傷 艦長の容体は安定
映画監督J・アビルドセン氏死去「ロッキー」でアカデミー賞
死亡教諭の公務災害を認定 時間外勤務、月110時間超

8 市場が拡大する電子書籍

電子書籍市場が急速に拡大しています。一九年度の電子書籍の市場規模は三七五〇億円になりました。ただしその八割以上を占めるのは電子コミックでした。

電子書籍市場は三七五〇億円

　インプレス総合研究所によると、一九年度の電子書籍市場は電子雑誌が一七七億円、電子書籍が三四七三億円、総額で**三七五〇億円**になったとのことです(図7・8・1)。また、同研究所では今後の予測も行っており、二四年度の市場規模は**五六六九億円**になると推計しています。これは、年平均の成長率に換算すると**八・七%増**という高い数字になります。

　電子書籍市場を牽引するのが**電子コミック**です。一九年度の電子書籍市場三四七三億円のうち、電子コミックの売上は**二九八九億円**で、全体に占める割合は**八六・一%**でした。これに対して文字系の電子書籍は四八四億円で、全体に占める割合は一三・九%でした(図7・8・2)。

　出版市場の規模は**一兆二三六〇億円***(一九年)ですから、書籍においてはまだまだ紙が主力のように見えます。しかしながら、大手出版社では堅実にデジタルの売上を拡大しており、講談社のようにデジタルが紙を上回る勢いの出版社も現れ始めています(7-9節参照)。

　なお、電子書籍のサブスクリプション・サービスともいえる**キンドル・アンリミテッド**もすっかり定着した感があります。このサービスは月額九八〇円(税込み)でキンドル・アンリミテッド対象の電子書籍が読み放題になるサービスです。サービス開始当初は、かつてない読み放題というサービスに多くの出版社も戸惑ったようです。しかしいまでは多様な出版社が多数の書籍を提供しています。また、キンドル・アンリミテッドで読める電子雑誌の数も増えています。

用語解説

***一兆二三六〇億円**　取次店経由の販売額。電子書籍は含まれていない。

電子書籍・雑誌の市場規模予測（図 7.8.1）

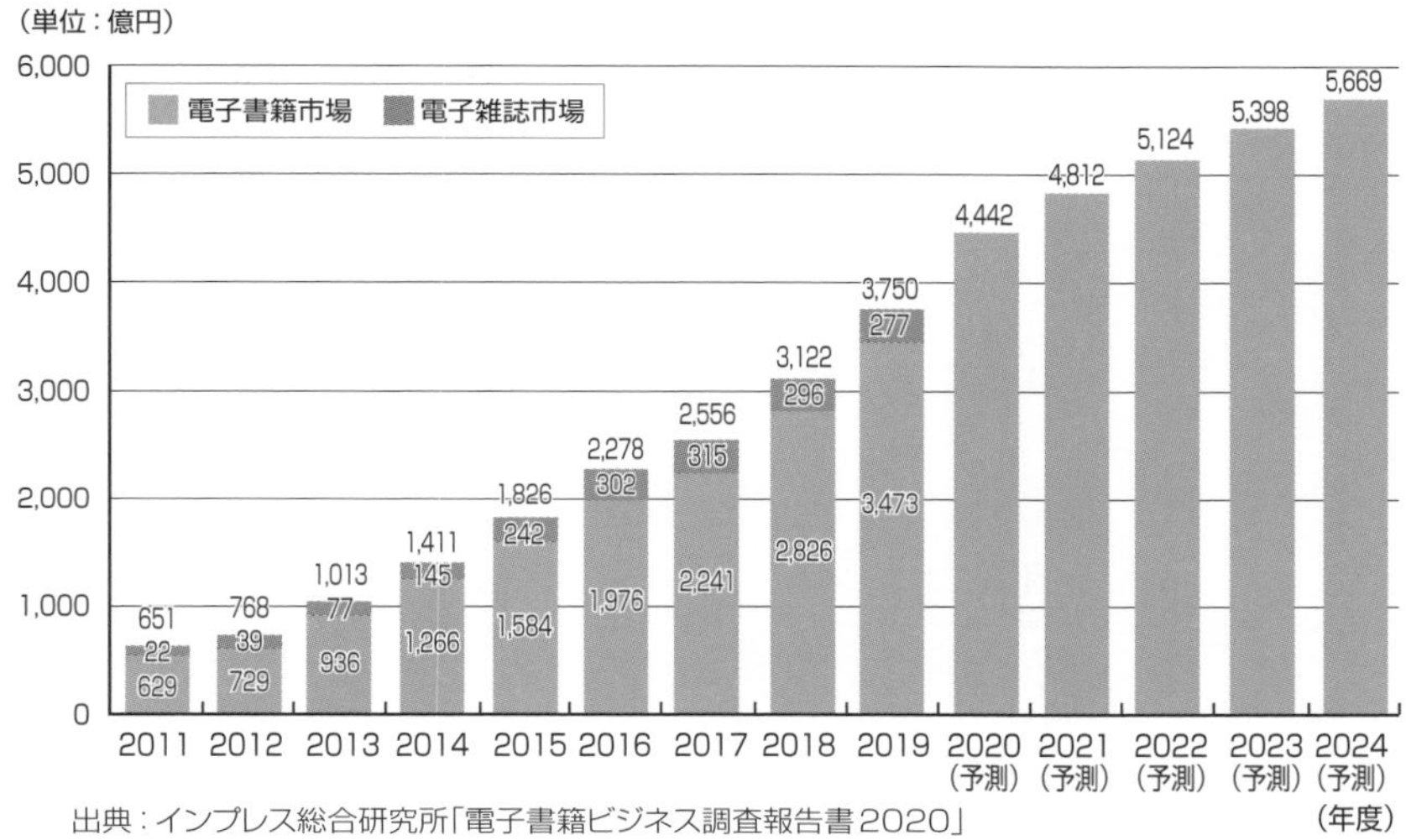

出典：インプレス総合研究所「電子書籍ビジネス調査報告書 2020」

電子書籍市場の内訳（図 7.8.2）

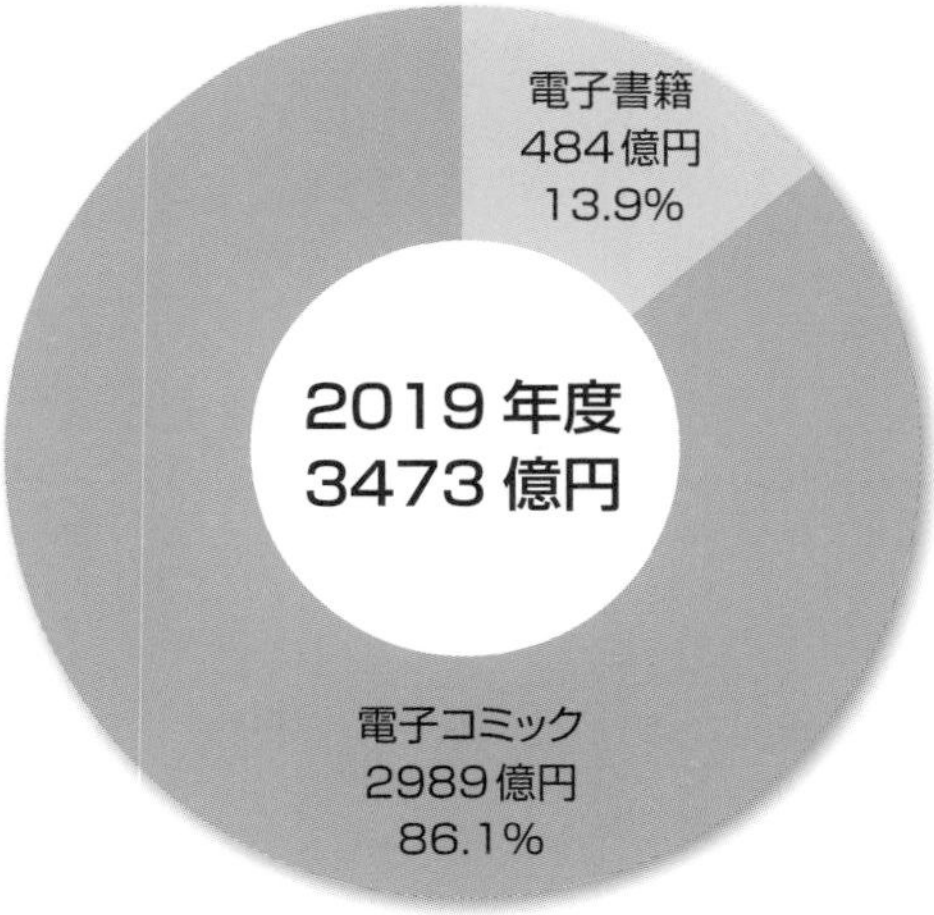

出典：電通メディアイノベーションラボ編『情報メディア白書 2021』を基に作成

9 大手出版社のＤＸ

大手出版社の売上に占めるデジタル関連の割合が急上昇しています。講談社は二〇年一一月期の決算で「デジタル関連収入を含む事業収入が紙の売上を上回った」と発表しました。

デジタル関連で稼ぐ出版社

前節では市場が拡大する**電子書籍**について見ました。この影響は出版社にも現れています。

図7・9・1は出版社大手の売上推移と売上構成について見たものです。最も売上が大きいのは集英社で、二〇年（五月期）は**一五二九億円**でした。これに続くのが講談社で二〇年（一一月期）が**一四四九億円**と集英社を猛追しています。三位の小学館は二〇年（二月期）が**九七七億円**でした。

三社の五年間の推移を見ると、じわりじわりと売上を伸ばしてきていることがわかります。それを牽引しているのが**デジタル関連の売上の拡大**です。例えば講談社の場合、二〇年の売上は前年比六・七％増の一四四九億円、純利益は前期比一・五倍の一〇八億円を達成しました。その売上の内訳を見たのが図7・9・2の円グラフです。

グラフ中の「製品」とあるのが紙の書籍や雑誌などを示しています。製品の売上は六三五億円で一・二％減、全体に占める割合は四三・九％でした。これに対し、デジタル関連の収入は五四四億円で前年比一七・〇％増となりました。全体に占める割合は三七・六％に達しています。

同社ではデジタル関連、国内版権、海外版権を合わせて「事業収入」と呼んでおり、二〇年はこの事業収入が製品を初めて上回りました。デジタル関連単体でも早晩、製品を上回るでしょう。同様の傾向は集英社や小学館にも見られ、出版社の**ＤＸ**＊の進展がうかがわれます。

用語解説

＊**DX**　デジタル・トランスフォーメーションの略。「トランス」は「クロス」の意味があり、この部分を「X」とし、デジタルの「D」と合わせてDXとなる。

大手出版社 3 社の売上推移（図 7.9.1）

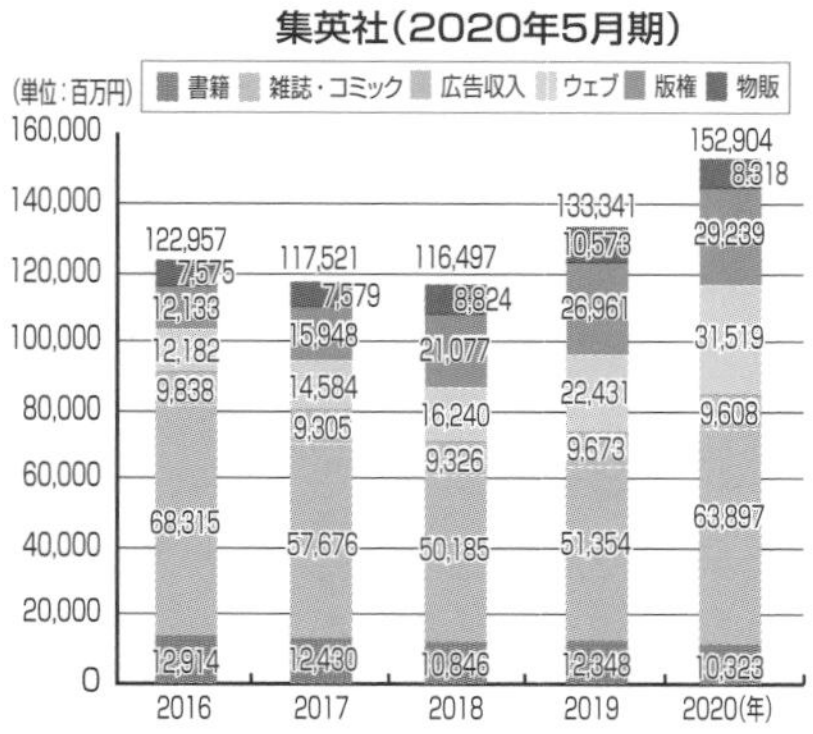

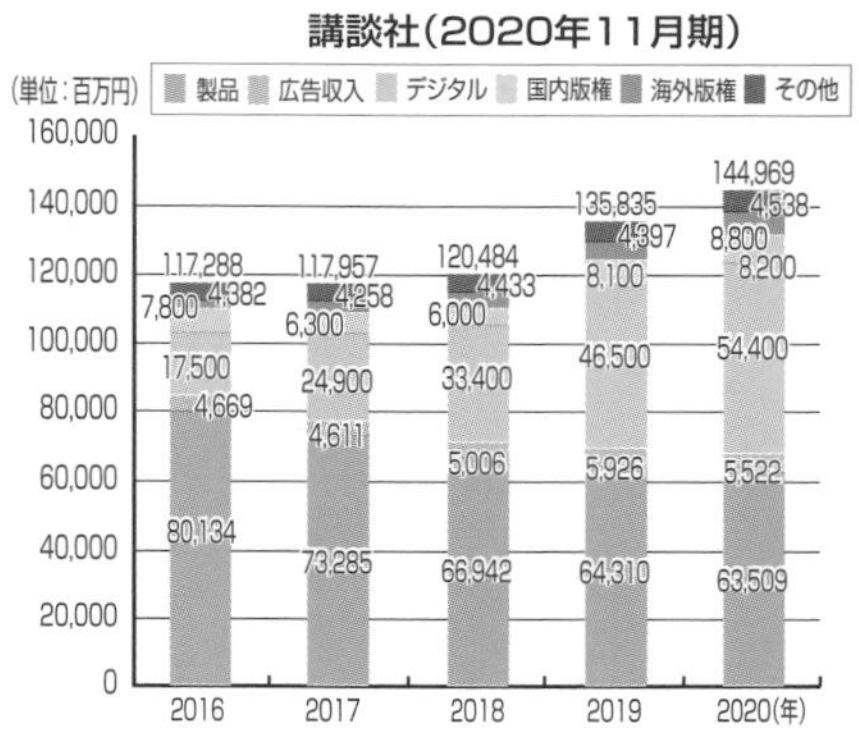

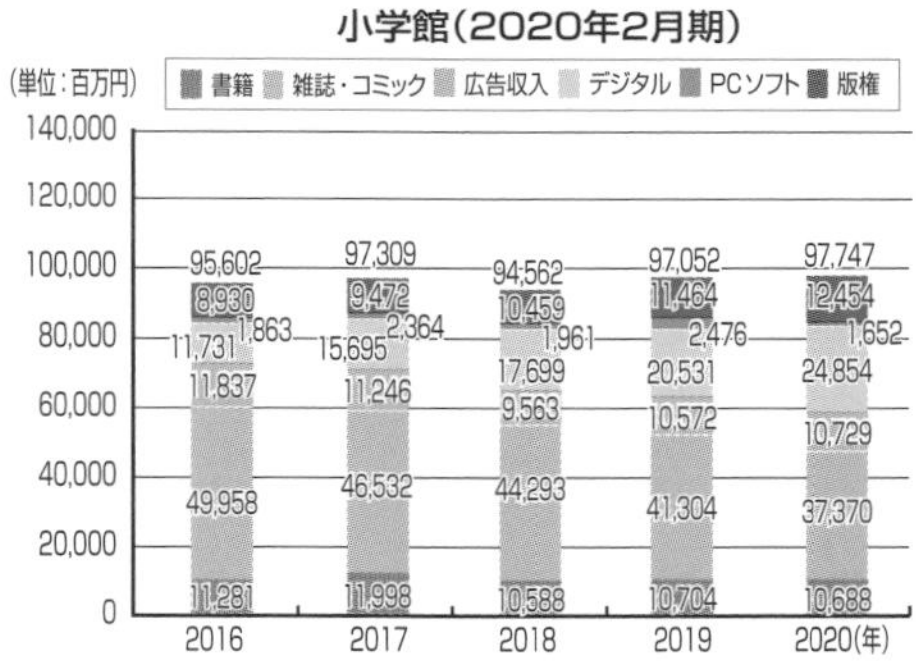

出典：電通メディアイノベーションラボ編
『情報メディア白書2021』
および各社のデータ

講談社の売上構成（2020 年）（図 7.9.2）

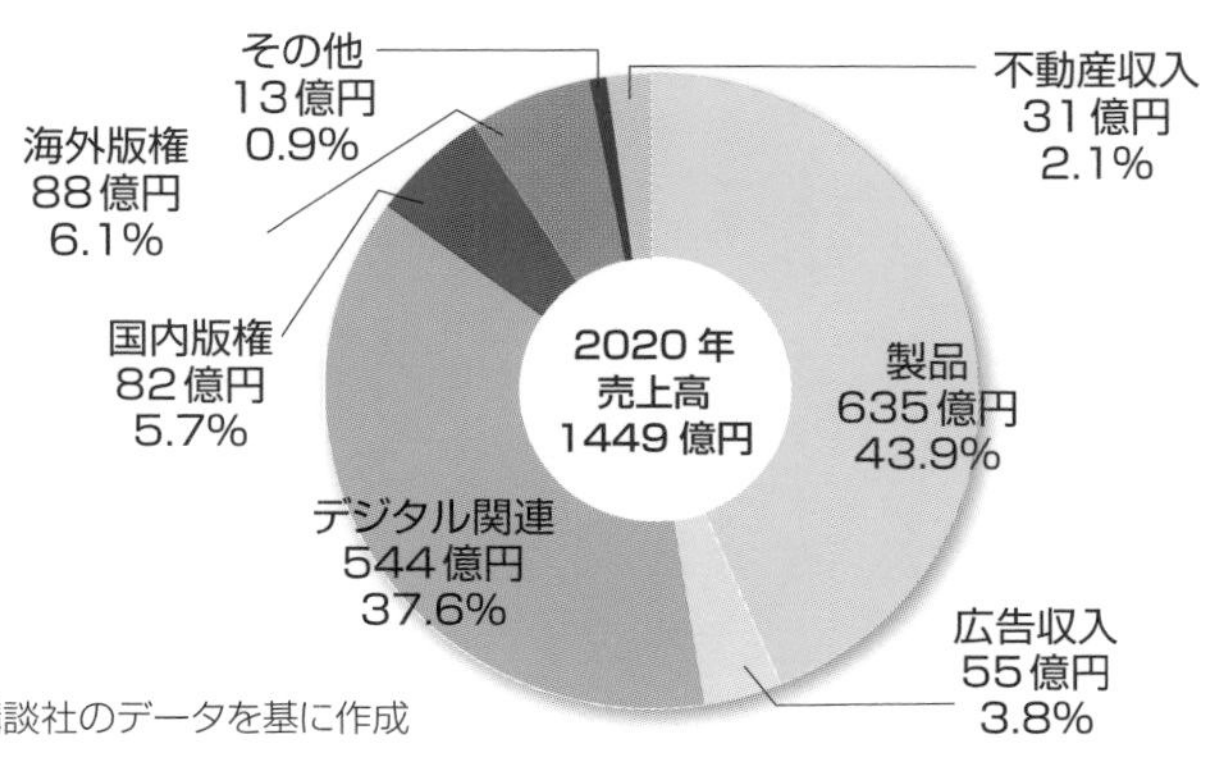

出典：講談社のデータを基に作成

10 手堅い人気を得ているラジコ

インターネットを通じてラジオ放送を同時放送するサービスをサイマルラジオと呼びます。サイマルラジオ「ラジコ」を使えば、スマートフォンでラジオ放送を聴取できます。利用者は増加中です。

地上波ラジオをネットで聴く

広告業界では新聞、雑誌、ラジオ、テレビを**マスコミ四媒体**と呼んでいます。このマスコミ四媒体もインターネットを通じた広告の進展で徐々に影が薄くなりつつあります（7-15節）。中でもラジオ広告は長らく凋落《ちょうらく》傾向にありました。しかしながらサイマルラジオ「**radiko**（**ラジコ**）」の登場により、ラジオ放送に対する再評価の機運が高まっています。

ラジコはIPサイマルラジオ協議会（現・株式会社radiko）が一〇年から本サービスを開始したもので、同協議会に加盟するラジオ局のラジオ放送をインターネットを通じて提供します*。**サイマル**とは「同時」の意味で、サイマル放送は同時放送を意味します。この名からもわかるように、ラジコとは、電波を使って提供しているラジオ放送を、インターネット経由でも同時に聴取できるようにしたものです。放送は専用の無料アプリをダウンロードして聴取します。

ラジコのサービスは無料ですが、この場合、聴取できる番組は放送エリア内*のもののみです。ただし、月額三五〇円を支払うと、日本全国のラジオ放送局の番組が聴き放題になります*。また、一週間以内の番組ならばいつでも聴取できる**タイムフリー聴取機能**も提供しています。さらに二〇年九月一日からは、民放ラジオ全九九局が聴取できるようになりました。

人気も上々で、二〇年六月は新型コロナウイルスの影響もあり月間利用者数は**八六〇万人**を記録しました。二〇年度内の月間一〇〇〇万人も夢ではありません。

用語解説

＊…**提供します**　これとは別にNHKが「らじる★らじる」を開始した。
＊**放送エリア内**　日本の放送は**県域免許制度**により放送エリアが基本的に県単位になっている。有料サービスだとこの縛りがなくなる。
＊…**が聴き放題になります**　ラジコではこれを「エリアフリー」と呼んでいる。

ラジコ聴取者の特徴（図 7.10.1）

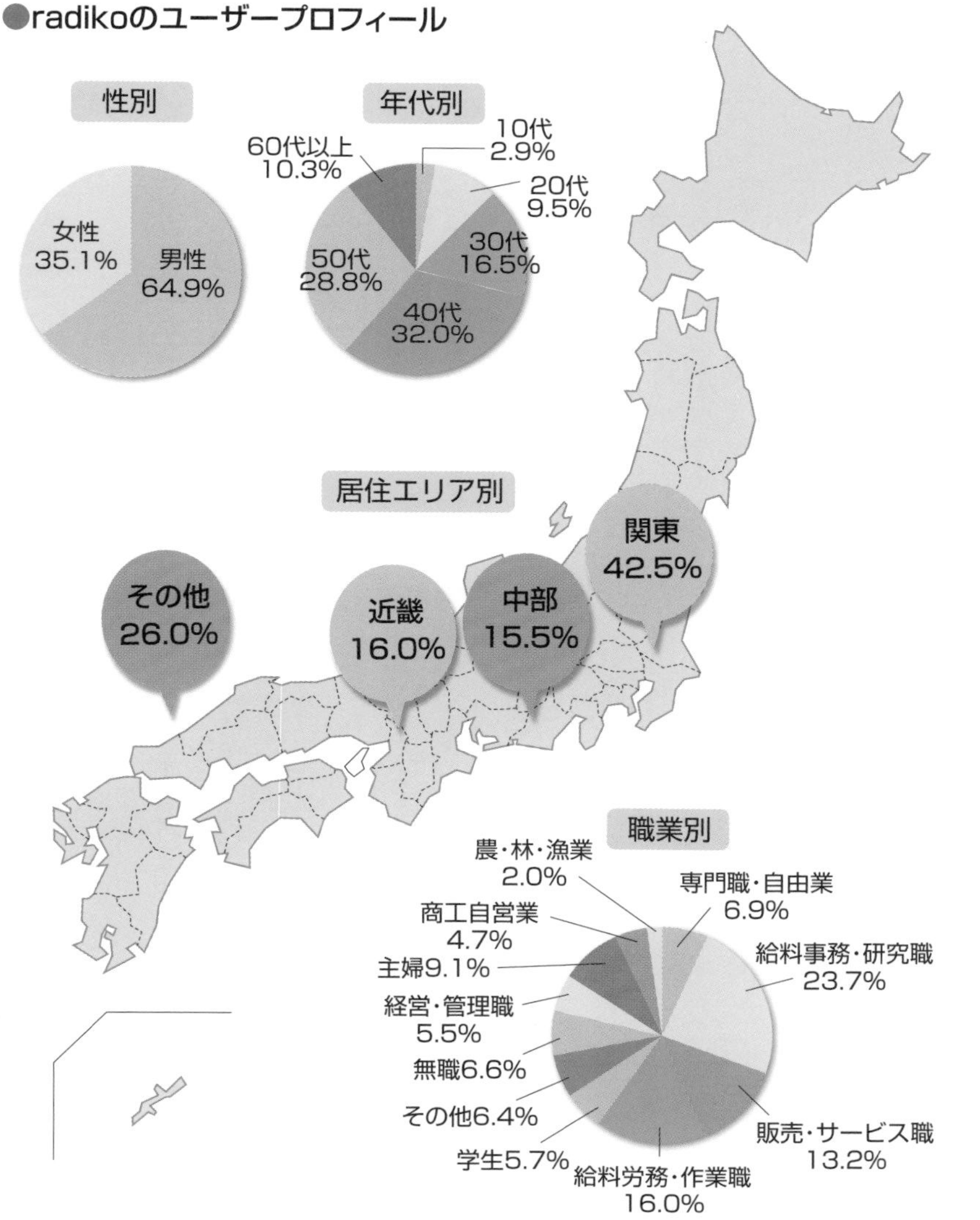
●radikoのユーザープロフィール
性別
女性 35.1%
男性 64.9%
年代別
10代 2.9%
20代 9.5%
30代 16.5%
40代 32.0%
50代 28.8%
60代以上 10.3%
居住エリア別
関東 42.5%
中部 15.5%
近畿 16.0%
その他 26.0%
職業別
農・林・漁業 2.0%
専門職・自由業 6.9%
給料事務・研究職 23.7%
販売・サービス職 13.2%
給料労務・作業職 16.0%
学生5.7%
その他6.4%
無職6.6%
経営・管理職 5.5%
主婦9.1%
商工自営業 4.7%

出典：オトナル「ラジコ オーディオアド媒体資料」(ver.2020.10-12)

11 多様化するネット・コンテンツ

ネット・コンテンツを動画系や音楽・音声系、テキスト系に分類する方法がありますが、さらにその細部を見ていくとその種類は極めて多様です。ここでは代表的なコンテンツのジャンルを掲げました。

ヤフー！ジャパンの突出した人気

電通メディアイノベーションラボ編『情報メディア白書２０２０』によると、日本におけるドメイン別推定接触者数で、最も多くの利用者を集めているのはヤフー！ジャパンで**三七四五万人**です。二位はグーグル（二九六三万人）、三位はｍｓｎ（二五八三万人）となっており、ヤフー！ジャパンの強さが目立ちます。

次に、同じく同書からジャンルごとの人気サイトについて見てみましょう。図7・11・1はネット・コンテンツの代表的なジャンルと、そのジャンルで人気のサイトを掲載したものです。このように、一口にネット・コンテンツといっても多様なジャンルがあることがわかります。

また、ネット・コンテンツの分類方法として、動画系や音楽・音声系、テキスト系という分類方法がありますが、動画や音声、テキストを用いたいわゆるマルチメディアなコンテンツも多数あるわけで、そうした分類には無理がある場合も多いことがわかると思います。

強敵にどう立ち向かうのか

一覧を見ていて気づくのは、各ジャンルで強力なブランドが市場を占有しているということではないでしょうか。これは、いったん有利なポジションを築くと人が集まり、サイトの価値が高まるとさらに人が集まるという**ネットワーク効果**＊が発揮されるからでしょう。

このように考えると、ネット・コンテンツ市場に新規参入する場合、新たな**ニッチ市場**でトップ・ブランドを狙う戦略が効果的なのかもしれません。

用語解説

＊**ネットワーク効果**　人が集まることでそのシステムの価値が高まることを指す。電話サービスは、参加者が増えれば増えるほどかけられる相手が増えるため、ネットワーク効果の典型といえる。

ネット・コンテンツの分類例（図 7.11.1）

検索系	プロバイダー系	ポータル系
・Google ・Yahoo! 検索 ・Bing	・BIGLOBE ・@nifty ・So-net	・Yahoo! JAPAN ・MSN ・goo
SNS系	**ブログ系**	**ニュース・総合系**
・Twitter ・Facebook ・インスタグラム	・Amebaブログ ・FC2ブログ ・livedoor Blog	・Yahoo! ニュース ・MSNニュース ・朝日新聞デジタル
金融系	**就職・転職系**	**エンタメ・音楽系**
・イオンフィナンシャルサービス ・楽天銀行 ・ジャパンネット銀行	・マイナビ ・リクナビ ・Indeed	・MSNエンタメ ・ORICON NEWS ・Walkerplus
動画系	**スポーツ系**	**地図・交通系**
・YouTube ・ニコニコ動画 ・DMM.com	・ニッカンスポーツ・コム ・デイリースポーツonline ・MSNスポーツ	・Yahoo! 地図 ・NAVITIME ・Yahoo! 路線情報
トラベル系	**グルメ系**	**ショッピング系**
・じゃらんnet ・楽天トラベル ・トリップアドバイザー	・食べログ ・ぐるなび ・クックパッド	・アマゾン ・楽天市場 ・Yahoo! ショッピング

※分類および人気ネット・コンテンツは電通メディアイノベーションラボ編『情報メディア白書 2021』による。

12 ビジネスモデルの代表的タイプ

ネット・コンテンツ業界もビジネスで成り立っているわけですから収益を得る必要があります。ネット・コンテンツ業界のビジネスモデルは多様です。ここでは代表的なビジネスモデルについて紹介しましょう。

有料のビジネスモデル

ネット・コンテンツには、有料で取引されるものと、無料で提供されるものがあります。有料の場合、個々のコンテンツごとに料金を支払うタイプと、一定期間の使用権を得る**サブスクリクション**があります。

例えば、タイトルごとに料金が発生する電子書籍の場合だと、前者のタイプを採用していることになります。一方、定額動画配信は、特定の料金で一定期間の利用権を付与することから、後者のタイプを採用していることになります。また定額制の**オンライン・ゲーム**なども後者のタイプに該当します*。

また、こうした有料コンテンツを多数取りそろえて販売・配信する**プラットフォーム**を構築するビジネスモデルもあります（7-13節）。このタイプで著名なものにアップルの**アップ・ストア**などがあります。また、多様な事業者を集めたEC＊サイトを**マーケット・プレイス**と呼びますが、これもプラットフォームの一類型になります。楽天の**楽天市場**はこのタイプに該当します。

無料のビジネスモデル

一方、ウェブ・コンテンツには無料で閲覧できるものが多数あります。これらの多くが採用しているのが**広告型**のビジネスモデルです。最大手はなんといってもグーグルでしょう。同社は**検索連動型広告**というビジネスモデルで莫大《ばくだい》な利益を稼ぎ出しています（7-16節）。

また、一部の有料顧客が他の顧客の無料分を負担する**フリーミアム**を採用する企業も多数あります。

用語解説

＊…**該当します**　ただし、アイテム課金を中心とするソーシャル・ゲームは、個々のコンテンツ（アイテム）ごとに料金を支払うタイプに分類できる。また、無料で遊べるのはフリーミアムの形をとっているからだともいえる。

代表的なビジネスモデル（図 7.12.1）

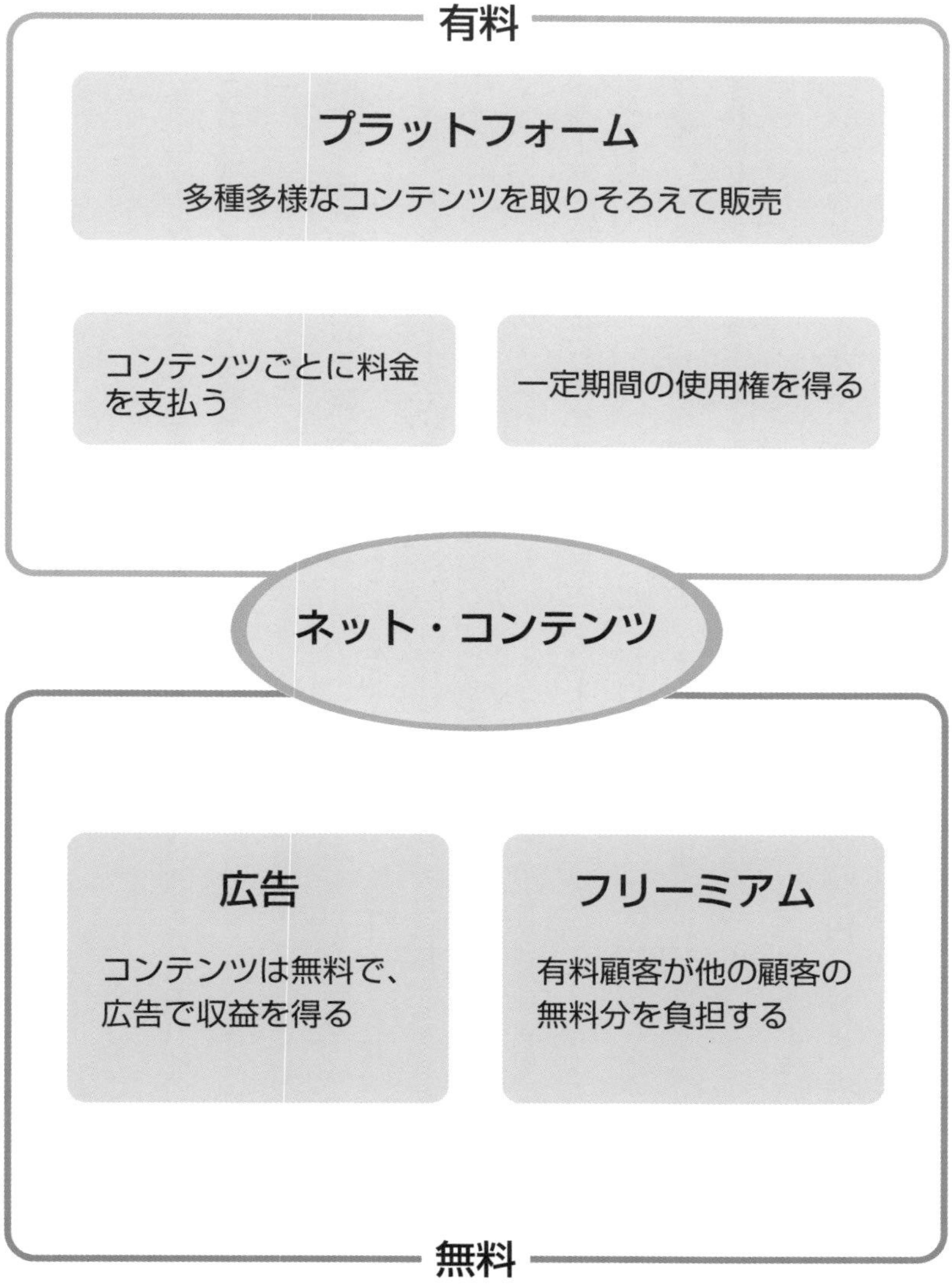
有料
プラットフォーム
多種多様なコンテンツを取りそろえて販売
コンテンツごとに料金を支払う
一定期間の使用権を得る
ネット・コンテンツ
広告
コンテンツは無料で、広告で収益を得る
フリーミアム
有料顧客が他の顧客の無料分を負担する
無料

用語解説

＊**EC**　Electronic Commerceの略。電子商取引のことで、eコマースともいう。

13 プラットフォーム型ビジネスモデルの強み

プラットフォーマーとして強大な力を誇示するのがGAFAです。GAFAはそれぞれ得意の分野で一強のポジションを確立し、絶大な影響力を発揮しています。

日本の税収の一・四五倍を稼ぎ出す

プラットフォーマーは、B2BやB2Cの間に立ってワンストップでサービスを提供する点が大きな特徴になっています。こうしたプラットフォーマーとして絶大な力を誇るのが**グーグル**、**アップル**、**フェイスブック**、**アマゾン**の**GAFA**です。

グーグルは検索、フェイスブックはSNS、アマゾンはeコマースで、それぞれプラットフォーマーとして大きな影響力を行使しています。一方、アップルですが、同社はiPhone、iPadなどのモバイル・デバイスやパソコン（Mac）を提供すると同時に、**アップ・ストア**や**アップル・ミュージック**などを展開し、やはりプラットフォーマーとして君臨しています。

プラットフォーマーは、サービスを行うための基盤（**プラットフォーム**）をユーザーに提供します。プラットフォームそれ自体では価値を生みません。利用者が集うことで価値が生まれます。価値が生まれると利用者がさらに集い、価値がより高まります。このように、**ネットワーク効果**（7-11節）が働くことで、いまやGAFAが提供するサービスは大勢の人に欠かせないものになりました。その結果、GAFAは莫大な富を手にするに至っています（図7・13・1）。

一九年の四社の収益総計は**七七三〇億ドル**、日本円に換算すると**八四・六兆円**になりました（一ドル一〇九円五六銭換算）。一九年度の日本の税収は**五八・四兆円**でしたから、GAFAはたった四社で、日本の**一・四五倍**もの収益力をもっていることになります。

GAFAの収益推移（図7.13.1）

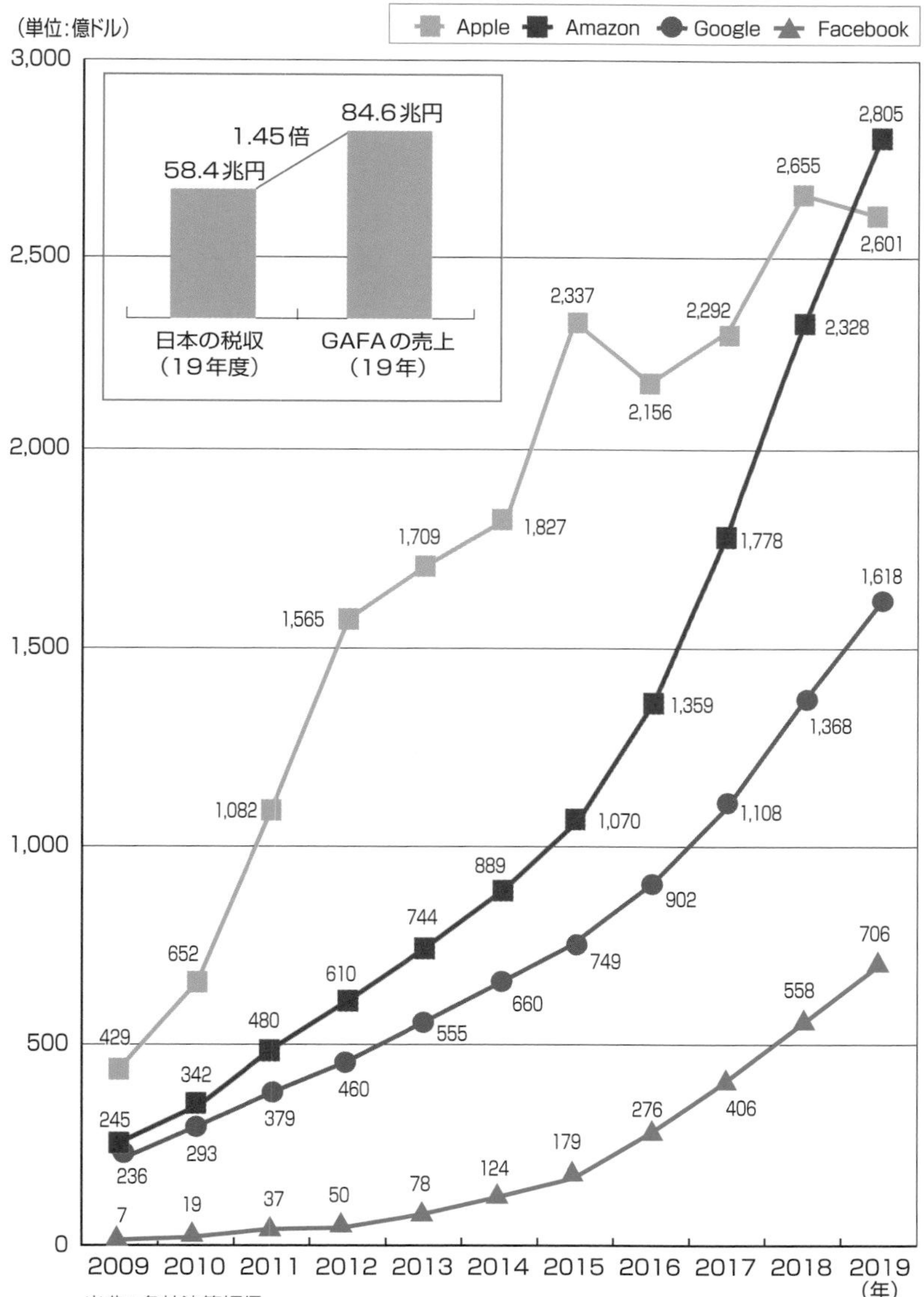

出典：各社決算短信

14 SNSによって違う利用者のタイプ

SNSは、私たちがコンテンツを消費すると同時に生産する場として、いまやなくてはならないサービスになりました。様々なサービスがあるSNSですが、それぞれのサービスには利用者に特徴があります。

コンテンツを消費・生産する場

スマートフォンは、コンテンツを受信する端末であると同時にコンテンツを発信する端末でもあります。そのような端末を私たちは常時持ち歩いているわけですから、現代人はいつでもどこにいても、コンテンツの消費者であると同時にコンテンツの生産者にもなれます。そして、このコンテンツの消費および生産の場として私たちが大いに活用しているのが**SNS**＊です。

SNSを通じて友人の近況を知るとしたら、これはコンテンツを消費していることになります。その友人の近況に反応して何かメッセージを送れば、これはコンテンツを生産していることになります。また、スマホにはカメラ機能が備わっています。何か面白い光景を写真にして投稿すれば、この行為もまたコンテンツを生産していることになります。スマホは肌身離さず持ち歩く端末ですから、私たちはこうした行為を常時行える＊わけです。

SNSには**ライン**や**フェイスブック**、**ツイッター**、**ミクシィ**、**インスタグラム**など様々サービスがあります。図7・14・1は、それぞれのSNSにおける男女別・年代別の利用率を見たものです。これを見るとそれぞれのSNSがどういう層に受け入れられているのか、ざっくりとした傾向を読み取れます。

例えば、画像共有サイトとして人気の**インスタグラム**は、女性の比率が高く、また二〇代以下に支持されているのがよくわかります。また、図に掲げた中でツイッターやミクシィでは、女性よりも男性の利用率が高いこともわかります。

用語解説

＊**SNS**　Social Networking Serviceの略。交流サイトなどとも呼ぶ。

＊…**常時行える**　未来学者**アルビン・トフラー**は、現代の生活者が消費者であると同時に生産者でもあると指摘し、このような人を**プロシューマー**と呼んだ。現代人は、コンテンツの消費者かつ生産者すなわちプロシューマーといえる。

SNS の性別・年齢別利用率（図 7.14.1）

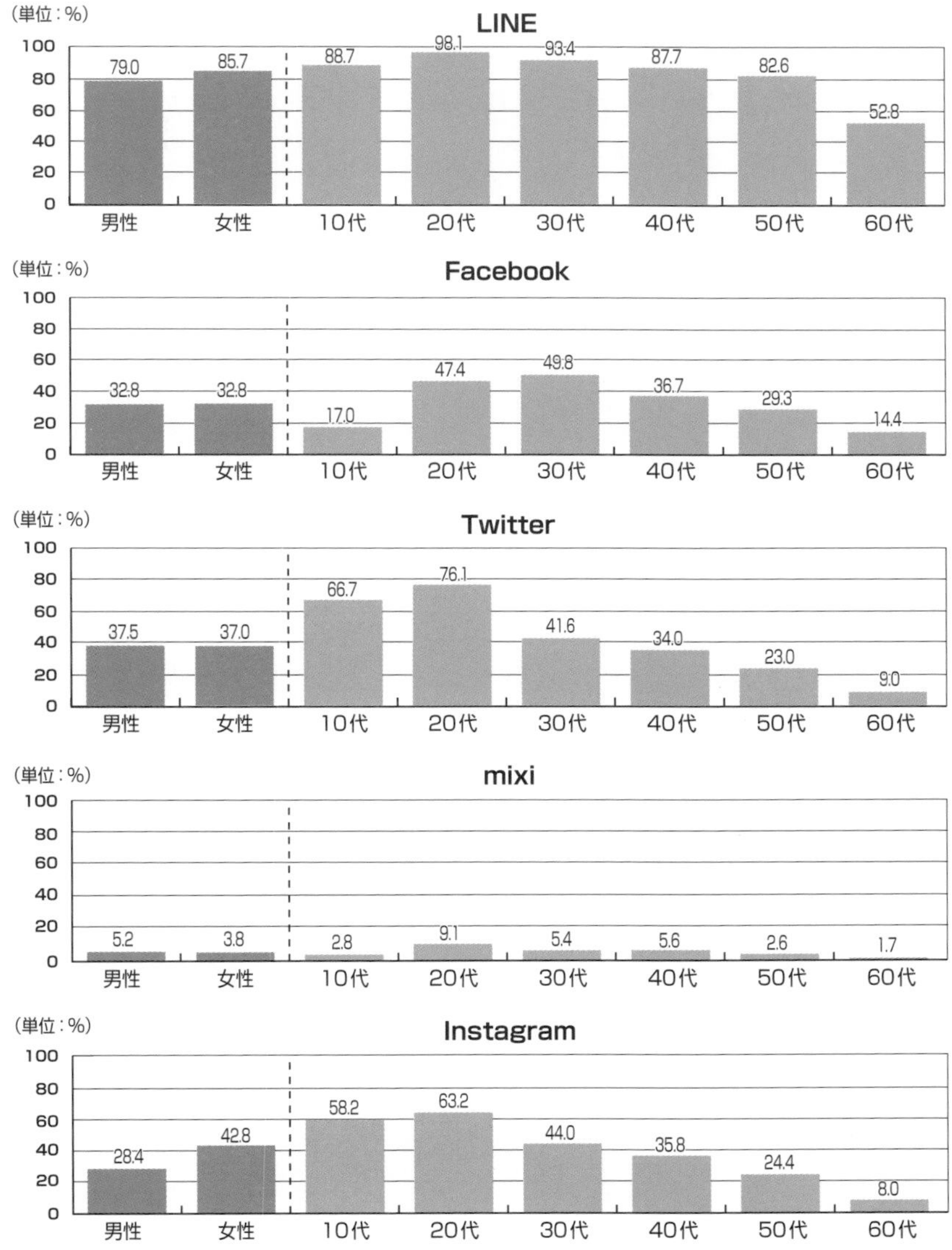
(単位：%)
LINE
100
80
60
40
20
0
79.0
85.7
88.7
98.1
93.4
87.7
82.6
52.8
男性
女性
10代
20代
30代
40代
50代
60代
(単位：%)
Facebook
100
80
60
40
20
0
32.8
32.8
17.0
47.4
49.8
36.7
29.3
14.4
男性
女性
10代
20代
30代
40代
50代
60代
(単位：%)
Twitter
100
80
60
40
20
0
37.5
37.0
66.7
76.1
41.6
34.0
23.0
9.0
男性
女性
10代
20代
30代
40代
50代
60代
(単位：%)
mixi
100
80
60
40
20
0
5.2
3.8
2.8
9.1
5.4
5.6
2.6
1.7
男性
女性
10代
20代
30代
40代
50代
60代
(単位：%)
Instagram
100
80
60
40
20
0
28.4
42.8
58.2
63.2
44.0
35.8
24.4
8.0
男性
女性
10代
20代
30代
40代
50代
60代

出典：博報堂DYメディアパートナーズ編『メディアガイド2020』を基に作成

15 まだまだ成長するインターネット広告

ネット・コンテンツの中でも大きなシェアを占めるのが広告、『デジタルコンテンツ白書』が指す「複合型」です。コロナ禍で総広告費が大きく減少する中、インターネット広告市場は逆に拡大しています。

止まらないインターネット広告の勢い

　電通の調査によると、二〇二〇年の日本の総広告費は新型コロナウイルスの影響をもろに受け、前年比八八・八%の**六兆一五九四億円**に落ち込み＊ました（図7・15・1）。その中で、マスコミ四媒体やSP広告＊が軒並み前年割れなのに対して、**インターネット広告**のみが規模を拡大しており、一九年の二兆一〇四八億円から**五・九%増の二兆二二九〇億円**となりました。広告費全体に占めるインターネット広告費の割合も過去最高の三六・二%に達し、前年トップだったSP広告費／プロモーションメディア広告費の二七・二%を大きく上回って堂々トップに立ちました。

　インターネット広告費を項目別に見ると、媒体費が一兆七五六七億円（前年比五・六%増）、広告制作費は三四〇二億円（前年比一・四%増）となりました（図7・15・2）。インターネット広告費の中でも媒体費が牽引力になっていることがわかります。

　また、この媒体費のうち一兆四五五八億円と八一・八%を占めているのが**運用型広告費**です。運用型広告費は、検索サイトに入力したキーワードに関連する広告を掲載する**検索連動型**（1‐16節）の広告費、サイトにアクセスしたユーザーの属性情報を基に入札し、最も高い金額で入札した広告を自動的に表示する**DSP／RTB**＊（7‐18節）による広告費を指します。

　デジタル・コンテンツの**複合型**（1‐6節）として位置づけられるインターネット広告の勢いは、まだまだ止まる気配はありません。

用語解説

＊**…に落ち込み**　電通「2020年 日本の広告費」より（https://www.dentsu.co.jp/news/release/2021/0225-010340.html）。

＊**SP広告**　セールス・プロモーション（販売促進）広告。イベントや交通広告、サンプリングなど多様な広告活動を指す。

＊**DSP/RTB**　Demand Side Platform / Real Time Biddingの略。

日本の広告費の推移（図 7.15.1）

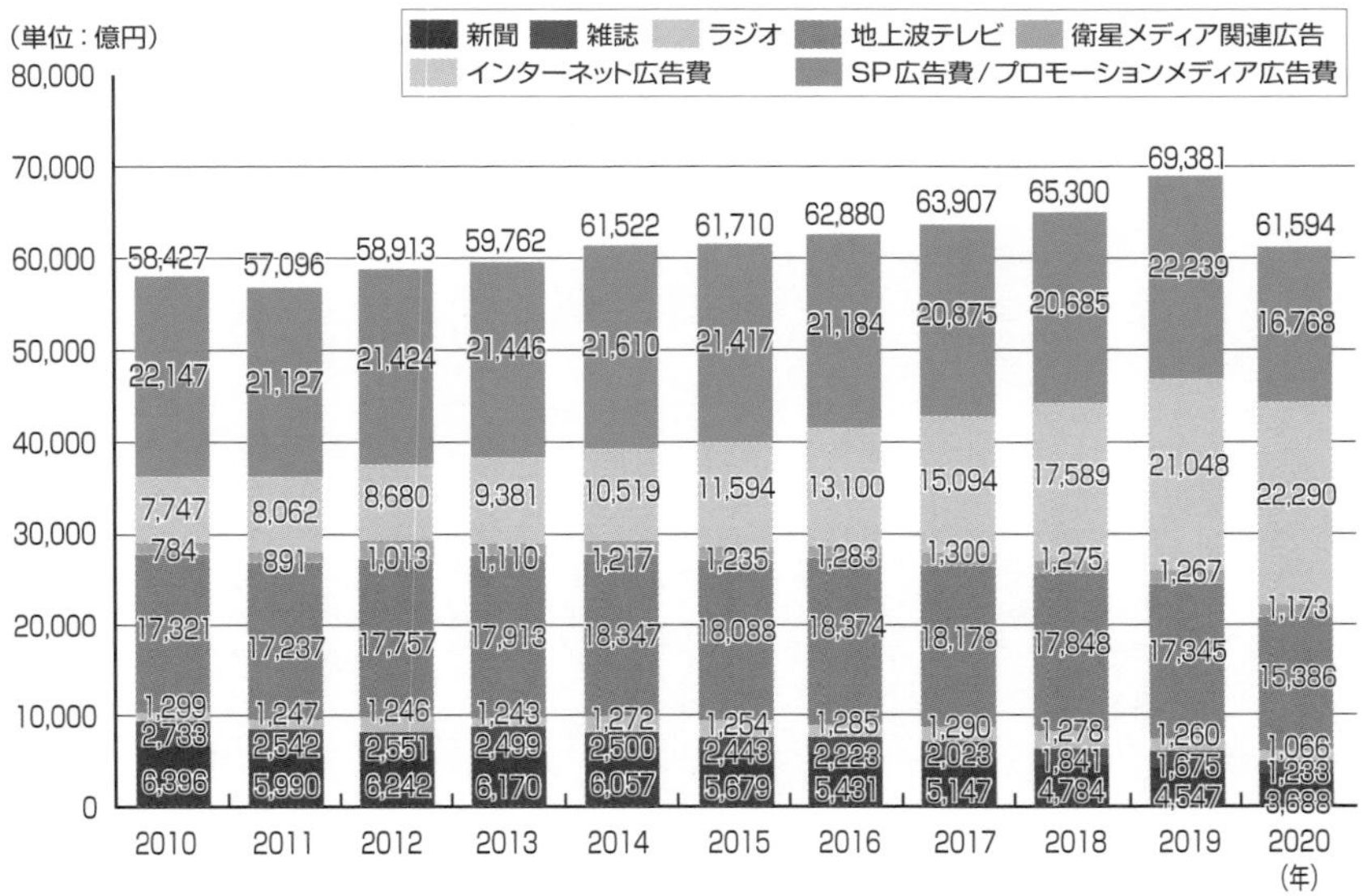

出典：電通「日本の広告費」各年版を基に作成

項目別インターネット広告費の推移（図 7.15.2）

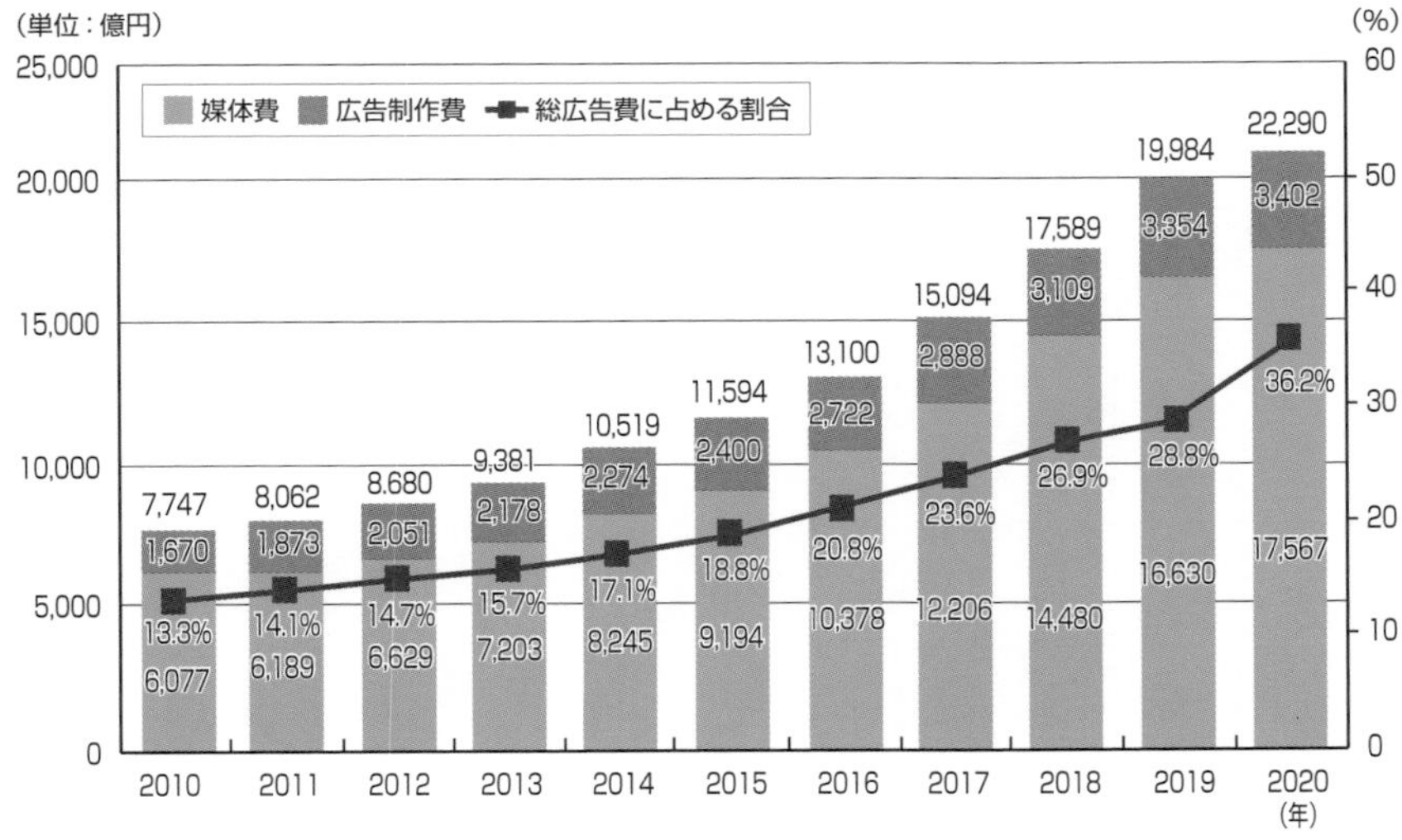

出典：電通「日本の広告費」各年版を基に作成

16 グーグルの検索連動型広告

グーグルの成長の源泉は広告にあります。一九年の広告部門の売上は一三四八億ドルで、日本円に換算すると一四兆七六八六億円と、日本の総広告費の実に二・四倍の規模があります。

日本の総広告費の二・四倍を稼ぐ

前節でふれた**運用型広告**の一つに**検索連動型広告**があります。これは、検索サイトで検索すると、検索結果の画面に、検索結果とともに利用者が入力したキーワードと関わりの深い広告を表示するというものです。この検索連動型広告で巨大な力を誇るのが**グーグル**です。グーグルでは、この検索連動型広告を**グーグル広告**（旧称は**アドワーズ**）と呼んでいます。

またグーグルは、グーグル広告とは別に**アドセンス**という広告も展開しています。こちらはサードパーティーのウェブページやブログなどに広告を掲載するものです。この二種類の広告がグーグルの主たる収益源になっています＊。

一九年のグーグルの売上高は一六〇七億ドル（一七兆六〇六三億円）で、その内訳を見ると広告部門が**一三四八億ドル**（**一四兆七六八六億円**）となっていて、全体の**八三・九％**を占めます（図7・16・1）。

前節で見たように、二〇年の日本の総広告費は**六兆一五九四億円**でした。この数字には、インターネット広告はもちろんのこと、マスコミ四媒体（テレビ、新聞、雑誌、ラジオ）やプロモーション広告など、日本におけるすべての広告費用が含まれています。つまり、グーグルの広告売上高は、日本の総広告費の**二・四倍**に相当する規模をもっていることになります（図7・16・2）。

また、二〇年の日本におけるインターネット広告費は過去最高の**二兆二二九〇億円**でした。グーグルの広告事業の収益はその**六・六倍**あるわけです。

用語解説

＊…**なっています**　これら以外にもユーチューブの動画広告などがある。

グーグルの売上構成（図 7.16.1）

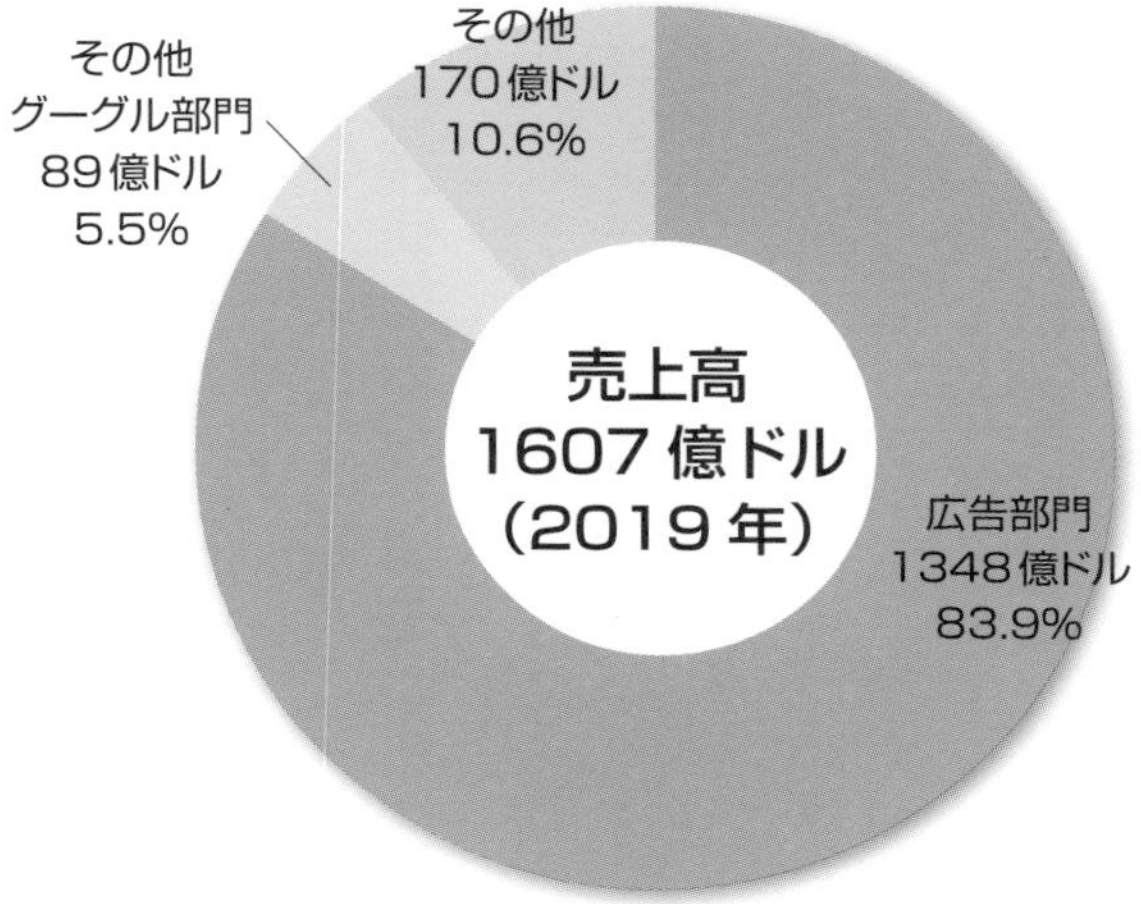
その他
グーグル部門
89億ドル
5.5%
その他
170億ドル
10.6%
売上高
1607億ドル
（2019年）
広告部門
1348億ドル
83.9%

出典:Google決算短信

グーグルの広告部門と日本の総広告費（図 7.16.2）

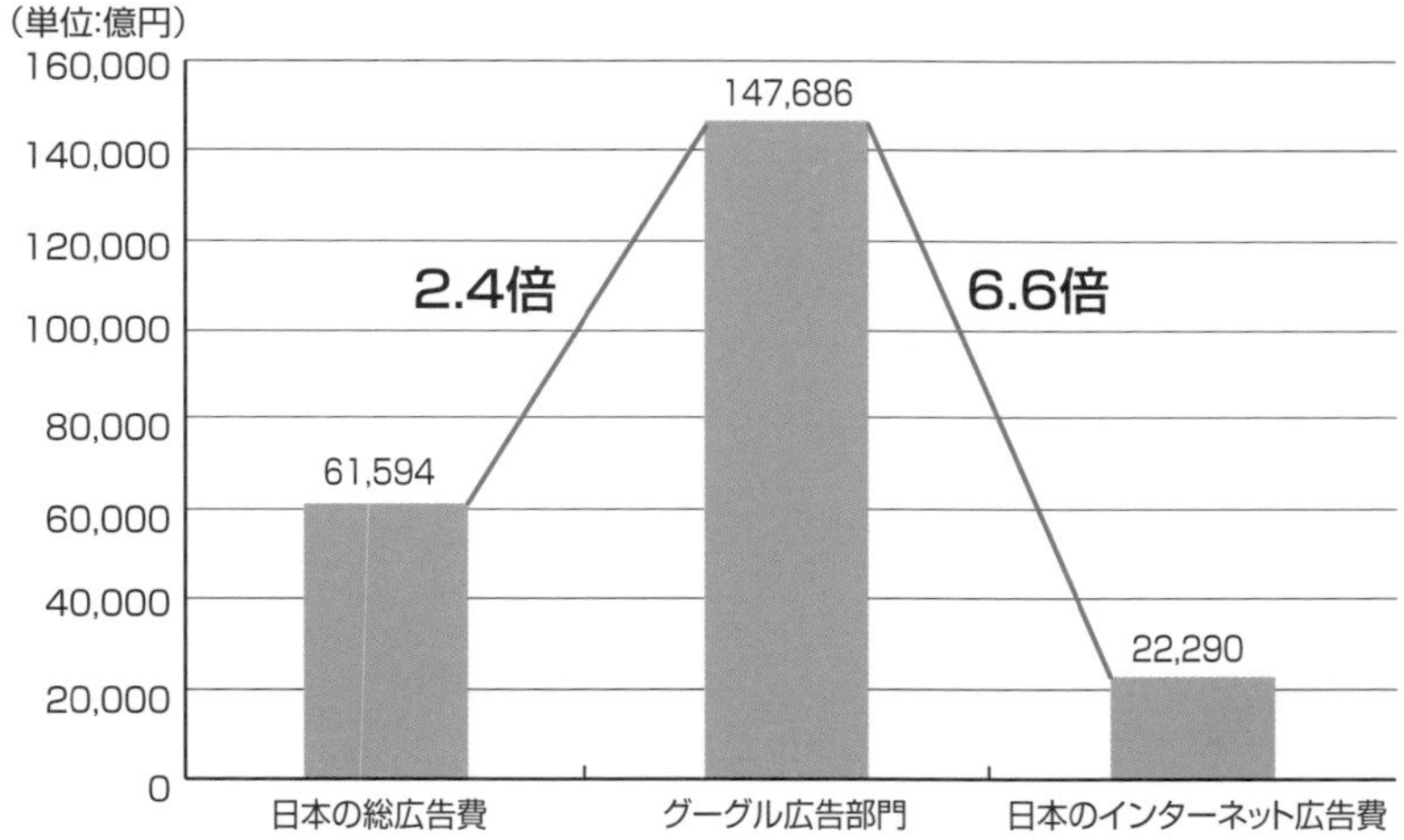
（単位:億円）
160,000
140,000
120,000
100,000
80,000
60,000
40,000
20,000
0
61,594
147,686
22,290
2.4倍
6.6倍
日本の総広告費
グーグル広告部門
日本のインターネット広告費

17 ビッグデータと行動ターゲティング広告

インターネットがもつビッグデータは広告分野で活用されてきました。その一つが行動ターゲティング広告と呼ばれるものです。これはウェブ上の行動ログから適切な広告を表示するものです。

ログから適切な広告を表示する

インターネットから吸い上げた**ビッグデータ**は、**広告**の分野で幅広く活用されてきました。

私たちは特定のウェブを閲覧しリンクをクリックします。こうしたウェブ上での行動は**ログ**として残ります。このネット上での行動ログを収集し、それを分析して、利用者の属性を勘案した上で適切なターゲットに対して適切な広告を表示する技術が開発されています。これを**行動ターゲティング広告**と呼びます。

行動ターゲティング広告

行動ターゲティング広告は、特定の個人の行動に着目するのではなく、特定のブラウザの行動に着目する点が特徴です。ある利用者がサイトにアクセスすると、その利用者のブラウザに**クッキー***（7 - 21節）による**ＩＤ**が割り振られます。

いったんＩＤを割り振ったら、このＩＤに基づいて、ブラウザが**アド・ネットワーク***上でとった行動をログとして収集・分析して、そのブラウザを使う人の興味を特定します。そして、そのブラウザが再びそのサイトや提携するアド・ネットワークにアクセスしたら、その利用者にとって興味があると考えられる広告を配信する——という仕組みです。

莫大な量にのぼるクッキーのＩＤと行動履歴情報はまさにビッグデータです。ここからユーザーの興味を特定して広告を配信する手法は、ビッグデータを活用した広告技術にほかなりません。

用語解説

＊**クッキー**　Cookie。サイトからブラウザに情報を送り、利用者のパソコンに一時的に情報を保存する仕組みを指す。クッキーを使うことで、ユーザーの識別やセッション管理が行える。

行動ターゲティング広告（図 7.17.1）

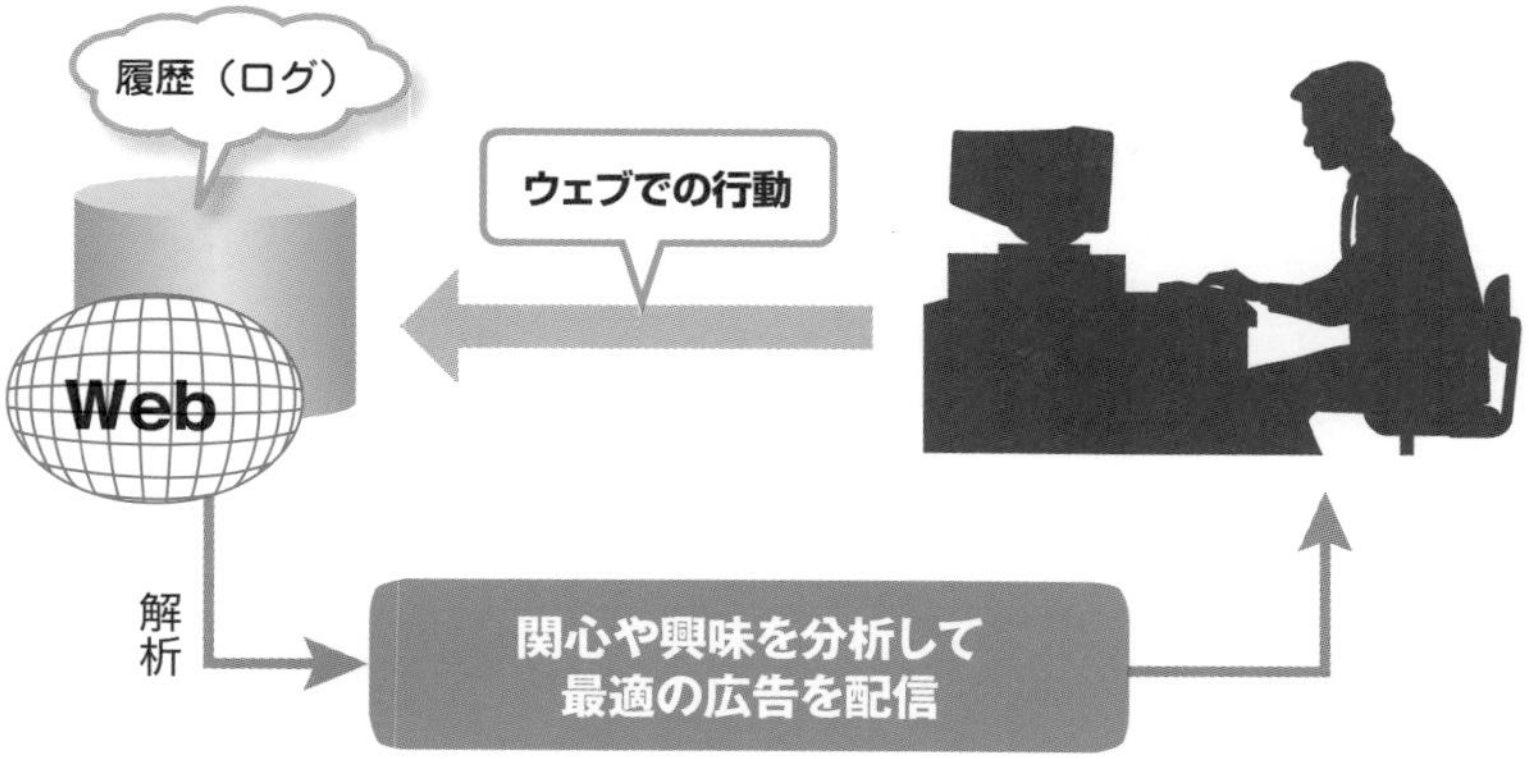

●Cookieをブロック

Cookieはブロックできるが、利便性が損なわれるので現実的ではない。

●配信の手順

①ブラウザが広告配信サーバーに初めてアクセスする

②ブラウザにIDを割り当てて広告を配信する

③ブラウザが再び広告配信サーバーにアクセスする

④IDから過去の履歴を検証し、適切な広告を配信する

用語解説

*＊***アド・ネットワーク**　利用者の行動ログを収集するウェブサイトが、協定などによって連携したもの。

18 DSP／RTBとは何か

現在のインターネット広告は、ビッグデータからより有益な情報を引き出して活用しています。その究極的な形が、金融業界のリアルタイム・データ処理から派生したDSP／RTBです。

夢の広告配信技術

行動ターゲティング広告（7-17節）が画期的だったのは、ユーザーの嗜好《しこう》を分析することで、好みにマッチする広告をピンポイントで送り込める点にあります。この技術は、金融業界のリアルタイム・データ処理から派生した**DSP／RTB**によりさらに精緻化されています*。

DSPとは**ディマンド・サイド・プラットフォーム**の略で、広告媒体への需要のある側（ディマンド・サイド）すなわち広告主や広告会社が利用する広告プラットフォームです。これと対で存在するのが**SSP**です。これは**サプライ・サイド・プラットフォーム**の略で、広告枠を供給する側（サプライ・サイド）が利用する広告プラットフォームです。

ある人物が広告スペースをもつウェブページにアクセスしました。SSPは、この人物のユーザーIDおよび広告掲載先の媒体の種類や掲載サイズなどの情報をいくつものDSPに送信します。DSPではリクエストに合致する広告を選択して出稿金額を入札します。SSPでは最も金額の高い入札をした広告を選び、それを先の人物がアクセスした広告スペースに掲載します。こうしたDSPとSSPの間を取り持っているのが**リアルタイム・ビッディング**（**RTB**）と呼ぶ技術です。

このように、ITを徹底的に活用してビッグデータを処理するDSP／RTBは、本当に広告したい人に広告ができる、広告主からすると夢のようなシステムです。

DSP／RTBは、**検索連動型広告**（7-16節）とともに**運用型広告**（7-15節）の一つになります。

用語解説

＊…**精緻化されています**　以下は横山隆治他著『DSP/RTBオーディエンスターゲティング入門』（2012年、インプレスR&D）を参考にした。

DSP/RTBの仕組み（図7.18.1）

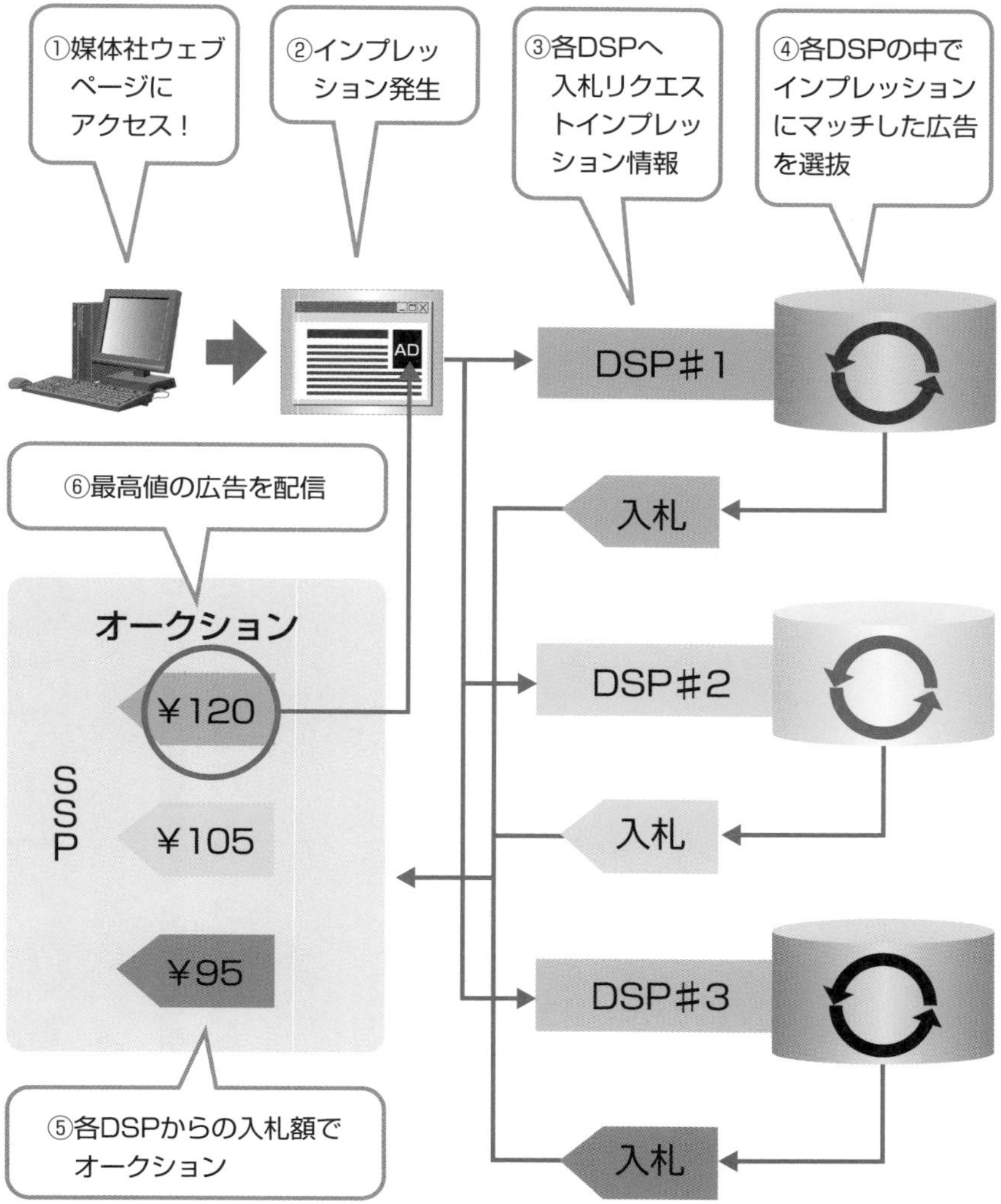
①媒体社ウェブページにアクセス！
②インプレッション発生
③各DSPへ入札リクエストインプレッション情報
④各DSPの中でインプレッションにマッチした広告を選抜
AD
DSP＃1
DSP＃2
DSP＃3
入札
入札
入札
⑥最高値の広告を配信
オークション
¥120
¥105
¥95
SSP
⑤各DSPからの入札額でオークション

出典：横山隆治他著『DSP/RTBオーディエンスターゲティング入門』（2012年、インプレスR&D）を基に作成

19 アプリ内広告へのニーズの高まり

スマホにアプリをダウンロードするのは、いまやごく普通の行為です。もし皆さんが広告関係の人ならば、こうしたアプリ内に広告を出稿したいと思うかもしれません。これをアプリ内広告と呼びます。

アプリ内広告とは何か

スマホ向けアプリのコンテンツは、ウェブブラウザを用いて表示されるわけではありません。ブラウザとは断絶した関係にあります。

その一方で、スマホ向けアプリでは多様なコンテンツを提供しており、場合によっては特定のコンテンツに対して広告を打ちたいと考える人もいるはずです。このような広告を**アプリ内広告**と呼んでいます。アプリ内広告の一例を紹介しましょう。

7-7節ではニュースアプリについて紹介しました。その中で**スマートニュース**についてふれましたが、このアプリを立ち上げてニュース一覧をよく見ると、記事タイトルの左下隅に小さく「広告」と表示されているものがあります。このコンテンツが広告であることがわかります。では、この広告コンテンツを開いてみましょう。広告と知らずにコンテンツを開いたら、スマートニュースからのニュース記事だと勘違いするかもしれません。

アプリ内広告では、**行動ターゲティング広告**の機能も存分に働いています。例えばいま、インスタグラムのアプリを起動し、筆者が趣味にする植物の写真を表示しました。その後、画面をスクロールすると、なんと「Google広告無料ガイド」という広告が表示されました。直前に、今回の原稿を書くためにグーグルやフェイスブックの広告に関する情報を確認したためだと思われます。個人の行動はここまで捕捉されているのが現実です。そのため新たな動きも起こっています。以下の二つの節ではその動きについて解説したいと思います。

アプリ内広告の例（図7.19.1）

● SmartNews

●インスタグラム

20　GDPRとインターネット広告

インターネット上の検索履歴や行動履歴、購買履歴がログとして蓄積される現在、これらは行動ターゲティング広告に利用されています。しかし基本的人権の立場から、個人情報保護の強化が進展しています。

GDPRとは何か

行動ターゲティング広告（7‐17節）では、個人を特定しない範囲で、収集した検索履歴や行動履歴、購買履歴を基にして、その人が興味をもちそうな広告をウェブブラウザなどに表示します。しかし、これらの履歴は個人情報に含まれ、どのように使用するかを決める権限は本人にあります。

このような観点から、政府が個人情報の取り扱いを厳格化する動きも強まっています。その代表例の一つに、一八年からEUで施行された**一般データ保護規則**（**GDPR**＊）があります。同規則は、EU域内の消費者や労働者の個人データの使用やプライバシー保護のルールを厳格化するもので、違反すると莫大な制裁金が課せられます。実際、一九年には、フランスのデータ保護規制当局が、グーグルに対してGDPR違反のかどで五〇〇〇万ユーロ（約六二億三二〇〇万円）もの制裁金を科すことを決定しました。

NRIセキュアテクノロジーズが行ったGDPRへの対応状況に関する調査によると（図7・20・1）、「対応済み」「対応中・検討中」と回答したアメリカ企業は前者が二一・三%、後者が五一・二%で、合わせて**七二・五%**になりました。これに対して日本企業は、「対応済み」が八・五%、「対応中・検討中」が一六・三%と、両者を合わせてわずか**二四・八%**にしか過ぎませんでした。日本企業の関心の低さが明瞭になった結果ですが、個人情報保護に対する関心の高まりは、ネット広告にもますます影響を及ぼすことになるでしょう。

用語解説

＊**GDPR**　General Data Protection Regulationの略。

GDPRへの対応状況（アメリカ企業と日本企業）（図7.20.1）

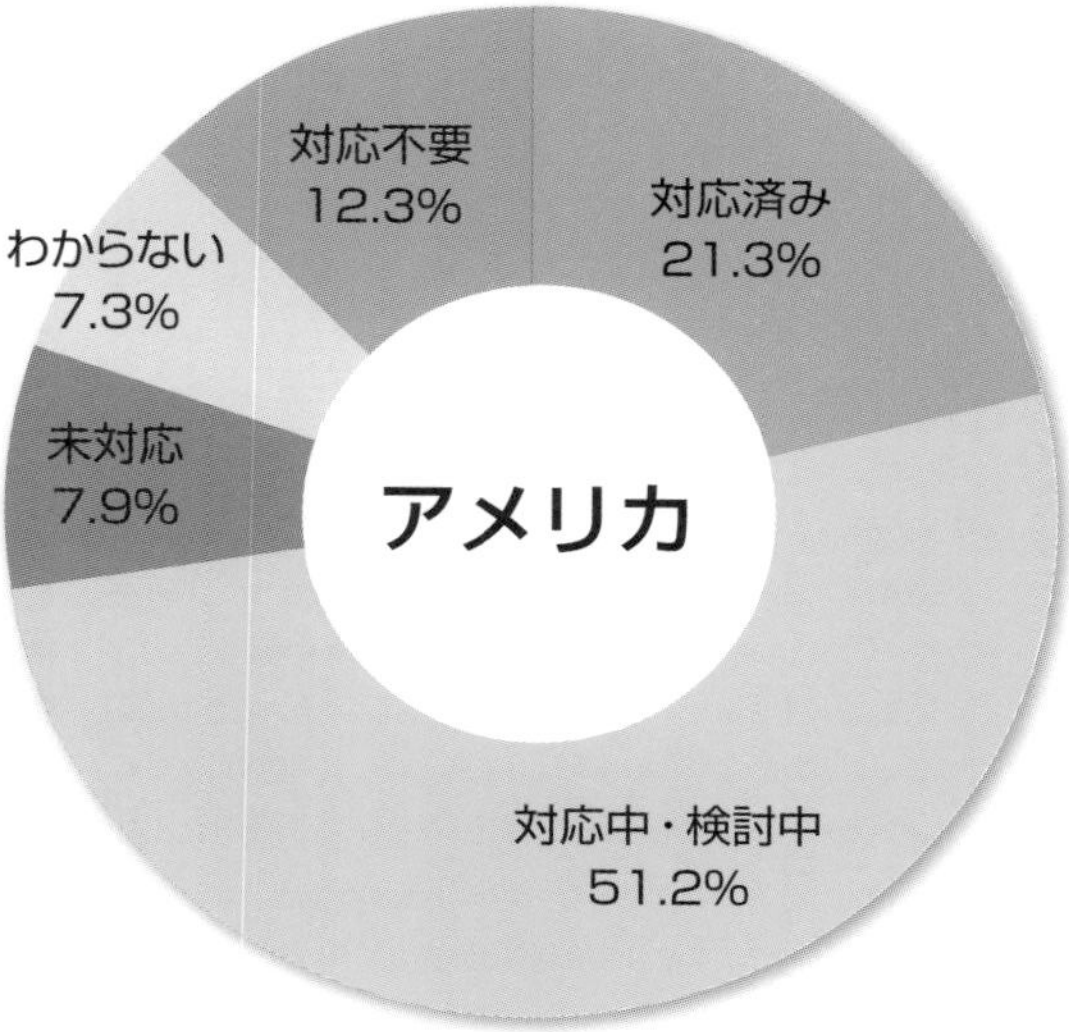
対応不要
12.3%
対応済み
21.3%
わからない
7.3%
未対応
7.9%
アメリカ
対応中・検討中
51.2%

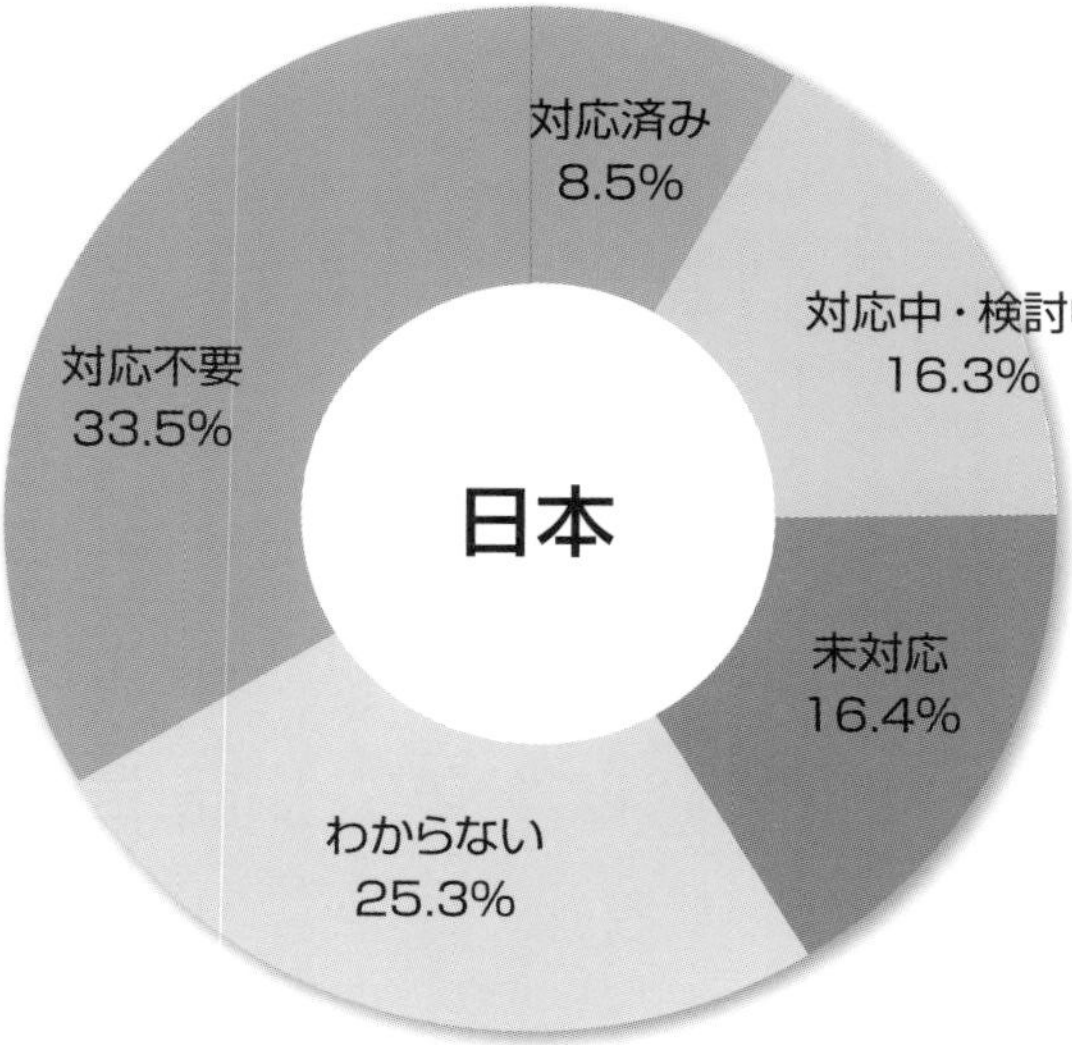
対応済み
8.5%
対応中・検討中
16.3%
対応不要
33.5%
日本
未対応
16.4%
わからない
25.3%

出典：野村総合研究所『ITナビゲーター2020年版』

21 サードパーティー・クッキーとネット広告

絶好調のインターネット広告に転機が訪れています。IT企業各社が、プライバシー保護を厳格化するために、サードパーティー・クッキーなどの利用を制限し始めたからです。

クッキーよる広告の転機

クッキーとは、サイトの閲覧情報などがウェブブラウザに一時的に蓄積されたものを指します。クッキーのおかげで、例えばカートに入れた商品をウェブブラウザは記憶してくれています。

このクッキーには**ファーストパーティー・クッキー**と**サードパーティー・クッキー**の二種類があります。前者は同じドメインから発行されたクッキーであり、後者は異なるドメインを横断して行動履歴が蓄積されるクッキーです。グーグルのアドセンス(7-16節)はこのサードパーティー・クッキーを用いて広告を表示しています。グーグルで「一周忌」や「一回忌」などのキーワードで検索したあと、別のサイトでお葬式関係の広告が表示されるのはこのためです*。

前節で見たGDPRのように、検索履歴やコンテンツの利用履歴が個人情報として保護される対象であるという意識が強まっています。そのような中、IT企業でもサードパーティー・クッキーの利用を制限する動きが広がっています。グーグルは二二年を目途にサードパーティー・クッキーの利用を中止し、別の枠組みで**行動ターゲティング広告**を展開すると宣言しています。また、アップルではそれよりも前に、ウェブブラウザ「サファリ」に、サードパーティー・クッキー経由の広告を表示しないようにしています*。

このようにインターネット広告は、ピンポイントでターゲットに届く効果的な広告と、プライバシー保護の間で揺れています。

用語解説

*…**このためです**　ぜひ、試してみていただきたい。また、フェイスブックではフェイスブック・ピクセルを利用して、利用者のドメインをまたぐ行動を捕捉している。

*…**しています**　これをITP(Intelligent Tracking Prevention)と呼ぶ。

クッキーの種類（図 7.21.1）

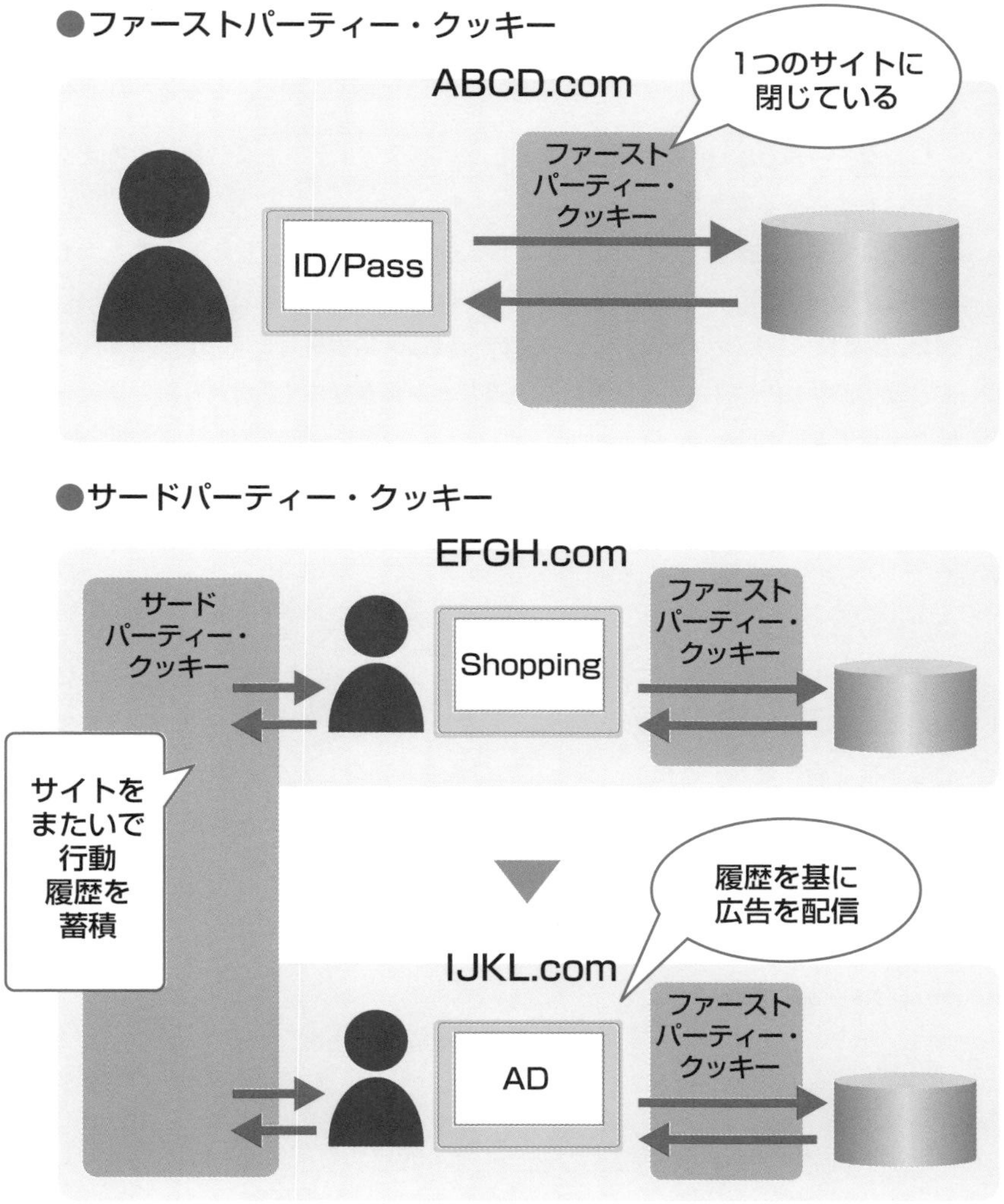

column

ロングテールとグーグルの広告ビジネス

●ロングテールとは何か

ロングテールとは、少数の人しか購入しない商品アイテムを多数取りそろえることで収益を確保する考え方です。

縦軸に販売量、横軸にアイテム数を売れる順にとってグラフ化すると、あたかもしっぽの長い恐竜のようになります。そして、売れ筋商品の大量販売が恐竜の頭（ヘッド）部分、多品種少量販売が恐竜のしっぽ（テール）部分に相当します。テールを長く伸ばすことで、ヘッドと同様の収益を得られることがわかります。だからロングテールというわけです。

7-16節では、グーグルの広告ビジネスである**グーグル広告**（旧アドワーズ）と**アドセンス**について解説しました。いずれもロングテールと切っても切れない関係にあります。

●広告のロングテール化

グーグル広告は検索キーワード単位で広告を出します。費用は入札で決まるので一概にはいえませんが、中小規模の企業でも支払い可能な額です。つまり、従来の広告会社が目を向けなかったロングテールの広告主を獲得したのがグーグル広告です。

またアドセンスは、これまた従来の広告会社が無視していた小口のウェブページを広告媒体にすることに成功しました。ロングテールのウェブページを、グーグルから広告を配信する媒体に変えたわけです。

▼ロングテールの考え方

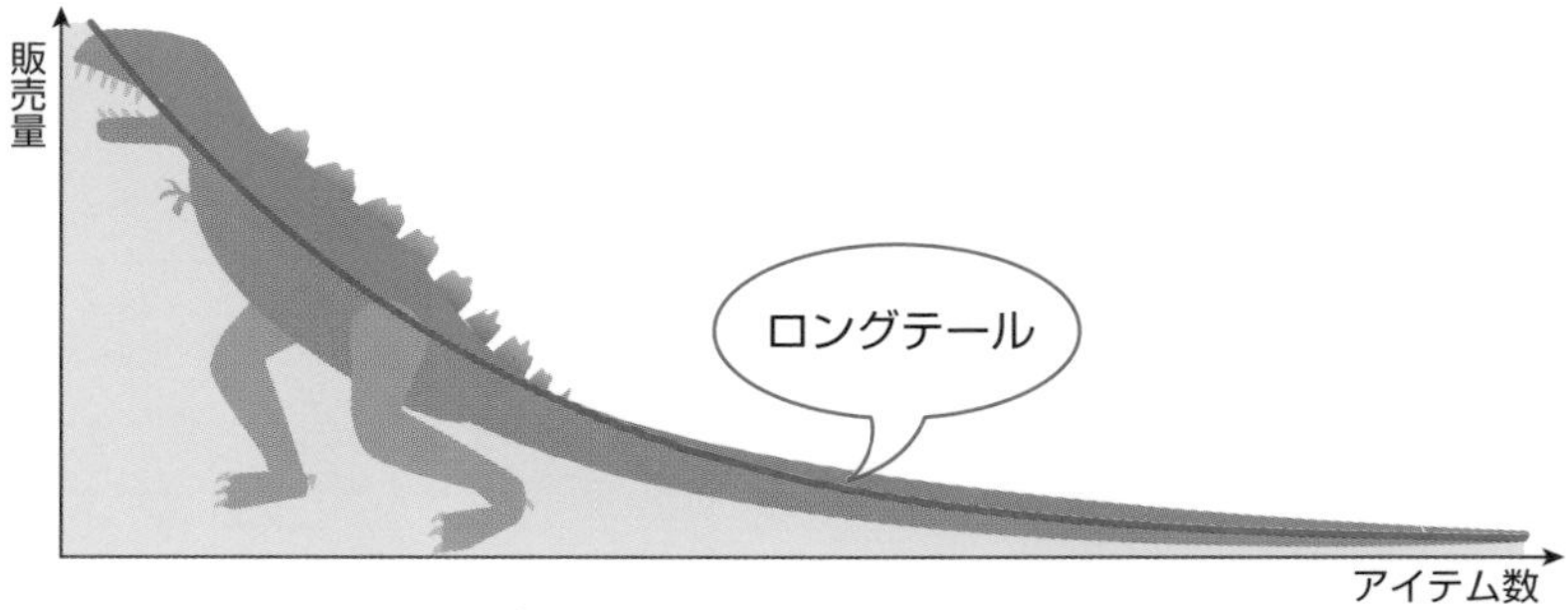

第8章

コンテンツと著作権

コンテンツのデジタル化が進む中、著作権に対する関心が高まっています。また、著作権に対する従来とは異なった考え方も台頭してきました。最終章では、コンテンツ業界とも関わりの深い著作権の「いま」を、かいつまんで解説します。

How-nual 図解入門 業界研究

1 コンテンツ業界と著作権ビジネス

コンテンツ業界ではデジタル化が急速に進展しています。デジタル・コンテンツには複製が容易という特徴があります。そのため、デジタル・コンテンツを不正行為から守ることが急務になってきました。

権利を有効活用して収益を高める

コンテンツに対する不正行為の根拠になるのが**著作権***であり、それを定義した**著作権法**です。著作権法では、著作者の権利として**著作者人格権**と**著作権***を認めています。後者の著作権は知的創作活動の成果に対する**財産権**、すなわち**知的財産権**の一つで、「著作者がその著作物を排他的・独占的に利用できる権利」を指します。この権利が法的に明確にされているため、コンテンツ制作者はコンテンツを世に送り出し、そこから収益を得られます。

よって、権利を所有する側は、この権利をいかに有効に活用して、コンテンツからの収益を高めるかがポイント*になります。このようなことから、コンテンツ・ビジネスは**著作権ビジネス**とも呼ばれます。

デジタル時代の問題点

一方、**デジタル・コンテンツ**は、容易にコピーできる、コピーしても品質が劣化しない、簡単に送受信できる、などの特徴を有します。これらは、利用者にとっては便利な半面、コンテンツの不正利用が広がる温床にもなっています。

コンテンツが不正に利用されるということは、コンテンツの著作権者の権利が侵害されるとともに、本来得られるべき収益が得られなくなることを意味します。このため、コンテンツのデジタル化が進展するということは、結果的にコンテンツの**権利保護**に対する取り組みを促すことになります。

用語解説

＊**著作権**　copy right、copyrightとはこの著作権を指す。

＊**著作者人格権と著作権**　著作者人格権と著作権の両者を合わせて、広義の著作権と呼ぶ(8-2節参照)。

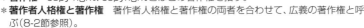

デジタル化と著作権保護（図 8.1.1）

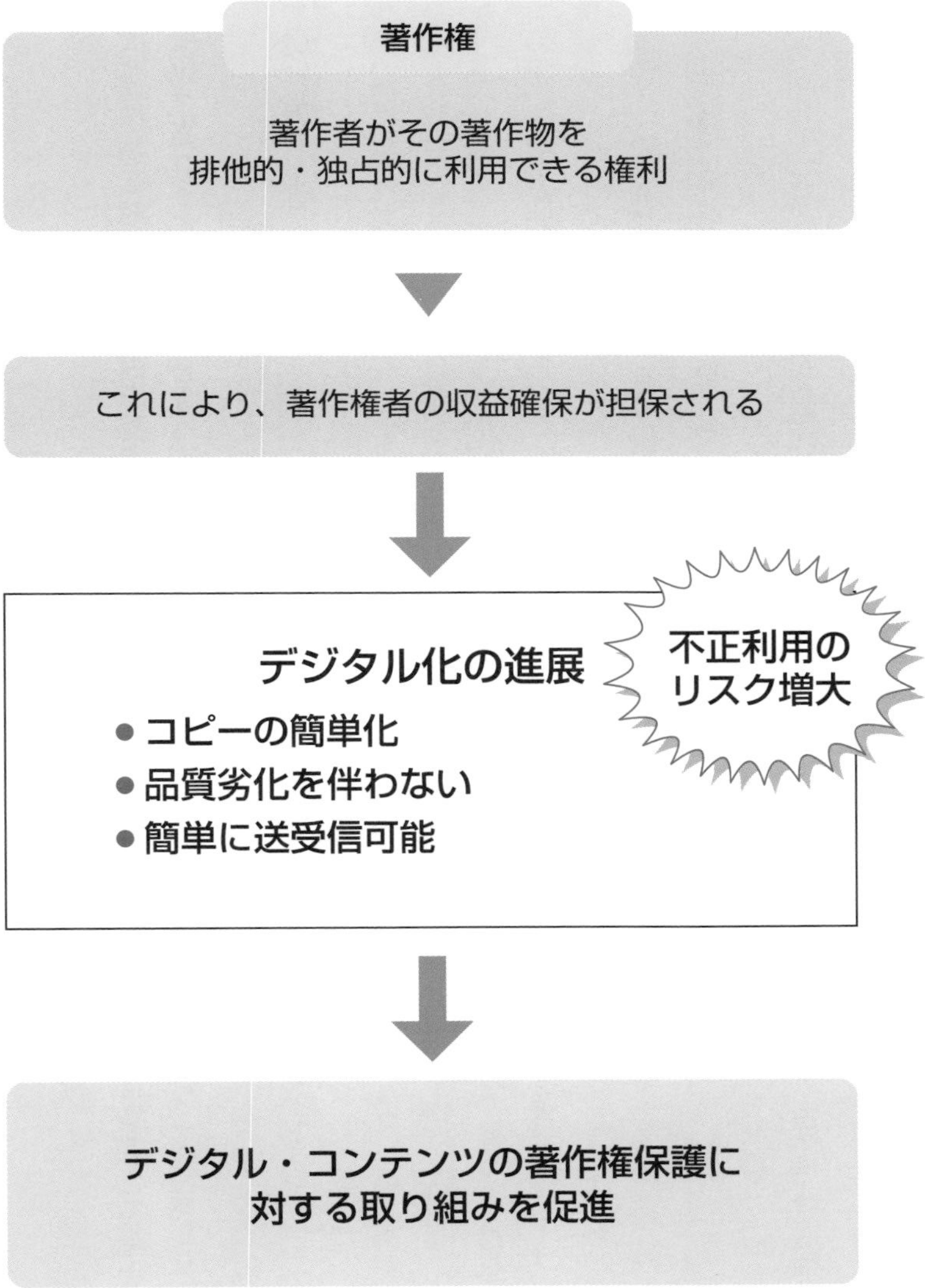
著作権
著作者がその著作物を
排他的・独占的に利用できる権利
これにより、著作権者の収益確保が担保される
デジタル化の進展
● コピーの簡単化
● 品質劣化を伴わない
● 簡単に送受信可能
不正利用の
リスク増大
デジタル・コンテンツの著作権保護に
対する取り組みを促進

用語解説

＊…**高めるかがポイント**　例えば、劇場で上映した映画はビデオソフトや放送などにも二次利用される。実はこの二次使用の権利は、そのコンテンツの著作権者に認められている権利だ。したがって、ビデオソフトや放送への利用は、著作権者が有する権利を有効に活用して、収益を高めているのにほかならない。

2 著作権法の基本構造

著作権は著作物を対象とした著作者の権利で、著作者人格権および財産権としての著作権（狭義の著作権）の二種類があります。これらを合わせたものが一般的に広義の著作権といわれます。

著作物と著作権

著作権の対象は**著作物**ということになります。著作権法では、著作物のことを「思想又は感情を創作的に表現したものであって、文芸、学術、美術又は音楽の範囲に属するものをいう」と定義しています。そして、この著作物を創作する者が著作者です。著作物には、それが発生したのと同時に、**著作者**の権利である著作権が生じます。本書で対象としてきたコンテンツは、いずれも著作物の一つと考えて問題ありません。

著作物を創作した著作者には、**著作者人格権**および財産権としての**著作権**という二種類の権利が認められます。両者を合わせたものが、**広い意味での著作権**＊になります。

著作者人格権と著作権という二種類の権利

前者の著作者人格権とは、「著作物について著作者がもっている人格的権利を守るための権利」を指します。具体的には、著作物の**公表権**や**氏名表示権**、内容の改変を禁止する**同一性保持権**がこれに属します。これらを含む著作者人格権は、著作物を創造した者に専属するものであって、譲渡や放棄ができません＊。

一方、後者の著作権は、「著作物を利用して収益を上げる財産権」のことです。**複製権**や**上映権**、**放送権**は、この財産権としての著作権により保護されています。

次節では、この財産権としての著作権について詳しく見ていきましょう。

用語解説

＊…**広い意味での著作権**　著作権法での「著作権」とは財産権としての著作権を指しており、広義のそれではない。

＊…**や放棄ができません**　ただし、権利を行使しないことを契約として結ぶことはできる。亀山渉『デジタル・コンテンツ流通教科書』（インプレスR&D）P.215参照。

著作権の基本概念（図 8.2.1）

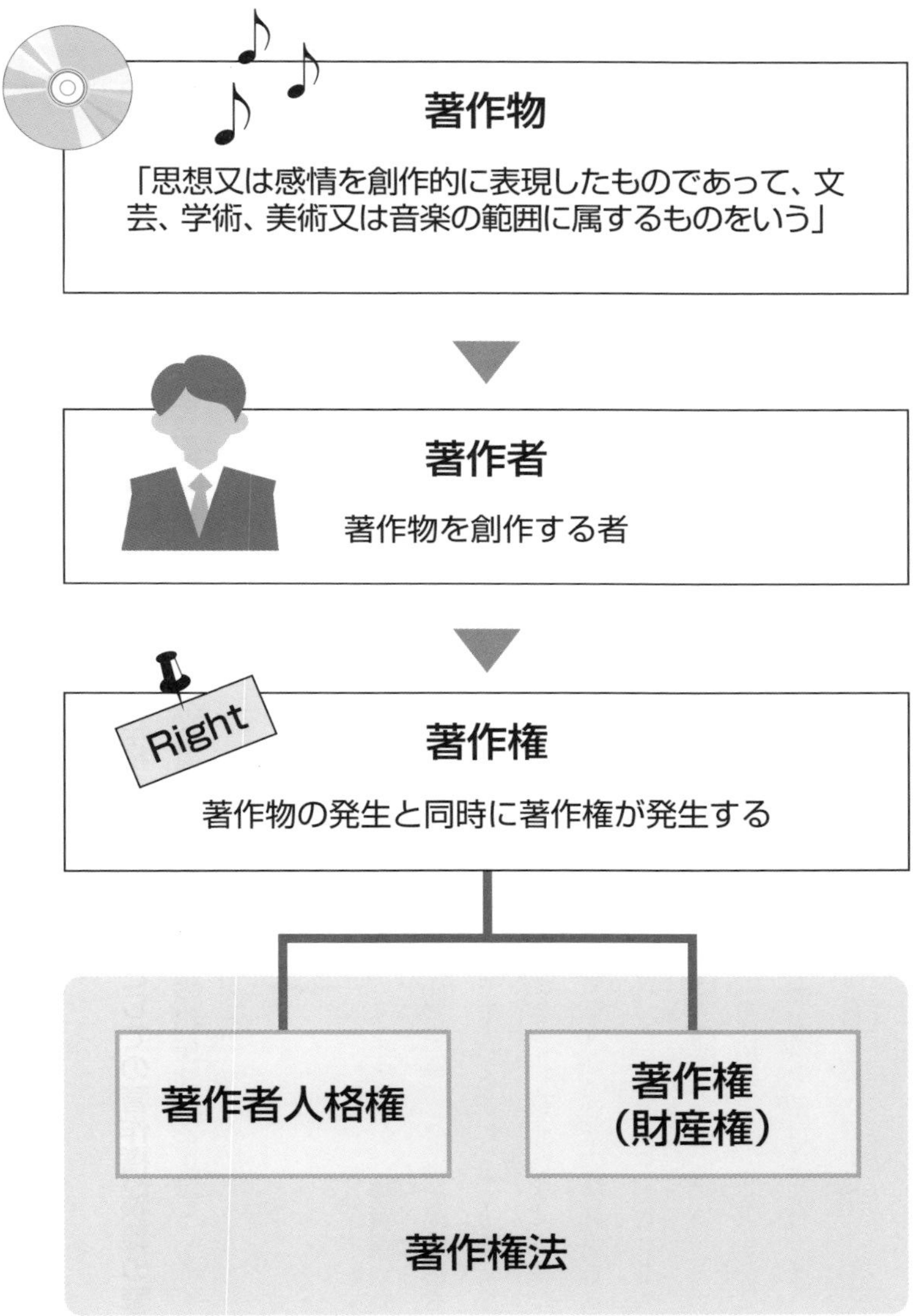
著作物
「思想又は感情を創作的に表現したものであって、文芸、学術、美術又は音楽の範囲に属するものをいう」
著作者
著作物を創作する者
Right
著作権
著作物の発生と同時に著作権が発生する
著作者人格権
著作権
（財産権）
著作権法

3

財産権としての著作権

著作物を創作した著作者の権利には、大別して著作者人格権および財産権としての著作権があります。このうち財産権としての著作権では、複製権や上映権、放送権をはじめ多様な権利が認められています。

著作権が認める数々の権利

財産権としての著作権では、次のような権利が認められています。

①複製権
②上演権・演奏権
③上映権
④公衆送信権
⑤口述権
⑥展示権
⑦頒布権(譲渡権・貸与権)
⑧翻訳権・翻案権等
⑨二次的著作物の利用に関する原著作者の権利

主な権利の内容

上記の中で最も基本的となる権利が①**複製権**です。

複製とは、「印刷、写真、複写、録音、録画その他の方法により有形的に再製すること*」を指します。そして著作者は、自分が権利を有する著作物を複製する権利を「**専有**」します。つまり専有ですから、その権利を独占できるわけです。よって、著作者から許諾を得ない著作物の複製は、不正行為になります。

また、②～⑧については、著作物を上演・演奏したり、上映したり、放送したり*、口述、展示、頒布、翻訳、翻案したりする権利を、著作者が専有することを認めています。

最後は**二次的著作物***に対する権利を認めたものです。

このように、著作者の著作権は広範囲にわたります。

用語解説

＊…**有形的に再製すること**　著作権法の(定義)第2条より。
＊…**上映したり、放送したり**　これは上映権、公衆送信権に該当する。

著作権の構造（図 8.3.1）

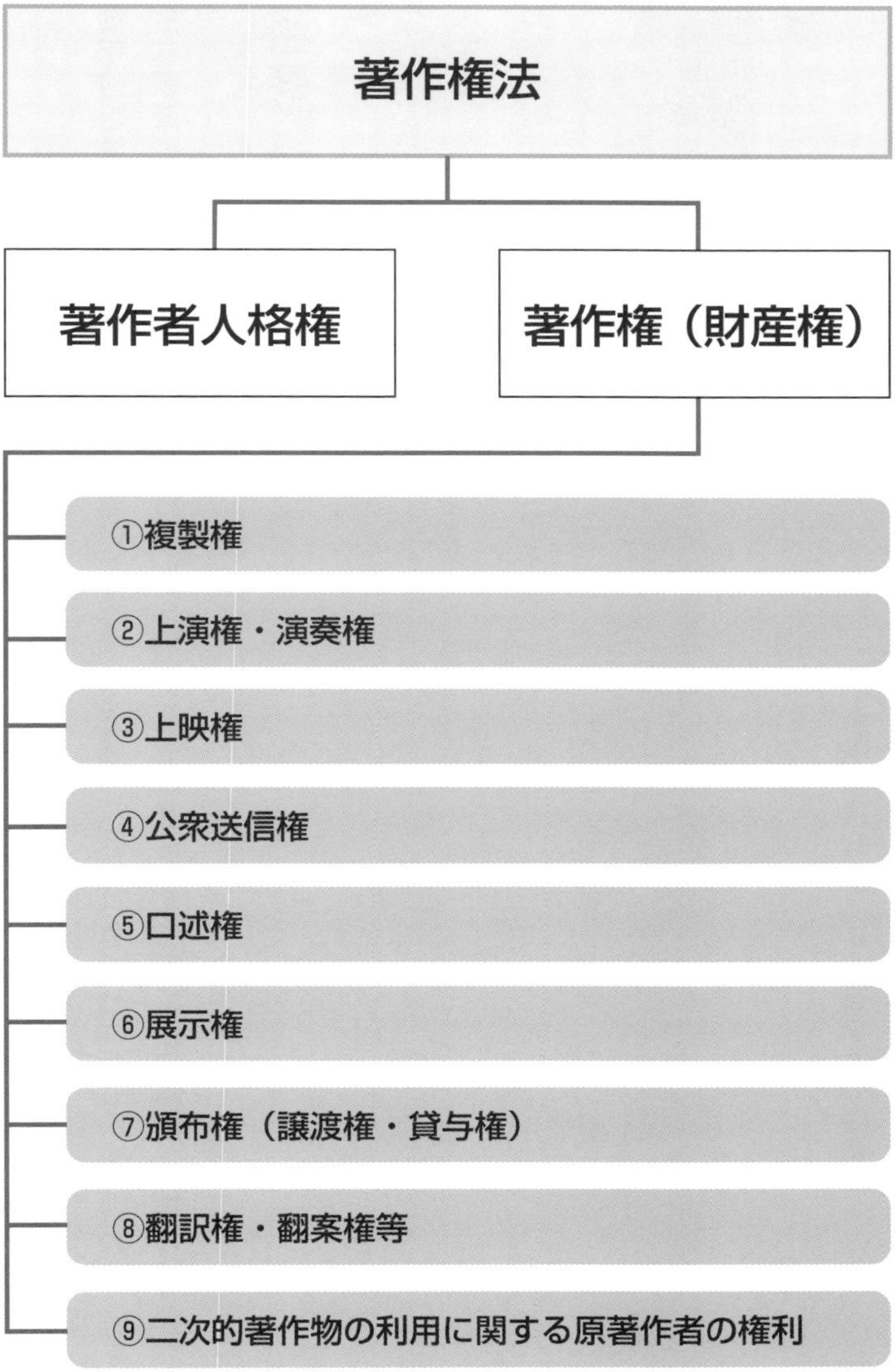

用語解説

＊**二次的著作物**　著作物を翻訳し、編曲し、若しくは変形し、又は脚色し、映画化し、その他翻案することにより創作した著作物をいう（著作権法第2条11）。

4 著作隣接権とは何か

著作隣接権とは、著作物を演奏したり上演したりする実演家に認められた権利です。また、レコード製作者や放送事業者に対する権利も著作隣接権の中に含まれています。広範囲に及ぶ権利といえます。

演奏家などの権利を守る

著作権とは微妙に異なるものに、**著作隣接権**があります。著作者が創作した著作物は、一般に、著作者とは別の人々の手によって利用者に伝えられます。

例えば、作詞家や作曲家が創作した楽曲は、歌手や楽器演奏者による演奏がレコードなどに収められ、聴取者に届けられます。これらの行為は**準創作行為**とも呼べるものです。そして、こうした準創作行為にまつわる権利を保護するのが著作隣接権です。

著作隣接権には次のようなものがあります。

①実演家の権利

実演家とは歌手や演奏家、俳優などを指します。実演家には、録音や録画に対する排他的権利、放送や有線放送についての排他的権利、二次利用料を受け取る権利などがあります。ちなみに民間テレビ局は、過去のテレビ番組の**マルチユース**が円滑に進まない理由の一つとして、実演家の権利処理を挙げています。

②レコード製作者の権利

レコードやCDなどを製作する者の権利です。複製に関する排他的権利や、二次利用料を受け取る権利などがあります。

③放送事業者、有線放送事業者の権利

地上放送や有線放送などの放送事業者に認められた権利です。複製権や再放送権などの権利があります。

著作隣接権とは何か（図 8.4.1）

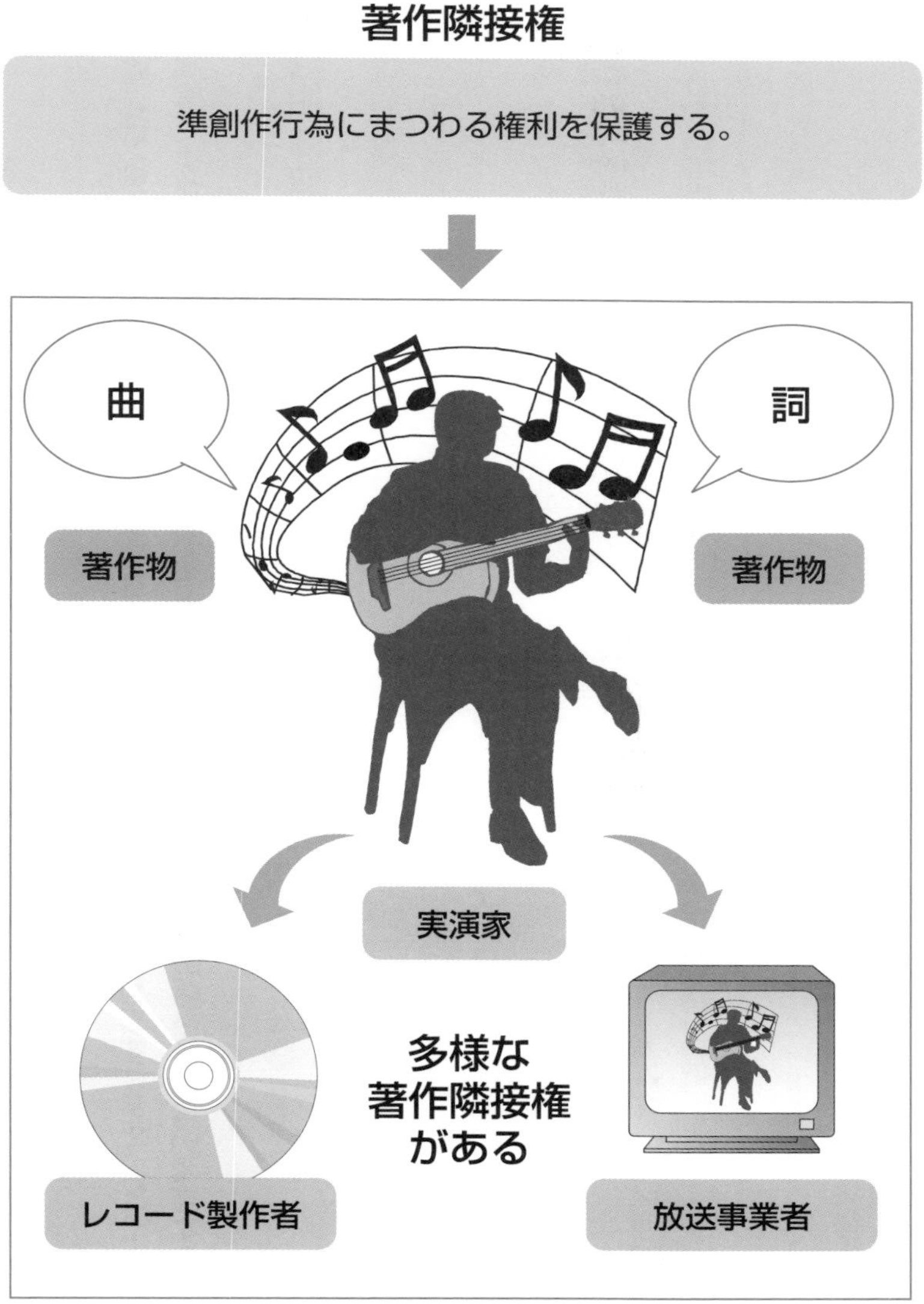

5 IPTVと著作権法の改正

著作権法は、コンテンツを不正利用から守る、著作者にとっては極めて頼もしい存在です。とはいえ人間が決めた制度ですから、世の中が変化する中で当然、時代にそぐわない点も明らかになってきます。

ネット経由は放送にあらず

著作権法では、**放送**を「公衆によって直接受信されることを目的として無線通信の送信を行うこと」と定義していました。その一方で、受信者がコンテンツの提供を求めることにより自動送信されるものについては、放送にあたらず、**自動公衆送信**と位置づけていました。この場合、インターネット経由で映像番組を提供する行為は、放送ではなく自動公衆送信（通信の一種）になります。

しかし、放送と通信では著作権法上の大きな違いがあります。例えば、放送の場合、商業用レコードは許諾を受けず利用して、あとから二次利用料を支払えばよい、などの取り決めがあります。ほかにも放送だと、実演家や作曲家、作詞家、脚本家ら、番組制作に関わる権利所有者からの許諾取得において優遇されます。

著作権法改正で不都合を解消

インターネットが進展し、そこに大量の映像コンテンツが流れるようになった現在、利用者にとっては、無線経由の放送も有線のインターネット経由の自動公衆送信も、映像を見るという点では変わりがありません。

そこで、著作権法の不都合を解消すべく、**IPマルチキャスト**＊による**放送の同時再送信**についても、放送と認められるようになりました。このことを盛り込んだ改正法は〇七年七月に施行されています。

現在、NTTグループが提供する**ひかりTV**などでは、インターネット経由で地上デジタルテレビ放送を視聴できます。それもこの法改正があったからです。

用語解説

＊**IPマルチキャスト**　インターネット・プロトコルを用いたデータ送信の一種。その特徴は、一対多でデータを送る点にある。

著作権法の改正（図8.5.1）

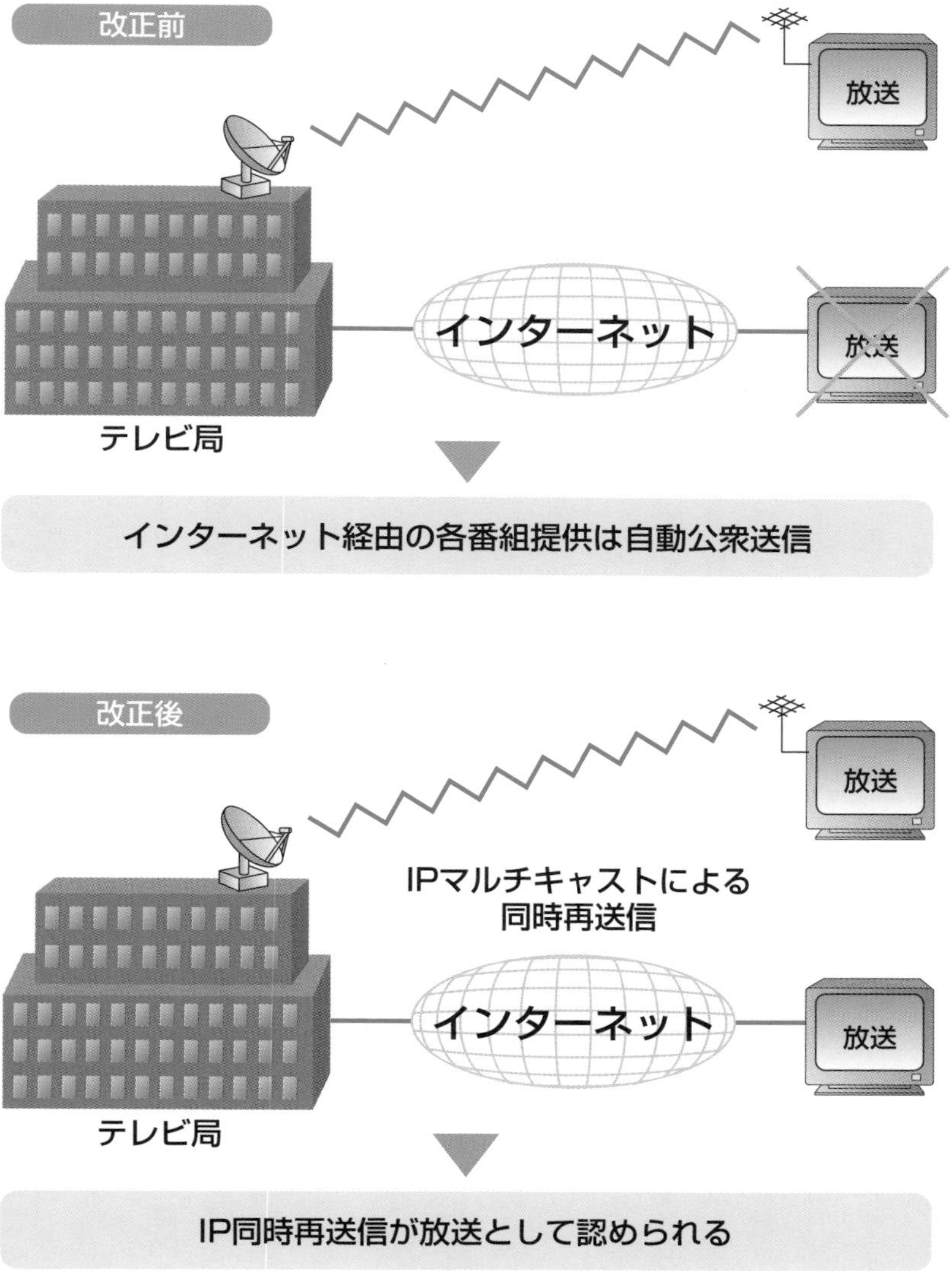
改正前
放送
テレビ局
インターネット
放送
インターネット経由の各番組提供は自動公衆送信
改正後
放送
IPマルチキャストによる
同時再送信
テレビ局
インターネット
放送
IP同時再送信が放送として認められる

6　コピーワンスからダビング10への移行

著作権者の保護と利用者の利便性はトレード・オフの関係にあります。一方の優遇が過ぎると他方の扱いがおろそかになります。よって、両者には絶妙なバランスが欠かせません。

コピーワンスから

ダビング10は、著作権の保護と利用者の利便性に関する話題として取り上げる価値があるでしょう。

地上デジタル放送やBSデジタル放送では、**コピー制御信号（CCI**＊**）**が放送と同時に送信されています。放送を視聴するには、この信号を適切に受信＊しなければなりません。従来、このコピー制御信号は、一回だけ録画可能、すなわち**コピーワンス**でした。これにより、HDDレコーダーに録画した映像をDVDなどのリムーバルメディアに複製すると、HDD内にある元の映像は消去されます＊。ただし、リムーバルメディアへの複製に失敗した場合でも、HDDレコーダーの映像が消去されてしまい、利用者から不満の声が上がっていました。

ダビング10へ

こうしたコピーワンスの問題点を解消するために、ダビング10が新たに導入されました。**ダビング10**では、リムーバルメディアに九回まで複製しても、元のデータは録画装置に残されたまま＊になります。

このダビング10は、〇八年六月からのサービス開始を予定し調整が行われました。ところが、著作権団体側と家電メーカー側の主張が折り合わず、サービスが延期される事態＊となります。結局ダビング10は、補償金に関する議論をいったん棚上げし、予定より約一カ月遅れの七月四日にサービスが始まりました。この一例からも、権利保護と利便性確保のバランスをとるのがいかに難しいか、わかるというものです。

用語解説

＊**CCI**　Copy Control Informationの略。

＊…**信号を適切に受信**　この機能を適切に作動させるのが、デジタルテレビなどに差し込むB-CASカードだ。

＊…**消去されます**　リムーバルメディアから別のメディアへの孫コピーはできない。

コピーワンスとダビング 10（図 8.6.1）

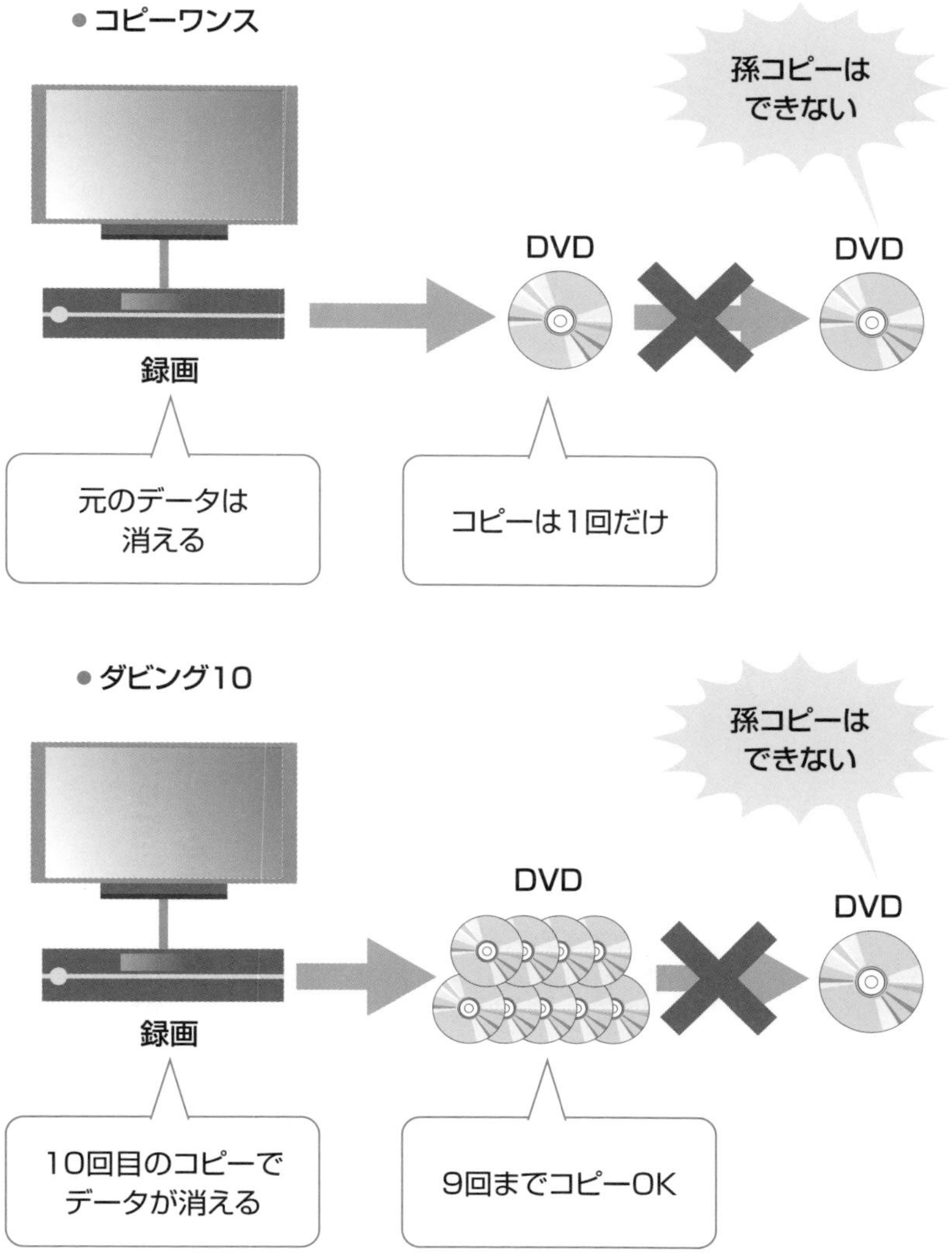

●コピーワンス
孫コピーは
できない
DVD
DVD
録画
元のデータは
消える
コピーは1回だけ
●ダビング10
孫コピーは
できない
DVD
DVD
録画
10回目のコピーで
データが消える
9回までコピーOK

用語解説

＊…**残されたまま**　ただし、10回目のコピーをすると元の映像が消去される。リムーバルメディアからの孫コピーはできない。

＊…**延期される事態**　著作権団体側がダビング回数の増加に伴う補償金の上積みを要求したのに対し、家電メーカー側がこの要求を拒否して議論が膠着（こうちゃく）状態となった。

7 クリエイティブ・コモンズとは何か

デジタル・コンテンツがさらに普及する中、今後も著作権の問題はコンテンツ業界での中心的な話題となるでしょう。最終節では、著作権の新たな考え方について紹介しておきます。

著作権に対する新たな考え方

デジタル化の進展は、著作権に対する従来の考え方を根本的に変えることを要請しているのかもしれません。そのような中、スタンフォード大学のローレンス・レッシング教授は**クリエイティブ・コモンズ**を提唱しています。

クリエイティブ・コモンズは、著作物が円滑に流通する環境を整備することを主眼にしています。そして、著作物の円滑な流通を実現するために、クリエイティブ・コモンズでは、次の四つのライセンス形態を設定しています。

①**帰属表示**（著作権保持者の所在を明示する義務）

②**非営利利用**（非営利に限り利用可能）

③**改変の禁止**（内容の改変を禁止する）

④**同一条件許諾**（改変が禁止されていないコンテンツから別のコンテンツを作成した場合、元のコンテンツの許諾を踏襲する）

こうした条件をコンテンツに表示することで、コンテンツを再利用する側がより柔軟に対応できるようにする、というのがレッシング教授の考えです。その半面、クリエイティブ・コモンズの条件を示した者が、本当にそのコンテンツの著作権所有者なのかを確認する手段がない、などの問題もあります。

いずれにせよ、デジタル化の進展が、コンテンツ著作権管理の新たなあり方を考える転機となったのは明らかです。

クリエイティブ・コモンズ（図 8.7.1）

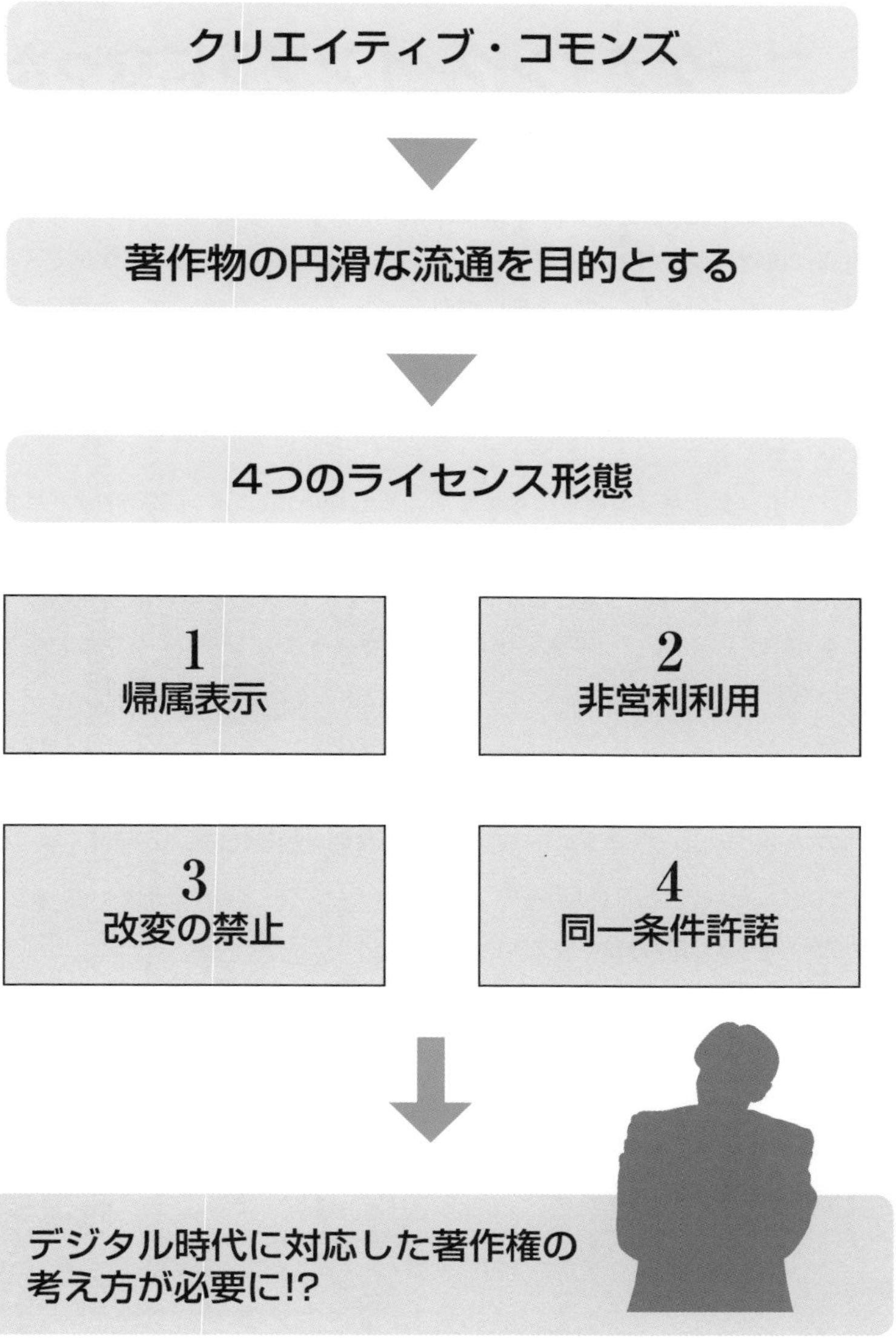
クリエイティブ・コモンズ
著作物の円滑な流通を目的とする
4つのライセンス形態
1
帰属表示
2
非営利利用
3
改変の禁止
4
同一条件許諾
デジタル時代に対応した著作権の
考え方が必要に!?

column

マーケティング・インフラになった インターネット

●生活インフラ化、社会インフラ化の意味

当初は**通信インフラ**としてスタートしたインターネットですが、やがてメールなどの**コミュニケーション・インフラ**に変貌しました。さらにウェブの進展により、生活に欠かせない情報やサービスがインターネット上で提供されるようになりました。しかも、モバイルの進展により、そのような情報やサービスに、いつでもどこからでもアクセスできます。

いまやインターネットなしの社会が考えられない現在、インターネットは**生活インフラ**、さらには**社会インフラ**へと進展しています。このような中、インターネット上で人がとる行動を分析してビジネスにつなげる動きが強まるのは当然のことかもしれません。つまり、インターネットは巨大な**マーケティング・インフラ**としても進展しているわけです。

●いつもマーケティングを念頭に

このマーケティング・インフラに眠る大量の情報を掘り起こして分析し、マーケティングに活用しようというのが、現在のビッグデータ時代にほかなりません。爆発的に増加する情報を最先端のITが分析し、それをマーケティングにフィードバックする活動はますます活発になるでしょう。このように、我々が生成するコンテンツはマーケティング活動と切っても切れぬ関係にあります。そのことは、コンテンツはマーケティングを念頭に生成されるべきだ、ということを意味しているのかもしれません。

▼マーケティング・インフラ化するインターネット

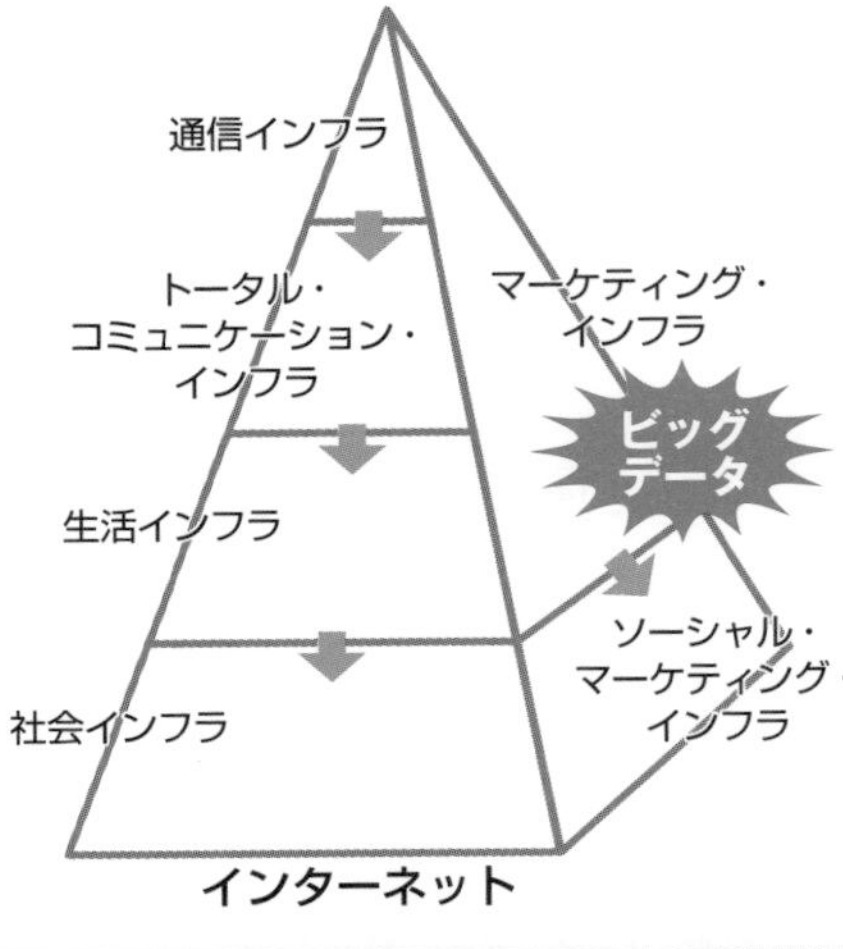

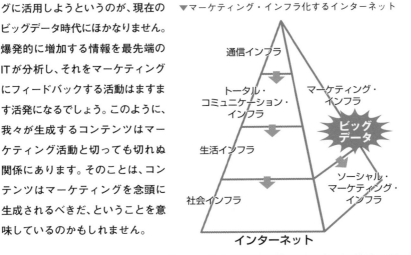

参考文献

『DSP/RTBオーディエンスターゲティング入門』 横山隆治他著、インプレスR&D、2012
『ITナビゲーター2021年版(他各年版)』 野村総合研究所ICTメディア・サービス産業コンサルティング部、東洋経済新報社、2020
『インターネット白書2021』 インターネット白書編集委員会編、インプレスR&D、2021
『コンテンツ企業のビジネスモデル分析』 監査法人トーマツTMTインダストリーグループ編、中央経済社、2007
『情報メディア白書2021』 電通メディアイノベーションラボ編、ダイヤモンド社、2021
『図説 日本のメディア[新版]』 藤竹暁・竹下俊郎編著、NHK出版、2018
『ソフト・パワー』 ジョセフ・S・ナイ著、山岡洋一訳、日本経済新聞出版、2004
『デジタル・コンテンツ流通教科書』 亀山渉著、インプレスR&D、2006
『デジタルコンテンツ白書2020(他各年版)』 経済産業省監修、一般財団法人デジタルコンテンツ協会編、一般財団法人デジタルコンテンツ協会、2020
『テレビの教科書』 碓井広義著、PHP研究所、2003
『フリー』 クリス・アンダーソン著、高橋則明訳、NHK出版、2009
『メディアガイド2020』 博報堂DYメディアパートナーズ著、宣伝会議、2020
『令和2年版 情報通信白書(他各年版)』 総務省編、日経印刷、2020

参考資料

「2019年情報通信基本調査(2018年度実績)」 総務省・経済産業省、2020年3月
「2019年度の事業」 日本音楽著作権協会、2020年
「2020年 日本の広告費(他各年版)」 電通、2021年2月
「Global Music Report 2020」 IFPI、2020年
「Year-End 2019 RIAA Music Revenues Report」 RIAA、2020年
「アニメ産業レポート2020 サマリー版」 日本動画協会、2021年1月
「音楽メディアユーザー実態調査 2019 年度調査結果」 日本レコード協会、2020年4月
「クールジャパン戦略について」 内閣府知的財産戦略推進事務局、2019年9月
「スマホゲームの動向」 三菱総合研究所、2016年7月
「タイムシフト視聴率と総合視聴率」 中奥美紀著、電通報、2017年5月
「知的財産推進計画2020」 知的財産戦略本部、2020年5月
「電気通信サービスの契約数及びシェアに関する四半期データの公表(令和2年度第2四半期)」 総務省、2020年12月
「日本のレコード産業2020」 日本レコード協会、2020年
「放送コンテンツの海外展開に関する現状分析(2018年度)」 総務省、2020年6月
「メディア・ソフトの制作及び流通の実態に関する調査研究」 総務省、2020年7月
「メディア定点調査2020」 博報堂DYメディアパートナーズ メディア環境研究所、2020年
「令和元年度情報通信メディアの利用時間と情報行動に関する調査報告書」 総務省、2020年9月
その他各社決算短信・IR資料・ニュースリリースなどを利用

図解入門 How-nual

索引

INDEX

あ行

さ行

か行

た行

な行

は行

ま行

や行

ら行

数字

アルファベット

■著者紹介

中野　明（なかの　あきら）

プランニング・ファクトリー サイコ代表。同志社大学理工学部嘱託講師。情報通信・経済経営・歴史民俗の三本柱で執筆する。『最新コンテンツ業界の動向とカラクリがよくわかる本』『最新放送業界の動向とカラクリがよくわかる本』（以上秀和システム）、『幻の五大美術館と明治の実業家たち』『戦後　日本の首相』（以上祥伝社）、『裸はいつから恥ずかしくなったか』『世界漫遊家が歩いた明治ニッポン』（以上筑摩書房）、『ナナメ読み日本文化論』『ドラッカー・ポーター・コトラー入門』（以上朝日新聞出版）、『超図解「21世紀の哲学」がわかる本』（学研プラス）など著作多数。中国語、韓国語に翻訳された作品は30点を超える。

ウェブサイト　http://www.pcatwork.com/

図《ず》解《かい》入門《にゅうもん》業界《ぎょうかい》研究《けんきゅう》
最新《さいしん》コンテンツ業界《ぎょうかい》の
動向《どうこう》とカラクリがよくわかる本《ほん》［第《だい》４版《はん》］

発行日　2021年　5月12日　　第1版第1刷

著　者　中野《なかの》　明《あきら》

発行者　斉藤　和邦
発行所　株式会社　秀和システム
〒135-0016
東京都江東区東陽2-4-2　新宮ビル2F
Tel 03-6264-3105（販売）Fax 03-6264-3094
印刷所　三松堂印刷株式会社　　Printed in Japan

ISBN978-4-7980-6358-4 C0033